Louis de Wohl

DRZEWO ŻYCIA

Sandomierz 2013

KSIĄŻKI LOUISA DE WOHLA

+ A. M. D. G. +

LOUIS DE WOHL

DRZEWO
ŻYCIA

Tytuł oryginału:
The Living Wood

Tłumaczyła:
Ewa Chmielewska-Tomczak

Projekt i grafika na okładce:
Dark Crayon & Grzegorz Krysiński

Opracowanie komputerowe:
Damian Karaś

Korekta:
Magdalena Broniarek

ISBN 978-83-257-0510-7

Sandomierz 2013

Od autora

Daty w książce są poprawne historycznie. Tylko czas akcji Księgi Pierwszej, będącej czymś w rodzaju prologu do pozostałych, jest niepewny. Nie wiemy dokładnie, w którym roku Konstancjusz i Helena się poznali, zakochali w sobie i pobrali. Powiązałem to z upadkiem Palmyry, który nastąpił w roku 272.

274 – jest poprawną datą historyczną narodzin Konstantyna.

289 – uznania rządów Karauzjusza przez Rzym.

294 – zamachu na Karauzjusza.

296 – wyzwolenia Brytanii.

303 – słynnego edyktu Dioklecjana i Maksymiana przeciw chrześcijanom.

306 – śmierci Konstancjusza (25 lipca).

312 – wyprawy Konstantyna przeciw Maksencjuszowi i bitwy przy Moście Mulwijskim (28 października).

326 – śmierci Kryspusa i odnalezienia prawdziwego Krzyża (3 maja).

To jest powieść i nie twierdzę, że opowiadam historię potwierdzoną we wszystkich szczegółach. Tam, gdzie historycy nie są zgodni – na przykład w kwestii miejsca narodzin świętej Heleny i jej pochodzenia – wybrałem wersję, która najbardziej mi się podobała. Jednak większość wydarzeń w książce opiera się na faktach historycznych, podobnie jak autentyczna jest większość bohaterów – nawet setnik Marek Fawoniusz Facilis, którego brązowa statua wciąż stoi w Brytanii.

Poniższa lista zawiera nazwy najczęściej wymienianych miast rzymskich, które najtrudniej rozpoznać w ich łacińskim brzmieniu, wraz z ich angielskimi odpowiednikami: Camulodunum – Colchester, Eburacum – York, Aquae Sulis – Bath, Verulamium – koło St. Albans, Gesoriacum – Boulogne.

KSIĘGA
PIERWSZA
A.D. 272

Rozdział pierwszy

Nad kanałem leżała mgła.

Samotny mężczyzna, przedzierający się po omacku przez klify, klął pod nosem, kiedy jego stopy ślizgały się na mokrej trawie, rzadkiej jak kępki włosów na łysej głowie olbrzyma.

Deszcz mżył monotonnie i niespiesznie w szarym powietrzu. Nie było w nim niczego orzeźwiającego, dzikiego czy agresywnego, był wilgotny i mdły, jakby starczy.

Beznadziejny kraj, pomyślał mężczyzna, ścierając krople z twarzy. Prawdziwy Hades. Cóż za niedorzeczny pomysł, by badać linie jego wybrzeża.

Rufus go ostrzegał, a Rufus znał ten kraj, bo stacjonował w Brytanii przez ostatnie siedem lat, biedaczysko. Ale on nie słuchał i jeszcze na niego warknął:

– Dobrze, jeśli boisz się przemoczyć nogi, zostań w obozie i graj w kości. Nie potrzebuję ordynansa. Pójdę sam!

A Rufus przybrał cierpiętniczy i uległy wyraz twarzy i zasalutował, a on poszedł sam, jak głupiec.

Przeklęta trawa. Przeklęty deszcz. Przeklęty cały ten nędzny kraj! Jaki sens miała inspekcja tego skrawka wybrzeża? Nikt o zdrowych zmysłach nie próbowałby inwazji od tej strony, nawet Germanie.

Służba w jakimkolwiek okręgu nad Renem była czystą rozrywką w porównaniu z tą krainą deszczu i mgły – nie mówiąc o Belgii czy Galii.

Zupełnie inaczej to sobie wyobrażał, kiedy wieść o przyznaniu mu dowództwa we wschodniej Brytanii nadeszła w samym środku przyjemnego pobytu z Czternastym Legionem w głównej kwaterze cesarza w Mediolanie. A ściśle mówiąc, w byłej głównej kwaterze cesarza. Generałowie nie przemęczali się, odkąd cesarz wyruszył na wschód – do Egiptu, na wyprawę przeciw tej małej syryjskiej królowej, Zenobii.

Młodsi oficerowie nie mieli żadnych wątpliwości co do celu wyprawy Aureliana. Niech stare wojenne wygi ze sztabu szepczą o znaczeniu Palmyry jako skrzyżowania głównych szlaków karawan na Wschód i na Południe.

Szlaki karawan! Jak gdyby cesarz widział sens w prowadzeniu wojny o kilka dróg! Ale Zenobia była uważana za jedną z najpiękniejszych kobiet na świecie, a stary Aurelian zawsze wiedział, co dobre.

Czternasty Legion miał więc wino, kobiety i sporadyczną musztrę, ale żadnych perspektyw dla człowieka z ambicjami.

Nie było źle być trybunem w wieku dwudziestu siedmiu lat, ale lepiej legatem, a nie można nim zostać w tym wieku, jeśli nie dostanie się szansy. A Brytania była mimo wszystko przyczółkiem Imperium, nie tylko miejscem, z którego pochodzą ostrygi.

Na Plutona, on naprawdę skorzystał z protekcji, by zostać przeniesionym tutaj.

Już na samym początku przeżył bolesne rozczarowanie. Banda trzeciorzędnych łachudrów nazywających siebie Dwudziestym Legionem! Generał, który przyznał po trzecim pucharze wina, że jest tutaj, bo nigdzie indziej go nie chcieli – Aulus Karoniusz, łysy, brzuchaty i leniwy jak syryjska dziwka.

– Reumatyzm, mój drogi chłopcze, reumatyzm! Nie martw się, też się go nabawisz w tym piekielnym klimacie.

Medycy wysyłali go co roku na zachód do Aquae Sulis, by zażywał tam leczniczych kąpieli.

W międzyczasie próbowano zrobić żołnierzy z motłochu noszącego dumne miano Dwudziestego Legionu.

Cieniu cezara, gdybyś mógł ich widzieć! Prawie żadnych Rzymian. Galijscy narwańcy, belgijscy nicponie, kilkuset ujarzmionych Germanów i garstka Hiszpanów i Greków – męty z jednostek rekrutacyjnych, o imionach, na których można było połamać język.

Co za życie! Gdzie się podziała ta przeklęta droga? Na Styks, nic nie widać na trzy metry! Na zimny nos Cerbera, zgubiłem się – świetnie jak na oficera, który przeprowadza inspekcję miejsca potencjalnego najazdu. Niech szlag trafi Rufusa, przebrzydłego bękarta jednookiego poganiacza mułów...

Skały, mgła i deszcz.

Przystanął na chwilę i uświadomił sobie, że jest cały przemoczony – płaszcz, zbroja, tunika i wszystko.

Mógł chociaż zostawić tę przeklętą zbroję, ale tego nie zrobił. Chciał dać przykład dyscypliny. Rufus będzie szczerzył zęby, kiedy wróci do domu. To znaczy, jeśli wróci do domu. Teraz nie było to takie pewne. Teren coraz bardziej przypominał jeden z większych i bardziej skomplikowanych labiryntów Hadesu. W lewo? W prawo?

Morze było oczywiście niewidoczne – pojawi się zapewne w polu widzenia, kiedy będzie za późno, kiedy znakomity rzymski trybun poleci głową w dół, ponieważ jeden z tych po trzykroć przeklętych kredowych kamieni usunie się spod mokrego sandała.

– Stać – powiedział gniewny głos po łacinie. – Nie ruszaj się. Kim jesteś?

Trybun potrzebował paru chwil, by się odnaleźć w zupełnie nowej sytuacji. Ostatnia rzecz, o jakiej by pomyślał, to spotkanie z wrogiem. Tu nie było wojny. To prawda, że zawsze toczyła się na dalekiej północy, z barbarzyńskimi plemionami za murem, malującymi swoje ciała. Ale mur znajdował się o kilkaset kilometrów stąd, a tutaj była spokojna brytyjska prowincja – przynajmniej dotąd tak mu się zdawało.

Co do rozbójników – cóż, byli oczywiście wszechobecni. Ale jaki rozbójnik o zdrowych zmysłach wybrałby ten nieprzyjazny krajobraz na miejsce napaści?

Zrobił to, co instynktownie robi żołnierz stający przed niespodziewanym wyzwaniem: wysunął do przodu swoją małą tarczę i położył prawą dłoń na rękojeści miecza. Umysł potrzebował jednak więcej czasu niż ciało, by sobie wszystko poukładać.

– A kim ty jesteś? – odpowiedział pytaniem, bardziej zaciekawiony niż zdenerwowany. Wyzywający głos znów się odezwał:

– To nieważne. Ja jestem u siebie, ty nie, więc ty odpowiedz na moje pytanie.

Głos był bardzo gniewny – a zarazem bardzo młody.

Roześmiał się.

– Nigdy nie widziałeś rzymskiego trybuna?

– Głupi jesteś – odpowiedział głos. – Jak mam rozpoznać stopień wojskowy w tej mgle?

Przeciwnik mówił doskonałą łaciną, choć z wyraźnie obcym akcentem.

Teraz trybun się zdenerwował.

– Trybun Konstancjusz z Dwudziestego Legionu melduje się – powiedział z gryzącą ironią. – A ty kim do diabła jesteś i gdzie się chowasz?

– Tu jestem – odrzekł głos. Cień stał się widoczny we mgle, bardzo szczupły i na oko nieuzbrojony.

Konstancjusz postąpił o dwa ostrożne kroki do przodu – ziemia była bardzo śliska. Odrzucił tarczę na plecy i chwycił szczupłe ramię przeciwnika.

– Niech na ciebie popatrzę – powiedział surowym tonem – i spojrzał w twarz dziewczyny.

Była bardzo młoda – siedemnaście, osiemnaście lat, chyba nie więcej.

Wiele tutejszych kobiet było urodziwych w jakiś dziki, mroczny sposób i ta nie stanowiła wyjątku. Przynajmniej tak pomyślał, patrząc na jej ładnie wyrzeźbione rysy. Sprawiała też wrażenie zgrabnej, z tego, co zdołał dojrzeć w tym mroku dnia.

Roześmiał się.

– Moja droga, chyba źle wybrałaś porę na spotkanie z ukochanym...

– Nie mam ukochanego – odparła pogardliwym tonem. – Puść moje ramię.

Posłuchał jej ku własnemu zdziwieniu. Miała bardziej ozdobną suknię niż te, które dotąd widział, i nosiła perły.

– Powiedziałem ci, kim jestem – rzekł. – Nie sądzisz, że ty też mogłabyś się przedstawić?

– Elen – odpowiedziała dziewczyna. – A ty możesz być trybunem, ale ja wiem o tobie coś jeszcze.

– Co takiego?

– Zabłądziłeś. Nie wiesz, gdzie jesteś. Inaczej by cię tu nie było.

Uniósł brwi.

– A dlaczego nie?

– Ponieważ ta ziemia jest święta. Tylko druidom wolno tutaj wchodzić.

Konstancjusz zmarszczył brwi. Niepisane prawo rzymskiej armii mówiło, by nie wtrącać się do miejscowych bogów i ich kultu. Nie tyle z powodu ich potencjalnej mocy, choć z tym nigdy nic nie wiadomo, lecz głównie dlatego, że była to zła polityka. Powodowała dużo problemów, nie przynosząc korzyści, a Karoniusz nienawidził trudności, zwłaszcza niepotrzebnych. Jeśli ta ziemia była święta... dziewczyna zasiała w nim wątpliwość, ale również dała mu punkt zaczepienia.

– A więc jesteś druidką – powiedział żartobliwym tonem. – Młodo ich dziś wybierają.

– Głupi jesteś – dziewczyny wcale to nie rozbawiło. – Oczywiście, że nie jestem druidką. Ale wolno mi tu wchodzić jako królewskiej córce.

To było jeszcze gorsze – jeśli prawdziwe. Mogła wpaść w histerię i zacząć krzyczeć, a Karoniusz musiałby się zmierzyć z niebywałym skandalem, kiedy nowina dotarłaby do niego w Aquae Sulis. „Królewska córka". Jedynym królem w okolicy był stary Koeliusz, rezydujący gdzieś w pobliżu Camulodunum.

– Jak ma na imię twój ojciec, księżniczko?

– Coel – chyba to wiesz? Wszyscy trybuni, których wcześniej spotkałam, wiedzieli.

– A wielu ich spotkałaś?

– Zbyt wielu – odparła kwaśnym tonem księżniczka Elen.

Roześmiał się.

– Chyba ich nie lubisz.

– Nie lubię Rzymian. Ale nie powtarzaj tego mojemu ojcu, bo on nie lubi, kiedy mówię prawdę.

Konstancjusz był już trochę rozbawiony.

– Właściwie ma rację, to niebezpieczne.

Zaperzyła się.

– Co za głupstwa opowiadasz! Mój ojciec jest odważniejszy od każdego Rzymianina. Twierdzi jednak, że nie należy mówić prawdy, która rani ludzi.

– To miłe z jego strony – przyznał Konstancjusz. – A ty się z nim nie zgadzasz?

Potrząsnęła głową.

– Nie mam nic przeciw ranieniu ludzi, kiedy na to zasługują.

Obiecująca młoda dama, pomyślał Konstancjusz. Ale przypomniał sobie, co powiedziała o świętej ziemi.

– Co do jednego masz rację – rzekł. – Naprawdę zabłądziłem we mgle i przepraszam, że tu przyszedłem. Przysięgam na wszystkich bogów.

Trudno mu było ukryć uśmiech. Prawdopodobieństwo, że bogowie wezmą mu za złe tę przysięgę, było niewielkie – w ostatnich godzinach naprawdę żałował, że przybył do Brytanii.

Dziewczyna rzuciła mu zakłopotane spojrzenie.

– Przyznałeś, że zabłądziłeś, i przeprosiłeś za to – powiedziała. – Więc teraz chcę ci pomóc.

– Miło z twojej strony – mruknął Konstancjusz. – Idziemy?

Skinęła głową i poprowadziła go.

– Jak daleko jestem od nowego obozu?

– Co najmniej pięć godzin. Nie zajdziesz tam przed zmrokiem. Zabieram cię do mojego ojca.

Trybun rozważał to przez chwilę. Stary Koeliusz był uważany za kogoś w rodzaju samotnego wilka. Widziało go tylko kilku oficerów z obecnego garnizonu. Karoniusz, oczywiście, i dwóch lub trzech innych. Spotkanie z nim nie było najlepszym pomysłem – mogło spowodować dyplomatyczne komplikacje.

Potem wzruszył ramionami. Stał się zbyt ostrożny w pozłacanym cesarskim mieście Mediolanie, gdzie wszystko, co zrobił lub nie, czy też powiedział lub nie, było przeinaczane przez dworzan. Poza tym, jakie miał inne wyjście? Do tego był przemoczony i głodny.

– Dobrze, księżniczko – powiedział. – Ile czasu nam to zajmie?

– Pół godziny drogą, którą idziemy. Gdybym szła sama – połowę tego czasu.

Roześmiał się.

– Nie nosisz broni – powiedział.

– Ty też nie musisz – padła szybka odpowiedź. – W tym kraju panuje pokój, jak sądzę. Ale wy, Rzymianie, chodzicie wszędzie, marsz, marsz, marsz... – Naśladowała długi, ciężki krok oddziału wojska, a on znów się roześmiał.

– Może pewnego dnia podziękujesz bogom za ten ciężki krok legionów, dziecko. Gdziekolwiek maszerują, chronią kraj.

– Teraz maszerują w Syrii, prawda? – zapytała dziewczyna.

Rzucił jej szybkie spojrzenie – czy to była uwaga niewinna, czy impertynencka?

– To ekspedycja karna – odpowiedział powoli.

– Tak... przeciw kobiecie. Ciekawa jestem, czy ona postrzega to tak samo?

– Zenobia? Cóż, nie – pewnie nazwałaby to wojną agresywną. Jak oni wszyscy.

W jej uśmiechu dostrzegł gniew.

– Ona jest wspaniała. Zwyciężała wcześniej armie dowodzone przez mężczyzn, prawda? I zrobi to znowu.

– Nie pokona cesarza, dziecko.

– To się jeszcze okaże. Jest wielką kobietą – tak wielką, jak była Boudika... i Kleopatra... wielką, jak...

Urwała.

– Uczyłaś się historii, księżniczko – powiedział Konstancjusz uprzejmym tonem. – Pamiętasz więc, jak zginęły tamte kobiety.

– A jak zginął cezar? – odparowała, przyspieszając kroku. Potykał się za nią w półmroku. To nie był dobry moment, by upierać się przy wyższości płci męskiej.

A jednak wspaniale było spotkać dziewczynę z takimi poglądami właśnie tu, w Brytanii.

– Powiedziałaś, księżniczko, że jak się nazywasz?

– Elen. Może kiedyś zapamiętasz.

– Już nie zapomnę. Elen – to w naszym języku Helena. Słyszałaś zapewne o Helenie – tej Helenie – której piękność przywiodła do zguby wielu mężczyzn?

– Nie słyszałam – odparła pogardliwym tonem dziewczyna. – A piękność jest niczym.

Konstancjusz, patrząc na nią, pomyślał nie bez zdziwienia, że sama jest niezwykle piękna.

Rozdział drugi

⊕

Król Coel był miłym starszym mężczyzną z opadającym siwym wąsem, krzaczastymi siwymi brwiami i niesfornymi siwymi włosami. Siedział w westybulu, kiedy jego córka wprowadziła Konstancjusza, i choć słudzy nie zapowiedzieli wizyty, nie wyglądał w najmniejszym stopniu na zaskoczonego.

– Witaj, córko. Witaj, gościu – powiedział. – Niech ktoś przyniesie puchar wina dla szlachetnego Konstancjusza.

Trybun spojrzał na niego ze zdumieniem.

– Skąd znasz moje imię, królu? Nigdy wcześniej się nie spotkaliśmy.

Coel roześmiał się.

– Moja córka jest bardzo młoda i trzeba jej wszystko mówić tylko w jeden sposób. Ja jestem bardzo stary i mówi mi się rzeczy na wiele sposobów. Przykro mi, że znosiłeś niewygody z powodu klimatu w moim kraju. Niestety, na to niewiele mogę poradzić.

Zasuszony mały służący przyniósł wino, co dało Rzymianinowi czas do namysłu. Przypomniało mu się, jak niektórzy mówili, że stary Coel jest trochę szalony, a inni, że jest szczwanym starym lisem udającym szaleńca. Postanowił zostawić sobie osąd na później. Wino, nawiasem mówiąc, było wyborne – massyk z dobrego rocznika.

– Ale mogę ci zrobić gorącą kąpiel, jaką wy, dziwni ludzie, lubicie – ciągnął król. – Nigdy tego dobrze nie rozumiałem – nie jest dość gorąca, by w niej gotować, i nie dość chłodna, by się nią cieszyć. Ale cóż, wszyscy mamy jakieś dziwactwa i wydajemy się trochę szaleni sobie nawzajem...

Konstancjusz, przyłapany na nieuwadze, wzdrygnął się i podniósł głowę.

Coel pobłażliwie się uśmiechnął.

– Massyk jest dobry – pokiwał głową. – Coś wspaniałego, sama esencja waszego wina. Nie mamy czegoś podobnego w tym kraju. Nawet kiedy wypijesz za dużo, jesteś wesoły jak poeci i śpiewacy. Nie jak nasz miód, po którym się czujesz, jakbyś miał siedem czaszek zamiast jednej. Chyba cię lubię. Masz wyobraźnię i daleko zajdziesz, ale teraz, dziecko, idź się wykąpać. Potem dostaniesz suche ubranie i zjemy wspólny posiłek.

Król odprawił Konstancjusza pełnym dostojeństwa gestem prawej dłoni, a ten poszedł za zasuszonym służącym bez jednego słowa protestu. Uśmiechał się tylko z zakłopotaniem. Minęły lata, odkąd ktokolwiek nazwał go „dzieckiem".

⊕

Przy stole siedziało ich dwanaścioro: król, Helena, starsza kobieta, której imię brzmiało jak Eurgain, a którą Konstancjusz w myślach nazwał „Wirginią", ktoś między guwernantką a damą do towarzystwa, i ośmiu starszych mężczyzn, których łańcuchy, opaski i symbole urzędowe wskazywały na to, że są członkami rady lub pełnią podobną funkcję.

Konstancjusz po kąpieli grzecznie, lecz stanowczo odmówił włożenia brytyjskiego stroju i wśliznął się z powrotem w swoją wojskową tunikę, która była już prawie sucha. Posiłek mu smakował: chleb, ser, jajka, a jako danie główne pieczona baranina.

Król jadł niewiele, pił jeszcze mniej, ale dużo mówił swoją dziwną, wysoko intonowaną łaciną. Dostojnicy patrzyli tylko na niego, choć wątpliwe było, czy wszyscy znali łacinę na tyle dobrze, by zrozumieć, co mówi.

Helena milczała, a Konstancjusz nie wiedział, czy to z powodu obecności ojca, czy Wirginii.

Mógł jednak wreszcie się jej przyjrzeć – dotąd miał sposobność widzieć tylko jej ładnie wyrzeźbiony profil i zarys zgrabnej sylwetki. Była wysoka, wyższa od ojca i trochę zbyt szczupła. Miała ciemne oczy pod długimi rzęsami, bladą cerę, a usta jeszcze dziecinne i różowe.

Włosy też ciemne, ułożone w zabawny mały pukiel na środku czoła, odsłaniały pięknie sklepione skronie. Podbródek miał wyraz uporu. Sam podbródek pokazywał coś z tego ducha, z jakim się zetknął przy ich pierwszym spotkaniu.

Mogłaby być Hiszpanką, pomyślał Konstancjusz. Albo Galijką. Albo nawet Rzymianką.

– Elen wygląda jak rzymska dziewczyna, prawda? – Król zbił go z tropu, mówiąc głośno to, o czym on właśnie myślał. – Ale nie przepada za Rzymianami, jak wiesz. Ma bardzo niskie mniemanie o każdym, kto nie urodził się na tej wyspie.

Konstancjusz zaśmiał się uprzejmie.

Policzki dziewczyny lekko się zarumieniły, ale nadal milczała.

– Mówiłem jej, że to złe – ciągnął Coel. – Nie trzeba mierzyć wszystkich tą samą miarą. Któregoś dnia przyprowadzili do mnie garbatego, a on zaczął głośno wyrzekać na niesprawiedliwość bogów. Zapytałem go, na co narzeka, a on odpowiedział, że na swoją brzydotę. Powiedziałem: „Ale ty nie jesteś brzydki, przyjacielu, wcale nie jesteś brzydki – jak na garbusa."

Konstancjusz poruszył się na krześle. Nie był całkiem pewny, czy król żartował.

– Rzymianie będą zawsze Rzymianami – powiedział pogodnie król Coel. – I jako tacy mogą być docenieni.

Elen tylko wygląda jak Rzymianka. Czasem myślę, że właściwie szkoda, iż nie urodziła się chłopcem.

– Bez wątpienia byłaby wielkim wojownikiem – rzekł Konstancjusz.

– Ależ jest – powiedział król, sącząc wino i wciągając z lubością jego bukiet w nozdrza. – Dwa tygodnie temu sama zabiła wilka.

– To nie był duży wilk – odezwała się Helena, wzruszając ramionami. – I do tego samiec.

– Samica jest zawsze bardziej niebezpieczna – pokiwał głową Konstancjusz. – Mówią mi, że zaczyna tu brakować wilków – odkąd Rzymska Wilczyca przejęła kraj.

Helena przygryzła wargę. Coel wyglądał na rozbawionego.

– Wszyscy mamy swój wilczy wiek – powiedział. – Z czasem stajemy się bardziej pokojowi. W młodości sam byłem jak wilk. To było dawno temu, choć później, niż narodziła się Wilczyca, o której mówiłeś, Konstancjuszu.

– Masz rację, królu – odrzekł powoli trybun. – Rzym chce pokoju i tylko pokoju.

– Zenobia się ucieszy, kiedy to usłyszy – odparła ostro Helena.

– Królowa Palmyry miała nadzwyczaj złych doradców – odpowiedział Konstancjusz. – Dostawaliśmy raporty, że zamierza uczynić Egipt syryjską prowincją – i że to jest zaledwie pierwszy krok. Jej poddani dość otwarcie mówili o Cesarstwie Palmyry.

Powiedział to ostrzejszym tonem, niż zamierzał, i był zły na siebie, że zbyt poważnie traktuje tę przedwcześnie dojrzałą młodą kobietę.

– Syria – powiedział Coel – to Wschód. Kierunek, z którego wszystko dziś przychodzi. Kiedyś sam był Zachodem, ale to było bardzo dawno temu – nikt wtedy nie mówił o Rzymie. Nawet bogowie, którzy przewidują przyszłość. Kierunek się zmienia, ale przesłanie jest zawsze to samo.

Konstancjusz ponownie napełnił swój puchar. Czuł się bardzo nieswojo.

Może ten stary człowiek jednak był szalony.

Zobaczył, że Helena rzuca mu szybkie spojrzenie, ale jej drobna twarz pozostała niewzruszona. Prawdopodobnie była przyzwyczajona do takich zachowań swojego ojca.

– Przesłanie jest zawsze to samo – powtórzył król Coel. – I nikt go nie rozumie.

Ośmiu dostojników dalej pochłaniało to, co zostało z całego barana na podłużnym półmisku na środku stołu.

– Macie takich mądrych ludzi w Rzymie i w Mediolanie, Konstancjuszu – podjął Coel. – Czytają swoje tabliczki, i zwoje, i pergaminy – ale nie rozumieją. A wiesz dlaczego? – Pochylił się do przodu. Jego prosty ubiór był pozbawiony ozdób, z wyjątkiem ciężkiego złotego łańcucha na szyi. Tuż nad nim widać było nieco obwisłą starczą skórę.

Jak u starego psa, pomyślał trybun. Jak u przodka wszystkich psów. I zapytał uprzejmie, choć był już trochę znudzony:

– Dlaczego nie rozumieją, królu?

– Ponieważ nie wierzą w baśnie – odparł tajemniczo stary człowiek. – A musisz wiedzieć, że baśnie to jedyne prawdziwe historie!

Szalony. Albo trochę pijany. Nie wypił dużo, ale może wiele nie potrzebował. Tego każdy uczył się w armii – ile wina może wypić.

Baśnie, na Plutona.

– Mądrzy czy nie – powiedziała niespodziewanie Helena – Rzymianie nie interesują się zbytnio baśniami, ojcze.

Król Coel uśmiechnął się.

– Ty też nie, jeszcze – powiedział łagodnie. – Ale może pewnego dnia zaczniesz. A to będzie wielki dzień w twoim życiu, dziecko, i wielki dzień w życiu wielu innych ludzi. Szkoda, że tego nie dożyję. Elen musi cię oprowadzić po moim pałacu, Konstancjuszu. Jest cały z drewna – może to zauważyłeś. Dąb, królewskie drzewo, Konstancjuszu. Święte drzewo.

– Jest poświęcony Jowiszowi – rzekł z powagą Rzymianin.

Król Coel znów się uśmiechnął.

– Był święty na długo przed tym, nim Jowisz stał się bogiem, Konstancjuszu. Ale czy wiesz, dlaczego?

– Ponieważ przyciąga błyskawice bogów, jak sądzę – zaryzykował trybun. – Zwykle poważniał, kiedy mówiono o bogach – ale nie za bardzo. Wszyscy cesarze woleli, by ich oficerowie wierzyli w bogów, to wydawało się naturalne – czyż sam cesarz nie był bóstwem, przed którego statuą palono kadzidło? Oficer, który nie wierzył w boskość Jowisza, prawdopodobnie nie uwierzyłby w boskość Aureliana, a to mogło mieć niepożądane skutki. Lepiej było okazać trochę powagi, kiedy mówiono o bogach – nie za wiele, bo reputacja pobożnego głupca była drugą z najgorszych rzeczy w armii. To wszystko było bardzo nieprzyjemne i należało to znieść, kiedy się osiągnie stanowisko dowódcze. Ale najpierw trzeba było tego dokonać.

– Drzewo jest święte – powiedział król Coel, kiwając swoją ciężką głową. – Drzewo jest klęską i triumfem człowieka. Zabija go i zbawia. Świat, jaki znamy, został zbudowany na drzewie, na Yggdrasilu, świętym drzewie, drzewie życia.

Konstancjusz bardzo się starał ukryć znudzenie

– Drzewo życia – powtórzył machinalnie. – Chyba już to gdzieś słyszałem...

– Może w Egipcie – powiedział ten dziwny stary człowiek. – Albo w Germanii. Albo tu, w Brytanii. To bardzo stara historia. Drzewo, które zaklina śmierć i drzewo, które zaklina życie. To wielka tajemnica drzewa, Konstancjuszu. To wszystko jest w przesłaniu, o którym ci mówiłem – przesłaniu, którego nikt nie rozumie. Sam bardzo starałem się je zrozumieć, ale nie jestem pewny, czy mi się udało... Drzewo życia... żywe drzewo... żywe drzewo...

Konstancjusz opróżnił swój puchar. Kiedy znów spojrzał na króla, zobaczył, że ten zasnął.

– To jego ulubiona opowieść – powiedziała sucho Helena. – Ale zawsze go usypia. Najadłeś się już? Oni tak – i ja też. Dobrze. Gullo, zaprowadź trybuna do jego pokoju.

Wstała, a z nią Wirginia, która przez cały wieczór nie wypowiedziała ani jednego słowa.

– Czy ja też muszę iść spać? – zapytał trybun miękkim głosem.

Helena roześmiała się.

– Możesz robić, co chcesz – ale co jest innego do roboty? Dzień się skończył.

– Mógłbym z tobą porozmawiać – wyszeptał trybun. Ale Helena już odganiała ośmiu dostojników od resztek barana – paru ścięgien wokół kości. Wyszli, kłaniając się, i wtedy się odwróciła.

– Możemy porozmawiać jutro, jeśli chcesz, trybunie – powiedziała ze spokojną godnością. – Dam ci rano konie, żebyś szybciej zajechał do obozu. Dobranoc.

– Dobranoc, księżniczko.

– Arbol! Beurgain! – zawołała rozkazującym tonem Helena. – Zanieście króla do jego łoża. Tylko ostrożnie. Jeżeli znów go upuścicie, oberwę wam uszy. Nie żartuję. Ostrożnie! Teraz lepiej...

Rozdział trzeci

Ranek był świeży i jasny. Konstancjusz znalazł przy łóżku swoją wypolerowaną zbroję oraz wyczyszczony płaszcz i tunikę, kiedy się obudził w skromnym pokoju gościnnym. Mały zasuszony służący, Gullo, przyniósł mu puchar wina słodzonego miodem. Pijąc je, poczuł lekkie wzruszenie. Słodzone poranne wino było zwyczajem rzymskim, nie brytyjskim. Był to z pewnością subtelny gest albo starego króla Coela, albo jego córki. Zastanawiał się przez chwilę, która z tych dwóch możliwości jest bardziej prawdopodobna, i stwierdził, że okoliczności wskazują raczej na króla. Z jakiegoś powodu trochę go to rozdrażniło. Czemu ta dziewczyna była tak bardzo niechętna Rzymowi? To raczej nie mógł być jakiś głupi lokalny patriotyzm. Brytania była rzymską prowincją już od trzech stuleci. Śmieszne...

Zjadł obfite śniadanie w dużej sali, w której jedli wczoraj wieczerzę. Podał je Gullo: chleb, ser, jaja rybitwy i solidna porcja dziczyzny. Wino znów było bardzo dobre, lekkie falerneńskie z Fundi, o ile się nie mylił. Podane w równie ładnych pucharach.

To wszystko stanowiło całkiem przyjemny przerywnik. Coś, o czym będzie można opowiedzieć po powrocie do obozu. To mu przypomniało, że na pewno się tam o niego martwią. Czas wracać. Wstał.

– Gdzie jest król? – zapytał.

Gullo zamrugał oczami i pokręcił głową.

W tej samej chwili z dziedzińca dobiegł stukot końskich kopyt i Konstancjusz zobaczył Helenę jadącą w stronę wejścia na pięknym kasztanku. Prowadziła drugiego konia, srokacza.

Doświadczone oko trybuna od razu spostrzegło, że jeździ konno lepiej niż większość mężczyzn z konnych oddziałów, które próbował szkolić w ostatnich miesiącach. Wyszedł niespiesznym krokiem na dziedziniec.

– Cudowne – powiedział.

– Tak, to piękne zwierzęta – skinęła głową Helena. Nie przyszło jej widać do głowy, że może wcale nie mówił o koniach. – Legat Basjanus sprzedał je ojcu trzy lata temu.

– Cóż, jednak coś dobrego przyszło z Rzymu – zażartował.

– Przybyły z Hiszpanii. Jedynymi zwierzętami, jakie wprowadzili Rzymianie, są króliki i stały się już plagą. Czy Gullo dał ci coś do jedzenia? Dobrze. Jesteś gotowy?

– Nie pożegnałem się jeszcze z królem...

– Ach, ojciec... nie będzie go przez parę godzin. Zawsze wstaje wcześnie i wychodzi. Zobaczysz go innym razem.

– Tego nie jestem pewny – odparł Konstancjusz, a ona się roześmiała.

– O tak, na pewno. Słyszałeś, że tak powiedział.

– Cóż, skoro tak powiedział...

Wzruszyła ramionami.

– Nie znasz go, a ja trochę tak. Jeśli tak mówi, to tak będzie. On wie takie rzeczy. Jedziemy?

– My?

– Jadę z tobą. Ktoś musi odprowadzić konie.

– Czuje się zaszczycony – mruknął Konstancjusz. Dziwna dziewczyna. Dziwny starzec.

– To jedynie godzina jazdy, jeżeli zna się drogę, tak jak ja.

Wsiadł na srokacza, szczękając zbroją. Rasa hiszpańska jest całkiem niezła. On też był w dobrych rękach.

Zawróciła kasztanka i odjechała, nie oglądając się za siebie.

Ruszył za nią i dogonił ją.

– Tam jest stary obóz rzymski – powiedziała niedbałym tonem. – Ojciec buduje wokół niego małe miasto. Mówi, że któregoś dnia połączy się z Camoludunum. Nazywają je Coel Castra.

Konstancjusz przypomniał sobie, co Karoniusz mówił mu o starym obozie.

– Za blisko morza – nie wiem, skąd mojemu szlachetnemu poprzednikowi przyszło do głowy, by zbudować go tutaj. Żadnych możliwości strategicznych. Beznadziejna lokalizacja.

– Wkrótce przekroczymy rzekę – powiedziała Helena. – Znam bród. Jesteś niezłym jeźdźcem.

Jej pochwała odebrała mu mowę. Uczeń renomowanej rzymskiej szkoły jeździeckiej, instruktor najlepszych oddziałów konnych na świecie – „niezły jeździec". O bogowie!

– Ty jeździsz jak sama Hippolita – powiedział z błyskiem w oku. – I pewnie była do ciebie podobna.

– Kim ona była? – zapytała podejrzliwie Helena.

– Królową amazonek.

– Tu jest rzeka.

Konstancjusz ostro ściągnął wodze. W dali, na szczycie niewielkiego wzgórza, stał nieruchomo jakiś mężczyzna. Zbyt daleko, by można było dostrzec więcej niż długi niebieski płaszcz i głowę ze zwichrzonymi siwymi włosami. To mógł być samotny stary pasterz lub rolnik.

Coś mu jednak mówiło, że to król.

Chciał powiedzieć o tym Helenie, ale ona jechała dalej i była już na środku brodu. Zadowolił się uniesieniem ręki, by pozdrowić samotną postać na szczycie. Nie otrzymał jednak odpowiedzi, więc wjechał w rzekę.

Wśród bryzgów płynącej wody dotarł na drugi brzeg, gdzie dziewczyna już na niego czekała.

– Zdawało mi się, że widziałem przed chwilą twojego ojca – powiedział. – Tam, na wzgórzu.

– Możliwe – odrzekła spokojnie Helena. – Nigdy nie wiadomo, gdzie się pojawi.

Spięła kasztanka ostrogami do galopu i Konstancjusz domyślił się, że nie chce o tym rozmawiać.

W godzinę później dojechali do obozu od południa. Strażnik przy Porta Decumana zasalutował.

– Chodź ze mną do namiotu – zaproponował Konstancjusz. – Konie dostaną trochę jęczmienia, a my puchar wina.

– Nie chce mi się pić – odrzekła szorstko. – A konie nie są głodne.

Nim zdążył odpowiedzieć, podszedł do nich Kwintus Balbus, nieskazitelny Balbus.

– O, jesteś, Konstancjuszu – powiedział. – Wszyscy myśleli, że przytrafił ci się jakiś wypadek. Mieli rację – jakże zachwycający!

Mówił z nosowym akcentem, jaki w tamtym czasie wyróżniał rzymską elitę. Nie był w Brytanii dość długo, by się go pozbyć.

Konstancjusz zmarszczył brwi.

– Trybunie Kwintusie Balbusie – powiedział. – To księżniczka Helena, córka króla Koeliusza.

Balbus uśmiechnął się z zadowoleniem.

– Na Jowisza, wiesz, jak to się robi, prawda, Konstancjuszu? Inspekcja brytyjskiego wybrzeża za dnia i brytyjskiej księżniczki w nocy, co? Dobra robota.

Twarz Konstancjusza, blada z natury, teraz poszarzała.

– Chyba jesteś pijany. Natychmiast przeproś księżniczkę za prostackie zachowanie – rozkazał.

Elegancki Balbus podszedł bliżej.

– Po co ten ton, przyjacielu – tylko dlatego, że się dobrze zabawiłeś z miejscowym kwiatem?...

Konstancjusz zeskoczył z konia i dopadł drugiego trybuna.

– Przeprosisz natychmiast, czy mam cię zmusić?

Balbus jednak, tak jak wszyscy tchórze, bał się okazać swoje tchórzostwo.

– Zmusić mnie? – spytał hardo. – Chciałbym wiedzieć, jak?

– Pokażę ci! – ryknął Konstancjusz, rzucając tarczę i chwytając go za gardło. Owładnęła nim ślepa furia. Balbus uderzył go pięścią w twarz, ale Konstancjusz nawet tego nie poczuł. Coraz mocniej zaciskał palce na znienawidzonej szyi. Dopiero gdy usłyszał tętent końskich kopyt, podniósł głowę. To była Helena, która odjeżdżała galopem na kasztanku, prowadząc srokacza. Czarne włosy powiewały za nią jak flaga.

Konstancjusz zaklął, rozluźnił palce na szyi Balbusa i z rozmachem uderzył go pięścią w twarz.

Balbus zachwiał się i upadł do tyłu – do nóg wysokiego, brzuchatego mężczyzny w pełnym umundurowaniu cesarskiego legata. Za nim stało kilkunastu oficerów, których twarze wyrażały wszystkie emocje: zgrozę, wesołość, rozbawienie, pogardę.

– Piękne przedstawienie – powiedział legat. – Obaj stawicie się u mnie do raportu za pół godziny. – Odwrócił się i odszedł, a za nim jego sztab.

Konstancjusz spojrzał na Balbusa, któremu pomagało wstać dwóch silnych setników. Nawet podniesienie go nie było prostą sprawą.

– Jeszcze z tobą nie skończyłem – powiedział Konstancjusz, zanim odszedł, wciąż kipiąc z wściekłości. Nic dziwnego, że nie lubiła Rzymian. Wszystkich tych przeklętych, sprośnych idiotów...

Minęło trochę czasu, nim uspokoił się na tyle, by ocenić swoją sytuację. Co za pech, że Karoniusz właśnie teraz wrócił z Aquae Sulis – jeszcze gorzej, że widział, co się stało. I Balbus, choć z niezbyt dobrej rodziny, miał kilku wpływowych znajomych i w Mediolanie, i w Rzymie. To na pewno nie ułatwi mu życia i może zaszkodzić jego karierze.

Przetarł nos i usta, zobaczył na dłoni krew i uśmiechnął się. Mimo wszystko dobrze zrobił. Nie pamiętał, by tak się rozwścieczył od tamtego dnia, ponad siedem lat temu, kiedy został zamknięty w koszarach przez wyższego rangą oficera, który chciał się go pozbyć, ponieważ obaj starali się o tę samą kobietę.

W międzyczasie pojawił się Rufus z zatroskanym wyrazem twarzy.

– I jak, Rufusie, grałeś w kości?

Stary ordynans gderał jak matka, której dziecko wróciło brudne i podrapane. Wszyscy bardzo się o niego niepokoili, za godzinę mieli wysłać patrol na poszukiwania, a stary Tercjusz słyszał z wiarygodnego źródła, że legat powiedział: „Młody Chlorus – najlepszy z moich ludzi!".

Konstancjusz uśmiechnął się krzywo.

– Teraz pewnie zmienił zdanie.

Rozbawiło go jednak, że nawet legat znał jego przezwisko Chlorus – Blady. Przezwisko, nawet jeśli proste, zawsze było oznaką popularności, a ta pomagała w jakimś stopniu. Nadmierna popularność nie była oczywiście korzystna. Wszystko w życiu jest kwestią równowagi... odpowiednich proporcji. Chociaż...

– Wyczyść mój hełm, Rufusie. Mam się widzieć z legatem.

Kiedy Konstancjusz wszedł do namiotu Karoniusza, Kwintus Balbus już tam był. Nie wyglądał najlepiej z opuchniętą twarzą i zamkniętym jednym okiem. Czterej strażnicy stojący przed zasłoną oddzielającą wejście od właściwego gabinetu wyglądali na nieporuszonych, ale Konstancjusz widział lekkie drganie warg i błysk w oku. To była jedna z tych spraw, które ich bawiły.

Wysoki, chudy Kurio, adiutant Karoniusza, odchylił zasłonę.

– Trybuni Konstancjusz i Balbus do dostojnego legata.

Weszli, szczękając zbrojami, jeden obok drugiego, zasalutowali i zameldowali swoją obecność.

Karoniusz siedział przy polowym biurku i podpisywał dokumenty. Przez chwilę nie zwracał na nich uwagi. Kiedy w końcu podniósł wzrok, jego twarz wyrażała irytację starego dyrektora szkoły, który ma do czynienia z dwoma krnąbrnymi uczniami.

– Trybuni – powiedział – powinni być ludźmi światłymi i kulturalnymi. Zdumiewa mnie, że zastałem was na pospolitej bójce, jak pijanych gladiatorów.

Obaj młodzi oficerowie próbowali odpowiedzieć jednocześnie, ale powstrzymał ich stanowczy ruch dłoni legata.

– Nie było ciebie na porannej paradzie, trybunie Konstancjuszu – powiedział. – Dlaczego?

Konstancjusz przełknął ślinę.

– Wczoraj po południu poszedłem zrobić inspekcję, panie – powiedział. – Była mgła i zabłądziłem. Na koniec trafiłem... z pewną pomocą... do króla Koeliusza i przenocowałem w jego... domu. – Trudno było nazwać zadymiony dębowy budynek pałacem.

Legat zainteresował się.

– Widziałeś króla?

– Tak, panie. Właśnie przybyliśmy do Porta Decumana, kiedy pojawił się trybun Balbus i obraził damę w najbardziej prostacki sposób...

– Powiedziałem tylko...

– Zamilcz, trybunie Balbusie! – ryknął legat. – Trybunie Konstancjuszu, mów dalej.

– Balbus insynuował, że spałem z tą damą...

Legat wstał.

– Czy ona słyszała, co mówił? – zapytał z niepokojem.

– Z pewnością nie uroniła nawet słowa, panie. Doskonale włada łaciną, a Balbus stał tak blisko niej, jak teraz ja przed tobą.

Legat zaczął się przechadzać po namiocie.

– Co wtedy zrobiłeś? – zapytał.

– Nakazałem Balbusowi, by przeprosił damę, ale odmówił. Więc chciałem go nauczyć dobrych manier i... resztę już znasz, panie.

Legat przystanął w środku swego spaceru tygrysa w klatce.

– Na Hades, tak – powiedział. – Znam resztę. Ale wy nie. Trybunie Balbusie, co masz do powiedzenia w tej sprawie?

– Nie powiedziałem, że Konstancjusz spał z tą dziewczyną – rzekł nadąsany trybun.

– Konstancjusz tego nie twierdzi – warknął Karoniusz. – Powiedział, że to „insynuowałeś". Czy to prawda?

– Nie tak dosłownie, panie.

– Rozumiem. Chciałeś się popisać błyskotliwością. Powiedziałeś lekki żarcik. Byłeś dowcipny. A twój dowcip może drogo kosztować Rzym. Księżniczka Helena jest jedynym dzieckiem króla Koeliusza, sprzymierzeńca Rzymu, który może dowodzić piętnastoma tysiącami mężczyzn w polu – a ty ostrzyłeś na niej swój dowcip, durny błaźnie.

Balbus wyglądał na całkiem zbitego z tropu. Nawet Konstancjusz był zaskoczony. Wyobrażał sobie starego Koeliusza bardziej jako właściciela ziemskiego niż władcę i dowódcę licznej armii.

Karoniusz usiadł i otarł czoło.

– Trybunie Balbusie, pojedziesz dziś po południu na północ, do Wielkiego Muru. Nie nadajesz się do służby w tej części kraju. Tam wyżej możesz ostrzyć swój wspaniały dowcip na Piktach i Szkotach, jeśli chcesz. Ale na twoim miejscu byłbym ostrożny – nie mają poczucia humoru. Nie musisz się zgłaszać do odprawy przed wyjazdem – to jest twoja odprawa. Możesz odejść.

Nieszczęsny Balbus zasalutował i wycofał się.

Legat popadł w zadumę. Konstancjusz stał nieruchomo, sztywny jakby kij połknął.

Adiutant chrząknął i Karoniusz powrócił do rzeczywistości.

– Idiotyczny incydent, Kurio, i to właśnie teraz.

– Bardzo nie w porę, panie.

– Lepiej mu powiedzmy, Kurio.

– Tak, panie.

Karoniusz odwrócił się.

– Usiądź, trybunie.

– Dziękuję, panie.

Legat przeszył go wzrokiem.

– Wszystko, co ci teraz powiem, jest w najwyższym stopniu tajne, trybunie.

– Oczywiście, panie.

– Cóż, mamy więc bardzo złe wieści z Galii.

Konstancjusz podniósł głowę.

– Powstanie, panie?

Legat szeroko otworzył oczy.

– Skąd wiedziałeś?

– Nie wiedziałem. Ale znam Galów... trochę. Jest głęboki rozdźwięk między galijskimi właścicielami ziemskimi i chłopami...

Karoniusz skinął głową.

– Właśnie. Widzę, że się orientujesz w sytuacji. Tym lepiej, zważywszy na to, co chcę ci powiedzieć. Tak, to powstanie. Dlatego musiałem wrócić wcześniej z Aquae Sulis. Najpierw pojechałem na północ do Eburacum i widziałem się z Petroniuszem Akwilą. Kazano nam wysłać natychmiast Trzydziesty Piąty.

– Cały legion! – wykrzyknął Konstancjusz. – Nasze siły zmniejszą się poniżej minimum.

– Dokładnie tak – skinął głową legat. – Ale tak musi być. Teraz rozumiesz, jak ważne jest, byśmy utrzymywali bardzo przyjacielskie stosunki z wszystkimi plemionami w tej prowincji. Nie wiem i nikt nie wie, jak długo potrwa sprawa galijska i prawdopodobnie nie dostaniemy znikąd posiłków. Musimy po prostu utrzymać ten fort i modlić się. Spisek kilku plemion byłby dla nas fatalny. I w takiej chwili jakiś beztroski młody głupiec obraża córkę króla Koeliusza! Musimy to oczywiście wynagrodzić. Wyślę delegację z listem do króla. Muszę też wyszukać parę prezentów dla niego. Chciałbym wiedzieć, co.

– Coś zrobionego z drzewa – powiedział Konstancjusz. – Kocha drzewo. Jest dla niego święte.

– Jest poświęcone Jowiszowi – odrzekł z powagą Karoniusz.

– Właśnie, panie.

– Coś wymyślę. Pojechałbym sam, ale nie mogę. Mam pełno roboty z zebraniem statków do transportu Trzydziestego Piątego. Mnóstwo pracy. Wyślę więc ciebie.

– Mnie, panie?

– Oczywiście, że ciebie! – legat podniósł głos. – Wydajesz się być w dobrych stosunkach z tym starym człowiekiem... i jego córką. Wizyta grzecznościowa, chłopcze. Przyjdź do mnie w tej sprawie jutro po paradzie.

– Dobrze, panie.

– A tak przy okazji...

– Tak?

Legat mrugnął okiem.

– Czy... księżniczka widziała, jak uderzyłeś tego chłys-
tka?

– O tak, panie. Musiała widzieć przynajmniej początek walki.

Karoniusz uśmiechnął się.

– Wspaniale! Wspaniale! Możesz już iść.

Konstancjusz wstał, zasalutował, zrobił sprawnie w tył
zwrot i wyszedł, cały rozpromieniony.

Rozdział czwarty

Król Coel siedział na ulubionym kamieniu w swoim ulubionym lesie. Helena siedziała u jego stóp, patrząc prosto przed siebie, przez polanę, w stronę dalekich wzgórz. Siedzieli tak, nie wiadomo jak długo, i nie padło dotąd między nimi ani jedno słowo.

– Nie chcę go poślubić, ojcze.

– Nie?

– Jest arogancki, protekcjonalny i nie traktuje poważnie mojej woli.

– A powinien?

Helena zarumieniła się.

– Moja wola to moja wola. Jest moja.

– Tak – jeśli służy dobru.

Helena wzięła głęboki oddech. Chciała zapytać: „Czym jest dobro?", ale pytała o to już wcześniej i wciąż pamiętała odpowiedź: „Dobro jest tym, co mówi serce, nie pożądanie. Wiesz o tym, tylko czasem zdradzasz swoją wiedzę". Nie powiedziała nic.

Król zachichotał.

– Jesteś zła, bo nie możesz nim rządzić. Ale gdybyś mogła, czułabyś do niego pogardę. Co w tym dobrego?

Zacisnęła zęby.

– Chcę być jak Zenobia. Nie jestem stworzona do tego, by siedzieć w domu, plotkować ze służbą i rządzić małymi sprawami.

– Jeśli nie umiesz rządzić małymi sprawami, jak możesz rządzić wielkimi?

Podniosła z ożywieniem wzrok.

– Więc będę rządzić wielkimi, ojcze? Nigdy mi tego nie powiedziałeś. Będę?

– Nie, jeśli chcesz być Zenobią, Elen.

– Ale ona jest wielka, ojcze. I rządziła swoim mężem. Jest prawdziwą królową. Chcę być jak ona.

– To mnie dziwi – powiedział król i poczuła, że lekko się uśmiecha.

– Tak czy inaczej, nie poślubię Konstancjusza – powiedziała gniewnie. – Traktuje mnie jak dziecko, a sam jest dzieckiem. I nie wierzy w swoich własnych bogów, naprawdę – ani w żadnych innych.

– Zawsze chcesz mieć wszystko od razu – odparł enigmatycznie król.

– Potraktowałam go tak, jak na to zasługuje, ojcze.

– Uspokój umysł – powiedział łagodnym głosem król. – Jak inaczej usłyszysz głos serca?

Odpowiedziała zniecierpliwionym gestem, ale opuściła rękę i usiadła zupełnie bez ruchu.

– Przyjeżdża tu co drugi dzień, przez wszystkie te tygodnie – rzekł król.

– Prezenty – Helena wzruszyła ramionami. – Prezenty, by podtrzymać twoje dobre nastawienie, bo cię potrzebują. Grają w tę swoją prymitywną grę. Prezenty, kiedy cię potrzebują – żelazny pręt, kiedy przestaną. Wiesz o tym.

– Co drugi dzień to często – odparł spokojnie król.

– On myśli tylko o swoich ambicjach – odrzekła z goryczą Helena. – Ciągle tylko Rzym i Imperium. Powiedziałam mu ostatnim razem, że nie powinien tracić cennego czasu na grzecznościowe wizyty. Teraz obejmie dowodzenie, bo Karoniusz znów wyjeżdża. To źle dla wojska, kiedy dowódca jest zbyt często nieobecny. Więcej już nie przyjedzie.

Król jakby jej nie słyszał.

– Parul mówi mi, że mają kłopoty w ich wiosce na południu – powiedział. – W zeszłym tygodniu sztorm zniszczył jedenaście statków i uszkodził wiele domów. Pojadę tam po południu, ale wrócę wieczorem. Idź teraz. Dałem Gullo rozkazy, by podano uroczysty posiłek w godzinę po zachodzie słońca.

Spojrzała na niego ze szczerym zdziwieniem. Uroczyste posiłki były ważnymi wydarzeniami, z udziałem co najmniej pięćdziesięciu dostojników i pań z wyższych sfer. Chciała zapytać, jaka to okazja i kto został zaproszony. Ale głowa króla opadła na pierś i zobaczyła, że znów śpi, jak często mu się ostatnio zdarzało.

Wstała cicho, musnęła pocałunkiem potargane siwe włosy i poszła na polanę.

Zostawienie go samego w lesie było dość bezpieczne. Wiedziała, że jego nie zraniłby nawet wilk. A jeśli chodzi o nią, była uzbrojona – miała włócznię i krótki sztylet.

Po chwili odwróciła się. Wciąż go widziała, starego, siwego i niemal tak zasuszonego jak Gullo. Dotarło do niej, że może niedługo umrzeć, i ta myśl sprawiła jej fizyczny ból.

Nie chcę, by umarł, pomyślała ze złością. Potrzebuję go. Jest jedynym, którego potrzebuję.

Za polaną ciągnął się pas lasu, na końcu którego widać było główną drogę wzdłuż rzeki.

Coś zbliżało się drogą, jeszcze daleko, coś podobnego do lśniącego żuka. A jednak przyjechał...

Spotkali się koło pałacu. Był sam, a gdy zeskoczył z konia, zobaczyła, że jest bardzo podekscytowany, jak gdyby miał dobre wieści.

– Trybunie, co cię znów tu sprowadza, odrywając od obowiązków?

– Ty – odpowiedział natychmiast i pokazał wszystkie zęby w uśmiechu. – Nie, nic nie mów, Heleno. Masz rację. Bez wątpienia wywierasz na mnie zły wpływ. A co gorsza, zwiększa się on z każdym dniem.

Poszli w stronę pałacu, a krzepki służący zajął się koniem.

– Czy twój ojciec jest w domu, Heleno?

– Nie. Pojechał odwiedzić wioskę na południu, w której sztorm wyrządził wielkie szkody.

– Jest ojcem swojego ludu – pokiwał głową Rzymianin. Zdjął hełm z brązowym orłem Dwudziestego Legionu, do którego go teraz przydzielono.

– Solidny – rzuciła od niechcenia Helena. – I ładnie zrobiony.

– Och, taki nakaz – Konstancjusz wzruszył ramionami. – Robią je teraz w Treveri. Zbroje, rękojeści mieczy i włócznie są robione w Narbonensis, w mieście zwanym Massilia. Ważne miejsce. Ostrza są z Hiszpanii.

– Czy cokolwiek jest robione samym Rzymie?

Znów usłyszał ten sarkastyczny ton, z którym nigdy nie umiał sobie dobrze radzić. Ale dziś specjalnie mu to nie przeszkadzało.

– Oczywiście, jesteście imperium – ciągnęła. – My jesteśmy tylko biednym małym narodem – a dla was barbarzyńcami, jak sądzę. A jednak szczycimy się tym, że żyjemy na naszej własnej ziemi i z naszej własnej ziemi.

Moja włócznia i sztylet zostały zrobione przez rzemieślników mojego ojca. Nie zmuszamy innych narodów, by na nas pracowały, i nie zmuszamy ich, by walczyły za nas w naszych wojnach – jak to robią Rzymianie.

Przystanął, a między jego brwiami pojawiła się zmarszczka.

– Czemu tak bardzo nienawidzisz Rzymu, Heleno? Zawsze chciałem cię o to zapytać. To nie dlatego, że ten czy ów Rzymianin nie umiał się zachować wobec córki króla Koeliusza. Ty jesteś ponad takie rzeczy. Ale co to jest?

Patrzyła gdzieś poza nim.

– Nie czuję nienawiści do Rzymu – powiedziała powoli. – Kocham swój kraj. Rzym nic dla mnie nie znaczy.

– A jednak jesteś częścią Rzymu – drażnił się z nią. – Ziemia, na której stoimy...

– Jest ziemią rzymską? Naprawdę? – Wyprostowała się do całej swojej wysokości. Dorównywała mu wzrostem.

– Tak, jest. Chyba że znów jesteśmy na świętej ziemi – jak przy naszym pierwszym spotkaniu?

Jej oczy płonęły.

– Tak, jesteśmy, Rzymianinie. Ale ty tego nie zrozumiesz. Ziemia tego kraju jest święta. Są duchy w powietrzu nad nami, duchy w okolicznych wodach i duchy w samej ziemi. Jesteście tu od wielu pokoleń – i jak trwała jest wasza władza? Może się wyśliznąć z waszych rąk w każdej chwili, jak lejce z dłoni kiepskiego woźnicy. Ktokolwiek przyjeżdża do mojego kraju, zostanie wchłonięty albo odrzucony. Nie ma innej możliwości. Ty nie zostaniesz wchłonięty – zbyt szczycisz się tym, że jesteś Rzymianinem. Więc bądź odrzucony!

Potrząsnął głową.

– Kto cię nauczył tych wszystkich bzdur?

Roześmiała się gniewnie.

– Mój ojciec, którego nazywają „Mądrym" w całej Brytanii. Przyszliście tu pierwsi w zamiarach innych niż pokojowe – poza rozbójnikami z wysp na północy i wschodzie. Oni atakują tylko nasze wybrzeża, nie ważą się wejść w głąb lądu – nie potrafią walczyć, jeśli nie mają w polu widzenia swoich statków. Wy pierwsi potraktowaliście nas tak, jak resztę świata. Ojciec mówi, że po was przyjdą inni. Ale zostaną wchłonięci, jedni po drugich, i ta mieszanina krwi da nam wielką siłę. Jesteśmy na początku – wy zbliżacie się do końca.

Ale on nie słuchał. Był zbyt zajęty patrzeniem za nią. Nigdy nie wydawała mu się piękniejsza niż teraz, kiedy była wzburzona. Jakie znaczenie miało to, co mówi, kiedy tak wyglądała?

– Jesteś piękna – powiedział. – Jesteś niewiarygodnie piękna teraz, gdy się na mnie gniewasz.

Na jej twarz wypłynął rumieniec.

– A co więcej – ciągnął – chcę cię poślubić.

Cofnęła się o krok, jakby popchnęła ją niewidzialna ręka.

– Rzym musi być na złej drodze – powiedziała szyderczo – skoro szlachetny Konstancjusz poświęca się dla jego chwały, poślubiając zwykłą Brytyjkę. Czy żenisz się ze mną, czy z armią mojego ojca? Chyba macie jakieś problemy w Galii – podobnie jak w Syrii.

Konstancjusz wybuchnął.

– Na Herkulesa, Rzym naprawdę byłby na złej drodze, gdybym przyjął te słowa od kogokolwiek – nawet od ciebie! Nie musisz się o nas martwić, księżniczko. Rano przyszła wiadomość: Palmyra upadła, a Zenobia jest więźniem cesarza. Darował jej życie. Za kilka miesięcy przemaszeruje w triumfalnym pochodzie w Wiecznym Mieście. Legiony syryjskie są wolne.

– Zenobia... więźniem?

Helena ścisnęła drzewce włóczni, jak gdyby szukała oparcia w świecie, który rozpadał się wokół niej na kawałki.

– Cesarz jest miłosierny – rzekł chłodno Konstancjusz. Zdawał się nad nią górować, z ramionami i szyją greckiego boga wojny. Z jej ciała uszła cała siła. Tak pewnie się czuła Pentezylea, kiedy Achilles stanął przed nią twarzą w twarz na polu bitwy pod murami Troi. Zenobia... więźniem.

Bardziej wrażliwy mężczyzna dojrzałby ogromny wstrząs, jakiego doznała, wyczułby, że stoi u stóp upadłego idola. Ale on nie posiadał klucza do jej umysłu i nie miał go zdobyć przez wiele następnych lat.

Podszedł do niej, uzbrojony i budzący grozę.

– Ale jeśli chcesz wojny, możesz ją mieć – powiedział z płonącym wzrokiem.

Spojrzała na niego tak, jak się patrzy na burzową chmurę, próbując odgadnąć, skąd nadejdzie następna błyskawica. Zenobia upadła i Rzym znów był największą potęgą na ziemi.

W tej chwili skruszała jej duma. Ogarnęło ją dziwne i niezdrowe pragnienie zbiega, by się poddać, z czystego strachu, że zostanie złapany, nieświadomy dryf słabości do siły, mroczny impuls, by się pojednać z zagrażającą mocą – to wszystko i jeszcze więcej, choć nic świadomego, nawet żadnego fizycznego poruszenia, kiedy uciekała do niego, by się ukryć w burzowej chmurze, z której miał strzelić piorun.

Jej zwrócona w górę twarz była naznaczona łzami, a usta się poruszały. Kiedy ją pocałował, od razu odpowiedziała pocałunkiem.

Zaczął się śmiać, głębokim, radosnym śmiechem człowieka, któremu się udało, nie wiadomo dlaczego, kiedy wszystko wydawało się stracone.

Zdołała się uśmiechnąć i scałował ten uśmiech z jej warg.

Ale jej oczy widziały coś nad jego ramieniem – kiedy się odwrócił, też zobaczył służących, którzy nieśli wielką drewnianą ławę. Trochę czasu zajęło mu uświadomienie sobie, że stoją w wielkiej sali, w otoczeniu służby próbującej zestawić razem ławy i stoły, i że tarasują im drogę, niepomni wszystkiego wokół nich, zanurzeni w swojej wojnie, klęsce i zwycięstwie.

Teraz świat zewnętrzny powrócił do nich gwałtowną falą.

Uśmiechnął się.

– Jesteśmy na widoku, Heleno – za późno, by powiedzieć „nie".

– Nie powiedziałam „nie" – odrzekła Helena. I z uczuciem cudownego strachu i ulgi uświadomiła sobie, czemu jej ojciec zarządził ucztę na dzisiejszy wieczór.

KSIĘGA
DRUGA
A.D. 274–289

Rozdział piąty

Grecki lekarz wszedł na palcach do pokoju i usiadł na brzegu jej łóżka. Był szczupłym mężczyzną z wiankiem rozwichrzonych siwych włosów wokół łysej głowy, z zadartym nosem jak Sokrates i szerokimi ustami, których wargi wciąż się poruszały.

Helena wiedziała, że tu jest, ale się nie poruszyła. Jej ciemne rzęsy spoczywały na dolnych powiekach, a czarne włosy kreśliły fantazyjne wzory na poduszkach. Była od wielu godzin na pograniczu snu i jawy, wyobrażając sobie, że jest rybą, okrągłą, białą, z ciężkim brzuchem, zapadającą się powoli w miękki piasek morskiego dna, coraz głębiej i głębiej. Kiedy jednak otworzyła oczy, odcisk jej ciała na poduszkach i materacu nie pogłębił się, więc szybko zamknęła je z powrotem, by znów poczuć to cudowne, łagodne opadanie.

Lekarz nie spodobał się jej od pierwszego wejrzenia.

– On jest taki ugrzeczniony, Konstancjuszu, miły, że aż mnie mdli. Nie mogę tego znieść.

Konstancjusz jednak obstawał przy Bazyliosie, którego sława przekraczała daleko granice Brytanii, a poza tym był lekarzem żony legata, kiedy jej dziecko przychodziło na świat.

– Wcale nie potrzebuję lekarza – nie przy porodzie. To absurd. Każda doświadczona kobieta sobie z tym poradzi.

– Moja droga, może taki jest zwyczaj Trynobantów, ale nie Rzymian, wyjąwszy klasy niższe.

Okazała mu swoje niezadowolenie, jak zawsze, kiedy jej dokuczał, mówiąc o jej „plemieniu". Trynobanci dawno przestali być plemieniem – teraz od wielu pokoleń byli narodem. Bazylios stał się częstym gościem w ostatnich miesiącach jej ciąży. Przyjmował z uśmiechem jej zmienne nastroje, był przesadnie uprzejmy, gdy okazywała rozdrażnienie i nigdy nie dawał jej szansy, by mogła pofolgować swoim uczuciom. Raz rzuciła w niego wazą – schylił się spokojnie i zaczął zbierać skorupy.

Teraz bardzo chciała, by myślał, że śpi. Kiedy jednak wziął ją za rękę, by sprawdzić puls, wyrwała ją gwałtownym ruchem.

– Czy nie widzisz, że jestem zmęczona? Zostaw mnie w spokoju.

Bazylios nie odpowiedział, a ona nagle poczuła złość na samą siebie. To prawda, że był tylko niewolnikiem, ale złe traktowanie niewolników uchodziło za rzecz naganną. Tak robili tylko nuworysze, by powetować sobie własne upokorzenia, i ludzie o naprawdę podłych charakterach. Może mam naprawdę podły charakter, pomyślała, i przez chwilę cieszyła się tą myślą. Potem ją porzuciła.

To było małostkowe i głupie. W zamian próbowała odzyskać cudowne uczucie zapadania się w miękki piasek. Nie zauważyła nowego wyrazu w oczach lekarza. Bazylios się niepokoił. Ona nie współpracowała i zdawało się, że w ostatnich trzech dniach straciła większość energii.

I ta wąska miednica...

Wyszedł, znowu na palcach, a uśmiech, którym starał się dodać otuchy stojącemu w korytarzu Konstancjuszowi, był trochę wymuszony.

Trybun to zauważył.

– Lepiej, żeby wszystko poszło dobrze – powiedział szorstko. – Inaczej...

– Wszystko pójdzie dobrze – zapewnił go pospiesznie Bazylios. – Miałem wcześniej trudniejsze przypadki, szlachetny trybunie... nie, nie wchodź teraz, pani chce spać i będzie potrzebowała wszystkich sił...

Pożegnał się, a Konstancjusz wrócił do swojego gabinetu, ostatniego pokoju w prawym skrzydle domu, który był zbudowany, jak większość eleganckich willi, z drewna na kamiennych fundamentach. Pokoje miały kształt prostokąta, a ściany pokryte były ornamentami z malowanego gipsu. *Hypokaustum* ogrzewało trzy z ośmiu pomieszczeń; w przedniej części domu znajdował się duży korytarz, a z tyłu drugi, mniejszy. Ogród był starannie utrzymany, ocieniony przez drzewa i otoczony kamiennym murem pokrytym zielonymi płytkami.

Nie było tu hałasu, prawie żadnego, choć mieszkali zaledwie o kilometr od Domus Palatina, w którym rezydował legat konsula, w samym sercu Eburacum. A Domus Palatina był sercem nie tylko Eburacum, lecz całej Brytanii – przynajmniej w czasach Petroniusza Akwili. Za jego poprzedników istniał jakby podział na pół: Eburacum było stolicą północy, Londinium – południa. Nie dlatego, że Petroniusz Akwila był szczególnie silną osobowością – choć silniejszy od Karoniusza i wyższy od niego rangą – tylko dlatego, że obecnie cesarz nie interesował się specjalnie Brytanią. Podział na dwie części był zwyczajnie sprawą cesarskiej polityki. Podziel kraj, a podzielisz armię okupanta, co oznacza, że gdyby jakiś ambitny brytyjski dowódca miał własne plany, nie wystarczy mu wojska, by posłać je do walki.

Cóż, niczego takiego nie spodziewano się ze strony Petroniusza Akwili. Trzydziesty Piąty Legion nigdy nie powrócił z Galii, do której został wysłany półtora roku temu, wraz z trzema oddziałami jeźdźców i wojskami pomocniczymi, nie było też żadnych uzupełnień. Teraz jeden cały legion stacjonował na północy, drugi na południu, do tego dwanaście oddziałów konnych i jakieś dwadzieścia pięć tysięcy żołnierzy pomocniczych, czyli wielobarwna zbieranina. Razem mniej niż czterdzieści tysięcy ludzi. Za mało, by realizować własne ambicje. Przynajmniej jeśli ma się trochę rozsądku, a Petroniusz Akwila miał.

Tak było dobrze. Nie ma większego pecha, niż zostać wciągniętym do rebelii przez ambitnego dowódcę – chyba że jest militarnym geniuszem i wygrywa. W większości wypadków oznaczało to kilka miesięcy radosnych podbojów – tak zawsze się działo na początku – potem wielką bitwę, spektakularną klęskę i koniec wojskowej kariery, jeśli nie coś gorszego. Nie, coś takiego powinno być podejmowane tylko w odpowiednim momencie przez właściwego człowieka dysponującego wystarczającą liczbą wojska.

Konstancjusz uśmiechnął się blado. Przyjemne rozmyślania jak na zwykłego trybuna.

Ale trybun nie musi pozostać trybunem przez całe swoje życie – szczególnie kiedy zdobył szacunek przełożonego, a Karoniusz nie czuł się lepiej po kuracji w Aquae Sulis. Staremu brzuchaczowi dobrze było dowodzić Dwudziestym Legionem, którego żołnierze mieszkali w obozie, jak gdyby trwała wojna, zamiast się bawić w Londinium, Verulamium lub Camulodunum – on był daleko i brał te cudowne kąpiele. Nie uczestniczył w ich ćwiczeniach – i nie wiedział, co o nim mówią. Ale wszystko dochodziło tu, do Eburacum, wiernie przekazywane przez tajne służby. Karoniusz zostanie tu tylko przez sześć miesięcy, najwyżej rok...

Potem dowództwo nad Dwudziestym. Wydawać prawdziwe rozkazy temu motłochowi; Karoniusz był starym belfrem i miewał zmienne nastroje – czasem był zbyt ostry, a czasem zbyt łagodny. Dowódca musi być bardziej zrównoważony i mieć silne poczucie sprawiedliwości. Oficerowie od razu to wyczuwają, podobnie jak żołnierze. Sprawiedliwe traktowanie całkiem zmienia postać rzeczy – tak samo jak poczucie humoru. Poza tym jako dowódca południa mógłby rozruszać te koszmarnie leniwe *coloniae* i skłonić je do działania. Verulamium, na przykład, było w przerażającej kondycji – gdyby Aurelianowi lub jego następcy przyszło nagle do głowy zrobienie inspekcji, lepiej nie myśleć o konsekwencjach. Podobnie jak nadbrzeżne fortyfikacje: Isca była praktycznie bezużyteczna, podobnie jak Segontium. Należałoby wybudować linię zupełnie nowych umocnień, by zabezpieczyć wyspę przed kłopotami – och, dosyć. Jeszcze nas tam nie ma. Nie szkodzi – będziemy. A wtedy...

Żeby tylko urodził się chłopiec! Bazylios powiedział, że nie można mieć pewności, choć to prawdopodobne. Prawdopodobne – dlaczego? Bo ojciec tak chce? Miał takie rozbiegane oczy, przeklęty Grek. Powiedział, że miał wcześniej trudniejsze przypadki. Dlaczego to był trudny przypadek? Helena była zdrową młodą kobietą, pragnęła tego dziecka bardziej niż czegokolwiek na świecie, nieraz to mówiła. Idiotycznie to natura urządziła – znacznie łatwiej dla klaczy czy krowy.

Zdawało się, że to ją poskromiło – oczekiwanie na dziecko...

To było coś. Tak czy inaczej, z czasem nabierze rozsądku, mała buntowniczka. Nigdy nie będzie lubiana przez żony starszych oficerów, zwłaszcza przez takie snobki jak stara wiedźma Petroniusza Akwili, chełpiąca się przynależnością do rodziny Marcjuszy. Ale nie musi. Niektórzy koledzy może próbują robić karierę, wykorzystując atrakcyjną żonę, ale on nie będzie.

Żeby tylko urodził się chłopiec! Teraz mógł się urodzić w każdej chwili. Durbowiks, galijski kamerdyner, powiedział mu, że modlą się za panią w kwaterze służby. Cóż, taki był zwyczaj. Durbowiks tylko uprzedził jego rozkazy, dowodząc tym, że jest mądrym człowiekiem.

Konstancjusz pomyślał przez chwilę o statuach Larów i Penatów, bóstw ogniska domowego, stojących w atrium. Potem jednak odrzucił tę myśl. Zapali trochę kadzidła na małych ołtarzach, kiedy Helena zacznie rodzić, tak trzeba. Galijska służba modliła się do Esusa-Teutatesa, lub Epony... nie, to była bogini koni, a służba brytyjska oczywiście do Trzech Matek i prawdopodobnie do całego mnóstwa pomniejszych bóstw: Camulusa, Ancasty i Harimelli, Vanaunsa, Viradectis i kogo tam jeszcze. Cóż, może istnieli, a może nie. Skąd można to wiedzieć? Co do Heleny, nigdy nie mówiła o tych sprawach. Lepiej tak, niż w kółko o nich paplać jak żona Karoniusza, która była tak przesądna, że podejrzewali ją nawet kiedyś, iż skłania się do żydowskiego kultu Jezusa, czy jak się nazywał ten człowiek, którego stracili w czasach Tyberiusza, a może Kaliguli? Jakie to zresztą ma znaczenie? Helena pewnie miała własne dziwne poglądy na ten temat, jak i stary Koeliusz. Rzymska ceremonia zaślubin w małej świątyni Junony w Camulodunum nie wywarła na niej wielkiego wrażenia – jedyną rzeczą, jaka zdawała się mieć dla niej znaczenie, była modlitwa jej ojca, którą wyszeptał nad nimi obojgiem w starej dębowej sali koło Coel Castra. Jakiś dziwny bełkot.

Na Jowisza, trudno było w cokolwiek wierzyć – oprócz fatum, oczywiście, albo trzech kobiet, które przędą nić żywota. Germanie też w nie wierzyli, nazywali Nornami czy jakoś tak. Może były tym samym, co Trzy Matki, i tym samym, co Trzy Parki.

Cóż, naprawdę ważne jest tylko to, żebym miał syna! – Silnego, zdrowego syna, któremu pewnego dnia zostawię wspaniałe dzieło. Za trzydzieści lat, albo lepiej za czterdzieści. Nie ma pośpiechu...

Zjawiła się Wirginia, blada jak płótno. Co? Zaczęło się?

– Gdzie jest Bazylios? Natychmiast po niego poślij. Zabiję go, jeśli nie wróci, nim policzę do stu. Biegnij, kobieto! Biegnij!

Sam pobiegł do lewego skrzydła domu. Roztrącił niewolników na boki i wpadł do pokoju Heleny. Leżała zupełnie nieruchomo, nie patrząc na niego, lecz w sufit. Tylko jej dłonie lekko drżały.

– Nonsens – powiedziała. – To dopiero początek. Potrwa godziny... godziny... godziny...

Głos miała oschły i bezdźwięczny. Konstancjusz zaczął mówić, ale sam nie wiedział co. Wtedy przyszedł Bazylios i zajął jego miejsce. Konstancjusz widział, że się martwi, było to dość oczywiste. Konstancjusz wypowiedział parę pogróżek, a Helena lekko się uśmiechnęła. A ta gęś Wirginia zaczęła zawodzić.

Wszystko przebiegało dobrze do północy. Akcja porodowa przyspieszała i Bazylios kazał pacjentce stanąć i ścisnąć zasłonę. Helena posłuchała machinalnie. Fale bólu zmobilizowały jej ciało do wysiłku – starała się powstrzymać krzyk, ale Bazylios na to nalegał.

– Nie opieraj się. Wszystkie kobiety krzyczą na tym etapie i nawet sam Jowisz krzyczał, kiedy Minerwa wyskoczyła z jego głowy.

Zachciało jej się śmiać, ale ból nie pozostawił dość miejsca na swobodny śmiech.

Konstancjusz wygrażał teraz Larom i Penatom na ołtarzu w atrium. Przestał grozić Bazyliosowi, bo widział, że lekarz jednak robi, co może.

I wtedy, tuż po północy, poród nagle się zatrzymał. Helena poczuła się wyzuta z całej energii, z wszelkiej woli walki. Chciała zasnąć, umrzeć, cokolwiek – nie miało znaczenia, co się stanie, byle tylko mogła się położyć i zamknąć oczy. Bazylios mamrotał zaklęcia, modlitwy, przekleństwa. Był śmiertelnie blady, jego czoło lśniło od potu. Niewolnik pobiegł po następną szkatułkę z lekarstwami. Było to rzadkie zioło, którego sok miał przywrócić akcję porodową, jeśli natarło się nim brzuch. Wiedział jednak, że to nie jedyne niebezpieczeństwo. Wąska miednica...

O czwartej nad ranem sytuacja stała się krytyczna. Mimo wszelkich wysiłków akcja porodowa nie powróciła. Helena leżała bez ruchu, w całkowitej apatii. Oczy miała szeroko otwarte, ale zdawała się nic nie widzieć. Kiedy Konstancjusz, nie panując nad sobą, wykrzyknął jej imię, nie odpowiedziała. Spędził ostatnią godzinę na kolanach przy jej łożu. Teraz wstał powoli i spojrzał na Bazyliosa. Lekarz zaczął się trząść.

– Bogowie są przeciw nam, panie – zaskomlił. – Zrobiłem, co mogłem... robię, co mogę... ja...

– Umrzesz – powiedział głucho Konstancjusz. – Chciałbym, żebyś umarł siedem razy, psie.

– Panie, panie, to nie moja wina. Dziecko jest bardzo duże i naciska na miednicę... to hamuje akcję.... I leży tak, że nie mogę go dosięgnąć...

– Co to znaczy?

– Panie, może będę musiał zabić dziecko, by ratować matkę... jej puls słabnie... bardzo słabnie...

Zabłysło i niemal w tej samej chwili zagrzmiało.

Konstancjusz cofnął się o krok. Bazylios patrzył szklanym wzrokiem, jak opuszcza sztylet. Dwie niewolnice zaczęły płakać.

Błysk – grzmot. Błysk – grzmot.

Czy Bazylios miał rację? Czy bogowie byli przeciw nim? Przesądy wielu pokoleń ożyły w jego umyśle. Spojrzał na Helenę przy następnej błyskawicy i grzmocie. Nie poruszyła się.

Próbował zebrać myśli, ale nie mógł. Nie wiedział, że wszyscy w pokoju czują tak samo, że wszystkich wypełnia jedno uczucie przenikające wszystkie nerwy – strach.

Na zewnątrz zaczął padać deszcz, ale nie był to jedyny odgłos. Nie grzmiało, choć ten dźwięk bardzo to przypominał. To był grzmot z ziemi – tętent kopyt w pełnym galopie i coraz głośniejszy turkot kół. Potem cisza.

Strach wciąż wisiał w pokoju, a z nim jego matka – bezradność. Nikt nie mógł się ruszyć, nogi wrosły wszystkim w podłogę. Jak w koszmarnym śnie, kiedy śniący chciałby uciec przed najstraszniejszym niebezpieczeństwem i stwierdza, że nie może. Następny błysk, słabszy od poprzednich – ale, zamiast grzmotu, na korytarzu dał się słyszeć odgłos kroków.

Do środka wpadł niewolnik.

– Panie, gość...

Przerwał mu grzmot, który nareszcie się przetoczył.

W chwilę później gość wszedł do pokoju. Spojrzał bystro na Helenę, wziął głęboki wdech, po czym popatrzył na pozostałych i uczynił krótki, władczy gest.

– Zostaw nas samych, synu.

W oczach Konstancjusza błysnął i zgasł promień nadziei.

– Ojcze...

– Posłuchaj mnie, synu.

Konstancjusz zawahał się – ale tylko przez moment.

Potem się ukłonił i opuścił pokój, dając znak pozostałym, by wyszli razem z nim. Tylko Bazylios zawahał się przez moment, ale spojrzenie gościa wygnało go jak zbitego psa.

Kiedy król Coel został sam, podszedł prosto do łoża Heleny. Nie odkrył jej. Pochylił się tylko i przesunął parę razy po jej oczach i czole. Kiedy się obudziła, uśmiechnęła się lekko. On też się uśmiechnął.

– Wstań, dziecko – powiedział.

– Ja... nie mogę, ojcze.

– Wstań, dziecko.

Wstała. Nawet jej nie pomógł.

– Podejdź do mnie – rozkazał. Kiedy go posłuchała, cofnął się powoli. Zaczęła jęczeć.

– Mój krzyż, ojcze, mój krzyż...

– Podejdź do mnie.

Zaczęła iść, niezdarnie, krok za krokiem. Po drugiej stronie pokoju stał wielki stół. Król Coel zmiótł z niego szkatułkę z lekarstwami Bazyliosa, puchary i talerze, i nawet obrus, którym był przykryty.

– Połóż się na tym, dziecko.

Posłuchała, ale tym razem musiał jej pomóc. Stół był wysoki. Położył starą sękatą dłoń na jej wydętym brzuchu gestem nieskończonej czułości, a ona poczuła, że ją błogosławi, że jest w domu i otacza ją spokój. W pokoju panowała głęboka cisza. Patrzyła na sufit, ale jej oczy miały teraz wyraz nowej nadziei, zwiastunki radości.

– Wstań – powiedział król Coel.

To było wyraźne polecenie – ten sam ton, jakiego używał, kiedy kazał jej wstać, gdy szczotkował jej włosy, wiele lat temu, kiedy była małą dziewczynką. Zawsze szczotkował jej włosy, zanim poszła spać i kiedy wstała. „Nie masz matki – powiedział raz, tylko raz – więc ja muszę cię czesać." Nigdy nie zapomniała głosu, jakim wypowiedział te słowa – łagodnego i jasnego jak u kobiety. A potem rzekł: „Wstań" – zupełnie innym tonem, takim jak teraz, twardym i mocnym jak żelazo.

– Stań! Na stole!

Stanęła na stole. Głowę miała blisko sufitu i czuła lekkie zawroty. Znów zaczął ją boleć krzyż, mocniej niż poprzednio. Stopy niechętnie utrzymywały jej ciężar. Trudno było sobie wyobrazić, że kiedyś biegała po lesie, przeskakiwała przez strumienie, tańczyła...

– Odchyl się do tyłu, dziecko!

Teraz stał za nią. Czuła jego obecność, jak przyjaznej armii wspierającej wojownika. Ale nie mogła się odchylić, nie mogła.

– Jestem tutaj, mam otwarte ramiona, dziecko, odchyl się... odchyl!

Chwycił ją i poczuła, jak ciągnie ją do tyłu, bardzo powoli. Szarpnął nagle jej ciałem, z lewej do prawej strony. Krzyknęła, a jej krzyk zmroził krew w żyłach tych, którzy tłoczyli się na korytarzu.

– Stań prosto! – zagrzmiał starzec. – Stań, Elen! Spłodziłem królewską krew, prawda?

Stanęła. Miała krew na dolnej wardze, ale stała.

Pojawił się w zasięgu jej wzroku, wysoki i wyprostowany, z błyszczącymi oczami. Otworzył ramiona.

– Skacz, Elen!

Spojrzała w dół. Podłoga była daleko, jak przepaść, jak bezdenna otchłań. To był koniec. Zawirowało jej w głowie – uniosła ręce jak ptak skrzydła, roześmiała się i skoczyła w jego ramiona. Jej stopy poddały się, miała wrażenie, że zapada się do wnętrza ziemi. Ale przez jej własny krzyk przebił się zwycięski okrzyk króla Coela:

– Wejdźcie – wszyscy!

Wtedy wreszcie zemdlała.

Kiedy odzyskała przytomność, zobaczyła nad sobą niespokojną twarz Konstancjusza. Widziała go, ale jej wzrok przyciągała z magiczną siłą kołyska, w której leżał jej syn.

Król Coel siedział przy kołysce, przyglądając się w milczeniu dziecku. Zasłony były rozsunięte i do pokoju wpadało dzienne światło.

– Daj mi go – powiedziała. – Daj mi mojego syna.

Stary człowiek podniósł ostrożnie małe zawiniątko i zaniósł jej.

– Dobra krew – powiedział. Nie zdziwił się ani trochę, że znała płeć dziecka.

Pochłaniała go oczami.

– Urodził się o świcie – rzekł król Coel. – Jak go nazwiecie?

– Konstantyn – odrzekł szybko Konstancjusz.

Król roześmiał się.

– Konstantyn – mały Konstancjusz. Dobrze, że będzie nosił imię swego ojca, bo będzie czynił tak, jak jego ojciec, choć z czasem go przewyższy.

Trybun chciał odpowiedzieć, lecz Helena położyła na jego ręce zmęczoną białą dłoń. Widziała oczy ojca.

– Posiądzie kraj, po którym jeździ – rzekł łagodnym głosem król Coel. – Będzie radością dla swojej matki i śmiercią dla swego syna. I zobaczy Drzewo Życia.

Rozdział szósty

– Tarcza w górę – powiedział setnik. – Wyżej, wyżej! Dobrze. Tylko oczy muszą być ponad nią. Kiedy wróg pośle nad nią serię strzał, nie musisz jej podnosić – schyl głowę o parę centymetrów i będziesz bezpieczny. O tak – widzisz?

– Nigdy tego nie zrobię – odparł gniewnie chłopiec. – Wróg pomyśli, że się go boję.

Potężny setnik uśmiechnął się.

– Czy miałby rację?

Chłopiec się zaczerwienił.

– Oczywiście, że nie! Jak śmiesz...

– Więc to łatwe – rzekł Marek Fawoniusz. W Dwudziestym Legionie nazywali go Facilis, ponieważ wszystko było dla niego łatwe. Wyśledzić patrol numidyjski na pustyni – łatwe. Zbudować obóz z umocnieniami pierwszej i drugiej klasy po czternastogodzinnym marszu – łatwe. Oczyścić gospodę z tuzina pijanych gladiatorów, którzy wszczęli awanturę – łatwe. – Ty się nie boisz, ale wróg o tym nie wie. Wspaniale! Lepiej być nie może. Zmyliłeś wroga co do prawdziwej sytuacji – zdecydowana korzyść. Wróg oszukany to wróg w połowie pokonany.

Chłopiec jednak potrząsnął energicznie głową.

– Nie chcę, by ktokolwiek myślał, że się boję – powtórzył z uporem. – Uważaj, zaraz cię zaatakuję!

– Bardzo staromodne – mruknął Fawoniusz. – Teraz nie zapowiadamy ataku, tylko po prostu atakujemy – i trzymaj przez cały czas tarczę w górze, bo cię dosięgnę, zanim ty zdążysz mnie... o tak!

Chłopiec zachwiał się do tyłu, kiedy włócznia setnika wyrwała tarczę z jego ręki. Zamiast próbować ją odzyskać, schylił głowę i znów zaatakował, jak szarżujący baran. Był tak szybki, że wojskowy weteran ledwo zdążył wyrzucić tarczę do przodu i chłopiec znów się zachwiał, nie podnosząc głowy.

– Metal jest twardszy od kości – rzekł flegmatycznie Fawoniusz. – Kto nauczył ciebie barbarzyńcę takich sztuczek, Konstantynie? Na pewno nie ja. Chodź, podnieś tarczę i walcz jak Rzymianin. To łatwe.

Para na pergoli wychodzącej na trawnik siedziała bez ruchu, obserwując tę scenę. Konstancjusz dostrzegł błysk niepokoju w oczach żony.

– Wszystko w porządku – powiedział. – Fawoniusz zna się na swojej robocie.

– Oczywiście, że tak – padła odpowiedź. – Nie martwię się o to. Ale Konstantyn jest wciąż nieobliczalny – jego temperament wpędzi go kiedyś w kłopoty i nikt go nie upilnuje. Znów atakuje, mały głupol.

Konstancjusz uśmiechnął się z zadowoleniem. Wybrał Marka Fawoniusza na wojskowego nauczyciela dla swojego syna, ale zrobił to na życzenie Heleny. Była wspaniałą matką. Porównywał ją z Rzymiankami, które znał w Mediolanie, Rzymie i Neapolu. Helena była bardziej rzymską matroną niż którakolwiek z nich: Domitylla, Sabina czy Wipsania. Pasowałaby do czasów Republiki, kiedy kobiety były mężczyznami, a mężczyźni półbogami. Dzisiejsze kobiety były pieskami kanapowymi lub sukami, a mężczyźni – kobietami.

– Teraz lepiej – powiedziała Helena. – Jeszcze się nauczy. Widziałeś to? Piękne pchnięcie. I jest uparty. Dlaczego się uśmiechasz, legacie Konstancjuszu?

Jej mąż głośno się roześmiał.

– To łatwe, jak by powiedział Fawoniusz. Śmieję się, bo jestem szczęśliwy. Jestem szczęśliwy, bo mam ciebie i tego dzieciaka. Patrz, znów popełnił błąd. Dobrze zrobi małemu głupolowi, jeśli czasem się wyłoży. O, krwawi.

– Nie płacze – stwierdziła z zadowoleniem Helena. Ale poruszyła się niespokojnie na krześle.

Grecki nauczyciel nadszedł pospiesznie, z surowym wyrazem pomarszczonej twarzy.

– Panie, Konstantyn jest już spóźniony na lekcję literatury. A teraz widzę, że leży i krwawi – jak może się uczyć Pindara, Anakreonta...

– Nie lubię Anakreonta – powiedział Konstancjusz.

– Nie przepadam za literaturą – mruknęła Helena.

Grek uderzył w błagalny ton. Jak może być odpowiedzialny za edukację panicza, jeśli jego rodzice nie wspierają go i nie doceniają. Jak można oczekiwać, że chłopiec prawie trzynastoletni...

– Dwanaście lat i cztery miesiące – poprawiła Helena.

– ...w wieku dwunastu lat i czterech miesięcy zostanie uczonym, kiedy spędza cały czas walcząc z dorosłym mężczyzną...

– Nie chcę, żeby chłopiec został uczonym, chcę, by był żołnierzem, jak jego ojciec – przerwała mu Helena. – Odejdź, Filostracie, chcę na to popatrzeć. Wreszcie się podnosi.

– Idź, przyjacielu – Konstancjusz kiwnął głową z błyskiem w oku. – Idź i powiedz Homerowi, Pindarowi i im wszystkim, że świat nie może się składać tylko z tych, którzy opisują bohaterskie czyny, bo muszą jeszcze istnieć tacy, którzy ich dokonują.

Nieszczęsny nauczyciel odszedł, smutnie się uśmiechając.

– Biedny stary Filostrat – rzekł Konstancjusz.

– Powinni byli dać mu inne imię – powiedziała Helena. – „Ten, który kocha wojsko" jest zupełnie nieodpowiednie. O, dobrze! Nauczył się już tego. Wspaniale!

Ponowny atak chłopca był bezbłędny.

– Właściwie już nie żyję – stwierdził Fawoniusz. – Widzisz? Tak właśnie trzeba. Skoro już znasz tę sztuczkę, reszta będzie łatwa. Wystarczy na dzisiaj.

– Jeszcze raz, Fawoniuszu, jeszcze raz...

– Wystarczy. Chodź, żołnierzu.

Chłopiec rozpromienił się. Fawoniusz nazywał go tak tylko wtedy, kiedy był naprawdę zadowolony. Podeszli do pary siedzącej w pergoli.

Helena zobaczyła od razu, że rana była tylko draśnięciem i spojrzała na Fawoniusza z pełnym aprobaty uśmiechem.

Setnik zasalutował włócznią.

– Zajęcia skończone, panie – oznajmił. – Postępy zadowalające.

Konstancjusz skinął głową.

– Widziałem, Fawoniuszu. Idź do starego Rufusa w kuchni i powiedz mu, że cię przysłałem. Będzie wiedział, co robić.

– Dziękuję, panie – odrzekł z powagą Fawoniusz i odmaszerował. Rufus, wcześniej adiutant Konstancjusza, teraz nadzorował gospodarstwo domowe ku strapieniu Durbowiksa, kamerdynera. Rufus i Fawoniusz służyli razem w Dwudziestym Legionie i byli starymi przyjaciółmi.

– Jesteś zmęczony, Konstantynie? – zapytała Helena.

W ostatniej chwili powstrzymał niemal pogardliwe „nie". Zastanawiał się nad „tak, trochę", po czym powiedział z nadąsaną miną:

– Nie bardzo.

– Jak jest „prawda" po grecku? – zapytała niewinnie Helena.

– *Aléteia* – odparł niemal mechanicznie chłopiec.

Skinęła głową.

– Wiesz, jak jest po grecku – i wiesz, jak jest życiu. Nie musisz mieć dziś lekcji greki, jeśli nie chcesz. Ojciec i ja wybieramy się na przejażdżkę. Chcesz jechać z nami?

Jej oczy promieniały. Konstantyn rzucił się jej na szyję.

– Matka jest taka dziwna, ojcze. Zawsze czyta w moich myślach.

– W moich też – roześmiał się Konstancjusz, patrząc jej w oczy. – Biedny Filostrat, jakie ma szanse przy takim połączeniu sił?

Konstantyn zmarszczył brwi. Potem twarz mu pojaśniała.

– Możemy mu kupić kawałek morskiego złota – powiedział. – Jest ich wiele w sklepie Bojoryksa przy Via Nomentina. On lubi morskie złoto. Wciąż mam ten kawałek srebra, który mi dałeś w zeszłym tygodniu.

– Łapownictwo i korupcja – roześmiał się Konstancjusz, ale Helena była zadowolona.

– To bardzo dobry pomysł. Tak zrobimy.

Kiedy szli wzorzystym chodnikiem w stronę domu, Konstancjusz zaczął się zastanawiać, skąd Bojoryks brał morskie złoto. Nie było go w Brytanii, pochodziło z dalekiego kraju na północnym wschodzie – Estonii. Estowie wymieniali je na wino i wyroby ze skóry. Ożywiony handel odbywał się z niektórymi plemionami germańskimi nad Renem – złoto morskie albo „elektron", jak nazywano je na południu, docierało do Galii i do krajów Belgów, Jutów, Fryzów i Anglów. Ale do Brytanii trafiało z Gesoriacum i wszystkie statki przybywające z tego portu lub do niego wypływające znajdowały się pod jego jurysdykcją. Widział listy ładunku każdego statku. Co najmniej od roku nie znajdował tam elektronu. Jakim cudem w sklepie Bojoryksa było go pełno? Czy towar przewożono potajemnie przez cieśniny? A jeśli tak, jaki inny ładunek był przemycany? Może broń?

Sytuacja militarna Brytanii była wprost śmieszna. Wystarczająco zła w czasach Petroniusza Akwili, teraz znacznie się pogorszyła. Ledwie sformował Dwudziesty Legion, a już połowa jego żołnierzy została odesłana do Galii, gdzie wciąż walczono z powstańcami. Półtora legionu regularnych wojsk dla całej Brytanii! Jednostki pomocnicze też zostały rozesłane do innych prowincji, a agenci cesarza mieli w tej kwestii dar wybierania najlepszego materiału.

Jeśli miał miejsce przemyt broni i jeśli było jej więcej niż na potrzeby tego czy innego drobnego herszta, należało coś z tym zrobić i to szybko. Postanowił odwiedzić sklep Bojoryksa i zadać mu parę przyjacielskich pytań.

Kiedy jednak wszedł do domu, podszedł do niego Durbowiks i ukłonił się. Konstancjusz zobaczył, że mężczyzna jest trupioblady i obficie się poci.

– Co ci się stało? Jesteś chory?

Lokaj wziął głęboki wdech.

– Wysłannik cesarski chce się z tobą zobaczyć, panie. Prefekt Allektus.

Konstancjusz lekko skrzywił usta, ale odpowiedział zupełnie spokojnym głosem:

– Dobrze, Durbowiksie, wprowadź prefekta.

Durbowiks wyszedł na lekko drżących nogach, a mąż i żona spojrzeli na siebie.

– W innych czasach – rzekł powoli Konstancjusz – mogłoby to oznaczać... ekhm... coś raczej nieprzyjemnego. Ale Dioklecjan nie jest Neronem ani Kommodusem.

– Czy znasz tego wysłannika?

– Allektus... Właściwie nie pamiętam. Tak czy inaczej, obawiam się, że przeszkodzi mi to w jeździe konnej.

Konstantyn miał zawiedzioną minę.

– Czemu nie weźmiemy go ze sobą, ojcze – może on też by chciał trochę morskiego złota?

– Cicho, Konstantynie – powiedziała Helena.

– Ty z nim pojedziesz – zaproponował Konstancjusz. – Ja będę musiał popracować z Allektusem. Przypuszczam, że będzie chciał jeszcze więcej wojska.

– Pozwól mi zostać z tobą – poprosiła błagalnym głosem.

Potrząsnął głową, uśmiechając się.

– Przybył zobaczyć się ze mną tutaj, w moim domu, nie w biurze. Dlatego przyjmiemy go oboje. Ale potem musimy popracować tylko we dwóch.

Durbowiks znów się pojawił i wprowadził gościa. Prefekt Allektus był wysokim, dobrze zbudowanym mężczyzną z głową drapieżnego ptaka. Helena zobaczyła jego zimne, szare oczy i ruchliwe, zmysłowe usta. Ponieważ trzymał hełm pod pachą, widziała jego włosy, jasnobrązowe z rudawym odcieniem. Może miał domieszkę germańskiej krwi – wielu Germanów służyło w rzymskiej armii.

Poczuła do niego niechęć dopiero wtedy, gdy się uśmiechnął, kiedy Konstancjusz go przedstawił – szarym, krzywym, bezgranicznie fałszywym uśmiechem. I miał długie żółte zęby, jak koń.

– Pewnie będziecie chcieli porozmawiać o ważnych sprawach – powiedziała. – Mój syn i ja musimy już iść.

Prefekt się jej ukłonił. Przyjęła to lekkim skinieniem głowy i minęła go, dając znak Konstantynowi, by poszedł za nią. Chłopiec zachował się bardzo dobrze, z naturalną godnością, która napełniała ją dumą. Cieszyła się też, widząc cień dumnego uśmiechu na ustach swego męża.

– Chodź, Konstantynie – powiedziała. – Idziemy do stajni. Możesz dzisiaj wybrać sobie konia.

Ku jej zdziwieniu nie zareagował wybuchem radości. Wiedziała, jak lubi jeździć. Konie były dla niego wszystkim. Przeżył oczywiście wielkie rozczarowanie, że ojciec nie może jechać z nimi. Ona odczuwała to podobnie.

– On mi się nie podoba – rzekł z powagą Konstantyn. – Fawoniusz pokonałby go z łatwością, nie sądzisz, matko? Ma włosy jak lis. Dlaczego tu przyszedł?

– Nie wiem, Konstantynie.

– Mam nadzieję, że szybko sobie pójdzie – powiedział chłopiec z nutą goryczy w głosie. Po chwili dodał: – Jestem pewien, że ja też mógłbym go pokonać za jakiś rok.

Ale w tym momencie doszli do stajni i zapomniał o całym świecie. Patrzenie, jak wybiera sobie wierzchowca, było prawdziwą przyjemnością – umiał jeździć jak centaur. Myślała czasem o dziwnym proroctwie jej ojca w dniu narodzin chłopca: „Posiądzie kraj, po którym jeździ". Przypomniała mu o tym, kiedy go odwiedzili w Camolodunum trzy miesiące temu, ale tylko w milczeniu pokiwał głową. Był już bardzo stary, ale mężczyźni z całego kraju wciąż przychodzili do niego po radę i pomoc – i ją dostawali. Ona i Konstancjusz przyglądali się raz przez dobre trzy godziny, jak rozstrzyga sprawy upartych, kłótliwych, głupich ludzi, z bezgraniczną cierpliwością, mądrością i taktem.

– Ale byłby z niego cesarz – orzekł Konstancjusz.

Wciąż go widziała, siedzącego na prostym krześle na dziedzińcu, z białymi włosami powiewającymi w nieładzie na wietrze. Obok niego stał ten młody mężczyzna, Hilary, „adiutant", jak powiedział Konstancjusz, ale był kimś więcej: służącym, sztabem i osobistą ochroną w jednym. Miał piękną, szczerą twarz i oczy marzyciela. Dobrze było wiedzieć, że opiekuje się starcem.

– Którego konia chcesz, matko? – powtórzył po raz trzeci Konstantyn. Ocknęła się.

– Wezmę Boreasza – powiedziała.

Konstantyn odetchnął z ulgą. Kiedy matka się rozmarzała tak, jak teraz, zawsze istniało niebezpieczeństwo, że może zmienić zdanie w jakiejś sprawie. Ale tego nie zrobiła, a Boreasz był dobrym koniem. Przyjął z uznaniem jej wybór. Zapowiadała się udana przejażdżka...

Konstancjusz czytał list cesarza na stojąco, zgodnie ze zwyczajem. Wiedział, że Allektus obserwuje go jak ryś, ale łatwo było zareagować w oczekiwany sposób. List był rodzajem manifestu oznajmiającego dowódcom wojskowym Boskiego Imperatora Dioklecjana, garnizonom i prowincjom, że Boski Cesarz raczył podnieść wielkiego cezara Maksymiana do godności cesarza z tytułem Augusta i że Maksymian August będzie najwyższym władcą Italii i Afryki, Hiszpanii, Galii i Brytanii, a Dioklecjan August pozostanie najwyższym władcą Tracji, Egiptu i Azji; że dowódcy wszystkich wojsk w regionach i krajach oddanych pod rządy Maksymiana każą swoim żołnierzom przysiąc wierność nowemu cesarzowi. Reszta była panegirykiem na cześć cnót i zasług nowego współwładcy. List został napisany zwykłym fioletowym atramentem i zapieczętowany ręczną pieczęcią cesarza.

– To naprawdę wielka nowina – odrzekł powoli Konstancjusz. – Boski Cesarz raczył pójść za przykładem Nerwy i Marka Aureliusza – przykładem, który zawsze sprowadzał błogosławieństwo na Imperium.

– Właśnie – potwierdził prefekt Allektus.

– Nie mógłby dokonać lepszego wyboru – ciągnął Konstancjusz. – Pierwszy mąż stanu i pierwszy żołnierz cesarstwa – jaka może być lepsza gwarancja bezpieczeństwa i dobrobytu państwa?

– Właśnie – powtórzył prefekt Allektus.

– Wydam rozkazy wojskom pod moim dowództwem, by się zebrały na tą ważną ceremonię. Zakładam, że będziesz chciał w niej uczestniczyć – o ile obowiązki nie wezwą cię do Eburacum, by poinformować mojego kolegę...

– Zanim na to odpowiem – rzekł Allektus – pozwól mi przedstawić tobie drugą wiadomość od cesarza.

– Drugą wiadomość?

– Mam ją tutaj.

Konstancjusz skłonił się, przyjmując opatrzony ciężką pieczęcią zwój. Kiedy przeciął sznurki, spojrzał najpierw na podpis. Należał do Maksymiana. Nowy cesarz nie tracił czasu. Przyjemnie było zobaczyć, że umie napisać swoje imię – to więcej, niż można oczekiwać od syna wieśniaka. Ale przecież sam Dioklecjan był jeszcze niższego pochodzenia. Jego rodzice służyli jako niewolnicy w domu rzymskiego senatora Anulinusa. Pochodzili z Dalmacji. Maksymian urodził się w Sirmium, jak Aurelian, którego pamięć opłakiwano. A teraz syn niewolnika i syn wieśniaka współrządzili rzymskim Imperium.

List był krótki: „Maksymian August pozdrawia legata Konstancjusza. Oczekujemy ciebie przy najbliższej sposobności w Rzymie na debacie o ważnych sprawach państwa. Wybierz dowódcę, który cię zastąpi podczas twojej nieobecności". To było wszystko.

– Jak sądzisz, legacie, kiedy mógłbyś wyjechać do Rzymu? – zapytał Allektus. Znał zatem treść listu. Cóż, właściwie nie było to dziwne – nie wysyła się człowieka takiej rangi, by w ciemno dostarczył wiadomość.

– Myślę, że zaraz po tym, jak wojska złożą przysięgę – odparł z namysłem Konstancjusz. – Czyli za trzy dni...

Allektus jednak potrząsnął głową.

– Jeśli same żywioły nie są przeciw tobie, Boski Cesarz nie byłby zadowolony z takiej zwłoki. Mam rozkaz oddać mój własny statek, *Tytana*, do twojej dyspozycji. To szybki statek pocztowy.

Konstancjusz uniósł brwi.

– Czy przebyłeś całą drogę z Rzymu na *Tytanie*, prefekcie?

Allektus zawahał się przez moment, nim odpowiedział:

– Nie, podróżowałem lądem do Gesoriacum.

Konstancjusza to zainteresowało.

– Zakładam więc, że widziałeś tam admirała floty.

– Widziałem Karauzjusza – Allektus skinął głową.

– Mówiono mi, że to wybitny człowiek – na swój sposób.

– Oddany sługa Boskiego Cesarza – odrzekł oficjalnym tonem Allektus. Konstantyn dojrzał dziwny błysk w jego oczach.

– Oczywiście – powiedział ostrożnie. – Chociaż mówią, że pochodzi z bardzo prostego rodu...

– Mężczyzna z prostego rodu może daleko zajść w dzisiejszych czasach – powiedział prefekt Allektus z niebezpiecznym uśmiechem. – Masz w sobie trochę cesarskiej krwi, Konstancjuszu – zdaje mi się, że jesteś spokrewniony ze zmarłym cesarzem Klaudiuszem. Może nie pochwalasz ludzi, którzy sami awansują w hierarchii społecznej?

Konstancjusz odwzajemnił uśmiech.

– Taka dezaprobata byłaby gorsza od głupoty, Allektusie – byłaby szaleństwem. Nie podcina się gałęzi, na której się siedzi.

Prefekt zmienił temat.

– Kogo zamierzasz wyznaczyć na swojego następcę?

– Trybuna Gajusza Waleriusza.

Allektus uniósł rudawe brwi.

– Czy uważasz, że ma wystarczające doświadczenie, by dowodzić tak licznym wojskiem?

Konstancjusz stracił cierpliwość.

– Gdybym tak nie uważał, nie wyznaczyłbym go. Mam nadzieję, że przypisujesz mi wystarczającą mądrość, bym umiał załatwiać swoje własne sprawy.

Prefekt poczuł niepokój.

– Jestem jak najdalszy od obrażania dowódcy, którego zasługi sprawiają, że jego rady są takie cenne dla Boskiego Cesarza, iż nie może się doczekać, aż je od niego usłyszy. To jednak niezwyczajne, by dawać trybunowi, nawet doświadczonemu, dowództwo nad całym legionem i może piętnastoma tysiącami pomocników...

Konstancjusz głośno się roześmiał.

– Jeżeli cesarz we mnie ma doradcę, w tobie na pewno dyplomatę, Allektusie. Na pewno jednak wiesz, że moje dowództwo nie obejmuje...

Urwał. W twarzy Allektusa było coś jakby chciwość, coś, co chciało być zadowolone, nasycone, napełnione – co to było? Jednocześnie obudziła się w nim naturalna czujność dowódcy wojskowego, chociaż tylko na ułamek sekundy. Liczby były oczywiście tajne, lecz nie musiał ich ukrywać przed wysłannikiem cesarza. Trudno było przypuszczać, że ich nie zna. A jednak mówił o całym legionie, jak gdyby nie wiedział, że Konstancjusz ma pod swoim dowództwem tylko jego połowę. Liczba pomocników w południowej części prowincji także była błędna, zawyżona o jakieś pięć tysięcy ludzi.

Z drugiej strony, Allektus mógł być bardziej dyplomatą niż żołnierzem – w takim wypadku nie interesowałby się specjalnie dokładnymi liczbami. Jego zadaniem było dostarczenie wiadomości Konstancjuszowi, nie sprawdzenie stanu armii. Podejrzenia były nonsensowne, po prostu brakowało motywu. Może jednak Allektus chciał dać do zrozumienia, że dowodzenie wszystkimi wojskami stacjonującymi w Brytanii powinno zostać oddane w ręce dowódcy na północy – a był nim teraz Kurio, wcześniej adiutant Karoniusza. Oczywiście, że o to chodziło! Allektus martwił się, że on będzie obstawał przy rozdziale dowództwa na czas swojej nieobecności. Tak, jako prefekt z pewnością wystarczająco znał się na wojskowości, żeby wiedzieć, że Kurio jako legat i dowódca legionu automatycznie był wyższy rangą od zwykłego trybuna jak Waleriusz.

Wszystkie te myśli przemknęły przez jego głowę jak jeden błysk – tak szybko, że dokończył po ledwo dostrzegalnej pauzie:

– ...moje dowództwo nie obejmuje wojsk na północy. Legat Kurio będzie żołnierzem najwyższym rangą podczas mojej nieobecności. Ma starszeństwo nawet nade mną, choć jak wiesz, nie znaczy to zbyt wiele. Ale ty miałeś mi powiedzieć, czy twoja misja prowadzi cię także do niego.

– Będę musiał pojechać do Eburacum we właściwym czasie – Allektus skinął głową. – Ale byłbym wdzięczny, gdybyś przed wyjazdem przedstawił mi trybuna Waleriusza.

– To proste – zje dzisiaj z nami obiad.

Allektus był zachwycony.

– A ty, Konstancjuszu? Czy myślisz, że będziesz mógł wyjechać jutro? Boski Cesarz bardzo na to nalegał...

– Gdzie jest twój statek? A raczej – mój statek?

– W Anderidzie. Ładują już zapas prowiantu.

– To świetnie. Wyjadę jutro. Mam nadzieję, że w międzyczasie przyjmiesz moją skromną gościnę. Jesteśmy prowincjuszami, Allektusie, i nie możemy ci zapewnić rzymskich luksusów...

Prefekt zachichotał, zasłaniając usta dłonią.

– Jesteś aż nadto uprzejmy. Ja jestem tylko prostym żołnierzem – i spędziłem ostatnie tygodnie na końskim grzbiecie lub w galijskich wozach. Bogowie jedni wiedzą, czym sobie zasłużyłem na karę podróżowania tymi wozami. Przez większość drogi nie mogłem znaleźć porządnych koni. Prowincja jest w okropnym stanie. Twój dom to oaza spokoju, szlachetny Konstancjuszu... oaza spokoju...

Konstancjusz zastanawiał się przez chwilę, czy istnieje takie zwierzę jak głupi lis.

Rozdział siódmy

On do mnie przyjdzie, pomyślała Helena. Przyjdzie, a ja tego chcę, bardziej niż kiedykolwiek przedtem chcę, żeby przyszedł, a jednak wiem, że byłoby lepiej, gdyby wyjechał, o wiele lepiej. Jestem zmęczona i otępiała, uginam się pod ciężarem lęku i samotnej przyszłości. On zapamięta mnie zmęczoną, zalęknioną i żałosną.

Próbowała się złościć na siebie za takie myśli, ale wola jej nie słuchała. Odprawiła dwie galijskie niewolnice, które pomogły jej się rozebrać, i podeszła do wielkiego okna.

Tam był ogród, trawnik, na którym Konstantyn walczył ze swoim nauczycielem; pergola, gdzie siedzieli i patrzyli na nich tego popołudnia. To zdawało się być lata temu. To było w innym życiu. To była inna, szczęśliwa kobieta.

Teraz ogród wydawał się dziwnie mały i ciemny. Jeden, dwa, trzy kroki i już się kończył i droga, i drzewa za drogą, i pola za drzewami, i rzeka, i domy, i znowu pola, a potem brzeg i morze, jak drugie, ciemniejsze niebo. Woda, woda i woda – wiedziała o niej wszystko. Sztormowa zatoka i hiszpańskie wybrzeże, Słupy Herkulesa i Morze Śródziemne. A gdzieś na końcu nieskończoności Ostia, rzymski port, i sam Rzym. On przybył z Rzymu i Rzym zabierał go z powrotem.

To była myśl nie do zniesienia, która nie chciała jej opuścić: że ta noc, pożegnanie i cały ten żałosny pokaz hartu i pogody ducha są jeszcze przed nią. Może on też to czuł i jednak do niej nie przyjdzie.

A gdyby przyszedł, to może dlatego, iż pomyślał, że ona go oczekuje.

Wzbierał w niej płonący gniew przeciw własnej słabości. Duma płynęła przez jej żyły gorącym strumieniem i poczuła, jak odżywa jej uroda, a z nią nowa nadzieja.

Nad ogrodem nie było księżyca i tylko kilka gwiazd. Dlaczego dziś nie świecą, pomyślała i uniosła ramiona, jak gdyby chciała je przywołać – jak druidzi w święto Trzech Matek.

⊕

Kiedy Konstancjusz wszedł, zastał ją wpatrującą się z dziwną intensywnością w niebo.

– Teraz jest ich więcej – powiedziała. – Dużo więcej. Ale jedna zgasła.

Jej ciało poddało się z drżeniem jego ramionom, ale kiedy w końcu oderwał wargi od jej warg, nie zobaczył w jej oczach gwiazd i poczuł, że gdyby nawet znał ją tysiąc lat, to nadal by w niej było – ciemne, spokojne światło, płomień bez żaru, którego nie potrafi zrozumieć żaden mężczyzna.

Patrzyła, jak śpi, tak jak czasami obserwowała sen swojego dziecka. Konstantyn z każdym dniem stawał się do niego coraz bardziej podobny. Miał taką samą linię między wargą a policzkiem, upartą, a jednak gotową do śmiechu przy najmniejszej sposobności; takie same włosy, ciemnobrązowe, gęste i lśniące, i wyraźną, niemal prostą linię brwi.

Wcześniej mówił do niej, a ona słuchała, myśląc o wielu sprawach, które były tylko jej i on nie miał się nigdy o nich dowiedzieć. Słyszała jednak każde jego słowo. Zaproszenie do Rzymu było tym, na co zawsze czekał, odkąd zaczął drogę na szczyt. Musiało nadejść i właśnie nadeszło.

Jego pierwotna dzika pasja opuściła go i był teraz w zgodzie z całym światem, szczęśliwy jak dziecko. Mówił o Rzymie, Allektusie i Maksymianie jak chłopiec, który opowiada o ulubionej zabawie. „Allektus jest głupim lisem – i głupcem, i lisem. Myśli, że jest sprytny, i ciągle się potyka o ten swój spryt. Wścibski, oczywiście – zawsze wysyłają kogoś w tym typie i ten ktoś pisze długie raporty, których nikt nie czyta, a na pewno nie Maksymian. Nasz nowy Boski Władca jest prawie analfabetą. Nie sądzę, by przeczytał w życiu więcej niż pół tuzina listów, a na pewno żadnej książki. Zna się tylko na wojsku, ale w tym jest świetny. To zabawne, że zawsze podnosimy do najwyższej rangi ludzi, którzy mają tylko przeszkolenie wojskowe. Sądzę, że to instynkt starej Wilczycy, miała go zawsze..."

Lis, tak, ale nie tylko lis – i czy był głupi? Podczas obiadu powtarzał rzymskie plotki, dla jej rozrywki, jak myślał. Jego ruchliwe, zmysłowe wargi formowały opowieści o skandalach, a każdą z nich okraszał tym okropnym uśmiechem, sztucznym jak uśmiech kurtyzany. Mały krępy Waleriusz prawie się nie odzywał, choć było widać, że elegancki gość z cesarskiego miasta zrobił na nim wielkie wrażenie. Nawet w sposobie, w jaki Allektus chwalił gościnność Heleny, wyczuwało się protekcjonalną nutę. A jego oczy zawsze pozostawały zimne i uważne.

Nienawidziła go. Był wrogiem, niebezpiecznym i zdradzieckim, tym bardziej, że Konstancjusz go nie doceniał. Nienawidziła go, ponieważ odebrał jej ostatni wieczór z Konstancjuszem i był w myślach Konstancjusza nawet teraz, gdy on leżał obok niej. Allektus, choć sam nie Rzymianin, był symbolem Rzymu, który zawsze dzielił, by panować. Poczuła wzbierający w niej bunt, jak w dawnych czasach, kiedy zaciskała zęby na sam widok rzymskiej tuniki. Konstancjusz to przezwyciężył, a Allektus przywrócił.

To było złe, złe, złe! Przez cały czas mieszała sprawy. Była zwyczajnie nieszczęśliwa, ponieważ musiał ją opuścić – czemu nie spojrzeć prawdzie w oczy?

Potem Konstancjusz spoważniał. Mówił o swoich planach, a ona wiedziała, że nie mówił o nich nikomu innemu i znów poczuła się szczęśliwa i dumna. Była jego żoną od ponad trzynastu lat i dała mu syna – należeli do siebie nawzajem. Jego wielkość była jej wielkością, a jeśli jego wielkością był Rzym – jej także. Rzym dawno przestał być rzymski w ścisłym znaczeniu tego słowa. Ilu cesarzy było Rzymianami? Dioklecjan pochodził z Dalmacji, Maksymian, podobnie jak Aurelian, z Sirmium, Karus i Probus urodzili się daleko od italskiej ziemi. Ich kariery zawsze rozwijały się poniekąd tak samo – byli żołnierzami armii. Jeśli Konstancjusz...

Nie było sensu bawić się sama ze sobą w chowanego. Tak, rozważała możliwość, że on też może któregoś dnia osiągnąć sam szczyt. To było realne. Dla mężczyzn jego postury i charakteru wszystko było realne. To był wiek możliwości i jedyny czynnik zewnętrzny stanowiła okazja.

Kiedy była bardzo młoda, patrzyła na każdego z jego oficerów jak na potencjalne zagrożenie dla jego kariery.

Konstancjusz mógł w nieskończoność dokuczać jej w tej kwestii – to był czas, kiedy próbowała intrygować i spiskować. Jego to nie bawiło i raz czy dwa doszło do ostrej kłótni.

Niełatwo było się nauczyć, jak być żoną rzymskiego oficera. Życie w miastach garnizonowych stanowiło niewielki wycinek całości: najpierw Eburacum, kiedy Konstancjusz został adiutantem Petroniusza Akwili; potem obecne dowództwo jako legata południowej Brytanii. Wiele razy, kiedy wybierał się do Galii na polowania ze starymi przyjaciółmi z armii, mogła mu towarzyszyć, ale tego nie robiła. A kiedy pojechał daleko na północ na wyprawę przeciw trzem kaledońskim plemionom, które wyjątkowo się zjednoczyły, by wzniecić zamieszki, nie było go przez prawie sześć miesięcy. Martwiła się, oczywiście, denerwowała i nie był to łatwy czas – ale w jakimś sensie zupełnie inny niż teraz. Teraz on jechał do Rzymu...

Wyprawa kaledońska miała charakter czysto wojskowy. Kurio, legat na północy, był chory i Konstancjuszowi przypadło jego zadanie, więc je wykonał. Na tyle dobrze, w rzeczy samej, że gderliwy stary legat mógł tylko przesłać do Rzymu entuzjastyczny raport. Wtedy cesarzem był Probus – zmieniali się wówczas tak szybko, że można było niemal stracić rachubę. A większość z nich została zamordowana... prawie wszyscy zostali zamordowani.

Ale Konstancjuszowi to się nie przytrafi i wiedziała, kto tego dopilnuje.

Chciała, by dostał się na szczyt – naprawdę tego chciała. Uśmiechała się do czasów, kiedy widziała siebie w roli władczyni jak Boudika czy Zenobia. Kobieta nie rodzi się do sprawowania – bezpośredniej – władzy. Kleopatra z początku była mądrzejsza. Później jednak nie rozegrała tego dobrze. Marek Antoniusz nie był człowiekiem, na którym można polegać. Był dość lojalny – ale zbyt lubił przyjemności. A Kleopatra nie znała miary własnych przyjemności. Była zbyt zachłanna. Ale to było tylko zaślepienie, nie kochała go naprawdę. Kochała cezara – może.

– Konstancjuszu, czy myślisz, że Kleopatra naprawdę kochała cezara?

Ale on już spał. Ojciec mawiał, że kiedy mężczyzna śpi, jego umysł wędruje w przeszłość lub w przyszłość, lecz zapomina o tym po obudzeniu, z wyjątkiem jednej czy dwóch scen. Może umysł Konstancjusza powędrował do Rzymu, gdzie miał rozmawiać z nowym cesarzem – albo do chwili, kiedy spotkali się po raz pierwszy, przy nabrzeżu, we mgle.

Trudno było sobie wyobrazić, że to ona nienawidziła kiedyś wszystkiego, co rzymskie, i chciała być Zenobią. Trudno było mężczyźnie u władzy nie pogardzać tymi, którzy znajdowali się niżej – a dla kobiety wręcz niemożliwe. Ale rządzenie poprzez ukochanego mężczyznę było czymś zupełnie innym. Konstancjusz jechał do Rzymu – to był pierwszy krok ku realnej władzy.

Należało się z tego cieszyć. A on nie będzie z dala od niej dłużej niż wtedy, gdy pojechał walczyć z Kaledończykami, a może nawet znacznie krócej. Oczywiście, cesarz może dać mu dowództwo gdzie indziej. Ale w takim wypadku będzie mogła z nim pojechać. Należało się z tego cieszyć. Więc czemu się nie cieszyła?

Wysyłała cząstkę siebie do Rzymu, do walki o władzę i zaszczyty. Wysyłała swoją prawą rękę, część swojego mózgu. On był tu, obok niej, wysoki, blady mężczyzna. Odpoczywał. Jej prawa ręka. Część jej mózgu. Jedź – zdobądź nagrodę. Chcę tego. Czy wiesz, jak bardzo tego chcę? Czy wiesz? Maksymian, syn wieśniaka. Dioklecjan, syn niewolników. Ty jesteś kimś więcej niż oni, prawda, Konstancjuszu?

W jej głowie dobiegał z dala donośny starczy głos: „Spłodziłem królewską krew, prawda?".

Krew przemawia, Konstancjuszu. Jedź i zdobądź nagrodę.

Pochyliła się nad nim, jak gdyby chciała tchnąć swoje myśli w jego umysł. Jej ciało, wciąż gładkie i smukłe, było napięte jak u kota czającego się do skoku.

Ty i ja, Konstancjuszu – rządźmy światem, dobrze? Cesarska krew Rzymu i królewska krew Brytanii: jakie szanse mają syn wieśniaka i potomek niewolników? Nigdy dużo o tym nie mówiłeś, ale ja wiem, że ta myśl tkwi w tobie i nie śpi. To ukryty płomień, tak jak we mnie. Jedź i zdobądź nagrodę... nawet jeśli zajmie ci to lata... a zajmie na pewno. Zaczekamy, ty i ja. Jesteśmy młodzi. Ale nie pozwól nam czekać zbyt długo. Widzę na twoich skroniach pierwsze siwe włosy, mężu. Na moich jeszcze ich nie ma – ale wkrótce mogą się pojawić. Zdobądźmy władzę, póki będziemy mogli się nią cieszyć.

Poruszył się we śnie, więc się odsunęła. Ale się nie obudził. Czy w pokoju powiało nagle chłodem? Było już sporo po północy – zostało tylko kilka godzin do jego wyjazdu. Co ją naszło? Co za szaleństwo, jakie obłąkane marzenie – myślała, że przepędziła je przed laty do błyszczącej głębiny, z której się wynurzyło.

Władza. Czy byłaby szczęśliwsza jako cesarzowa, jako władczyni całego świata, niż była przez te wszystkie lata? Kim była kobieta, która tchnieniem wsączała myśli w ucho śpiącego męża?

Wstała i przemknęła do okna. Tam, na północnym wschodzie, było Camulodunum i dom jej ojca. Może słyszał jej myśli, tak jak często sądziła, kiedy była mała. Czy są we mnie dwie kobiety zamiast jednej, ojcze? Jedna, która pragnie władzy, i druga, która chce tylko swego męża i dziecka, i nie dba o resztę świata? Czy bogowie tchnęli we mnie dwa razy, kiedy ożyłam w łonie matki?

On jednak nigdy nie odpowiadał na pytania dotyczące bogów.

A bogowie nigdy nie odpowiadali na pytania dotyczące ich samych.

Pojadę odwiedzić ojca, pomyślała. Jak tylko Konstancjusz wyjedzie, pojadę do ojca. To oczywiście słabość. Ta sama, która każe ludziom klękać przed ołtarzami tylu bogów i bogiń, i prosić, i mieć nadzieję na odpowiedź, nawet jeśli wiedzą w głębi serca, że nie ma odpowiedzi i że ich własne pytanie, ich własna modlitwa wraca do nich jak echo.

Spojrzała na śpiącego. Słyszała jego oddech, regularny i głęboki, a jednak czuła, że już odszedł, zanurkował w lśniącą głębię, by zdobyć nagrodę; że jej życzenie było wezwaniem – tak nieodwołalnym jak strzała, która opuściła cięciwę, a ona została sama – samotna i zalękniona.

Rozdział ósmy

– Nowy ceremoniał – powiedział nerwowo szambelan – wprowadzony przez ich Boski Majestat, cesarzy Dioklecjana i Maksymiana, niech bogowie dadzą im długie życie i nieśmiertelne zwycięstwo, jest następujący: wejdziesz na dziedziniec wewnętrzny w odstępie pięciu kroków za mną – zostaniesz przedstawiony prefektowi straży pałacowej. Wejdziesz do okrągłego pokoju, gdzie dołączą do nas inni goście. Potem pójdziemy głównymi schodami do sali audiencyjnej... mówiłeś, że jak się nazywasz?

– Jestem legat Konstancjusz.

– Oczywiście, oczywiście – mam tu twoje imię... – szambelan nerwowo przeglądał wielki zwój ze złoconymi brzegami. Konstancjusz widział, że zawiera setki imion, więc pytanie było mniej lub bardziej wybaczalne. Niewybaczalne było, że cesarski urzędnik ma sposób bycia wystraszonej starszej damy i używa kosmetyków. – Znakomicie, legacie Konstancjuszu – twoje miejsce jest między legatem Basjanusem i legatem Terencjuszem. My...

– Aulus Terencjusz? Z Czternastego Legionu?

Umalowana twarz przybrała nadąsany wyraz.

– Tak, tak, ale usilnie proszę, by mi nie przerywać. Nowy ceremoniał jest trochę skomplikowany, a ja mam dużo obowiązków do wypełnienia w bardzo krótkim czasie. Na czym skończyłem? O właśnie – z głównych schodów przejdziemy do sali audiencyjnej. Rzędem, jeśli można prosić. W sali audiencyjnej minister dworu, Semproniusz, przejmie wprowadzenie. Jego Cesarska Mość wejdzie do sali lub nie – jeśli to uczyni, padniecie przed nim na twarz na znak dany przez trąbkę.

Konstancjusz nie wierzył własnym uszom. Rzymscy legaci padający na twarz jak niewolnicy? Szambelan dalej trajkotał, ale nie zwracał na niego uwagi. Co do licha stało się z Rzymem! W kręgach armii często narzekano, że Imperium schodzi na psy, ale niezadowoleni oficerowie zawsze tak mówią, kiedy coś układa się nie po ich myśli. Łapówkarstwo, podstęp, spisek, korupcja – tak, z pewnością. Ale naśladowanie najgorszych wschodnich zwyczajów... nie, nawet Heliogabal by się na to nie odważył. Naśladował je tylko w takim stopniu, że lubił się przebierać za kobietę Wschodu do swoich odrażających praktyk. Otaczał się kochankami w swoim typie i rozdzielał wyższe urzędy podług ich miłosnych zasług. Ale Heliogabal nigdy by się nie odważył włączyć armii do tego wschodniego nonsensu.

Szambelan wciąż paplał o „formalnym zwracaniu się" i „oficjalnym tytule" i o tym, co wolno, a czego nie wolno było powiedzieć w obecności Boskiego Cesarza.

– Świetnie – warknął Konstancjusz. – Więcej nie przyswoję w ciągu jednej lekcji. Przyjechałem tutaj złożyć raport, nie ćwiczyć wschodnią gimnastykę.

Szambelan wzruszył zmęczonymi ramionami.

– Jak chcesz, szlachetny legacie – ale nie wiń mnie, kiedy coś pójdzie nie tak. Nasz Boski Cesarz nie zawsze jest wyrozumiały.

– Nigdy nie słyszałem, by Maksymian był wyrozumiały – uśmiechnął się krzywo Konstancjusz. – A teraz prowadź mnie do niego. Najpierw dziedziniec wewnętrzny, tak?

Najpierw dziedziniec wewnętrzny. Drobne kroczki szambelana kusiły Konstancjusza, by wymierzyć mu solidnego kopniaka w pewne miejsce ukryte pod długim, pięknie haftowanym płaszczem. Może urzędnik wiedział, że prowokuje takie uczucia, i dlatego nalegał na odstęp pięciu kroków...

Hannibalianus, prefekt straży pałacowej, był wielkim, tęgim mężczyzną w mundurze błyszczącym od złota.

– Jak tam Brytania? – zapytał grubym głosem, jak gdyby chciał pokazać, że wie wszystko o gościu. Nie czekał jednak na odpowiedź, tylko odwrócił się, by sprawdzić strażników rozstawionych w równych odstępach pod ścianami.

Szambelan podreptał szerokim korytarzem, również obstawionym strażą, do okrągłego pokoju, w którym około stu dystyngowanych osób czyniło dystyngowany hałas.

Konstancjusz rozpoznał Terencjusza i wszedł prosto w tłum.

– Witaj, drogi Świński Ryju – powiedział serdecznie.
– Kopę lat. Nic się nie zmieniłeś. A jak tam Czternasty?

– Na Jowisza – rzekł niewysoki energiczny oficer, mrugając oczami. – Czy to nie jest młody Konstancjusz? Też nic się nie zmieniłeś – ile to już lat? – nie, nie dam rady policzyć. Ale mnie rozczarowałeś, Konstancjuszu – myślałem, że wrócisz niebieski – oni malują się indygo, prawda?

– Spokojnie, Świński Ryju – roześmiał się Konstancjusz. – Poślubiłem brytyjską dziewczynę, wiesz. Mam syna, prawie trzynastoletniego, który prześcignąłby najlepszego jeźdźca w Czternastym... jeśli ci dranie dużo się nie zmienili, odkąd widziałem ich ostatni raz.

– Nie – uśmiechnął się Terencjusz. – Nigdy się nie zmienią. I dobrze. Więc się naturalizujesz. Cóż, właściwie czemu nie? Miło, że masz syna. Przyślij go do mnie, kiedy dorośnie, a nauczę go paru sztuczek. Podłapałem kilka nowych w czasie kampanii egipskiej, muszę ci o nich opowiedzieć. Niewiele tego było, to tylko przygotowania, gruntowne porządki przed tym, co ma nastąpić.

– Masz na myśli Persję?

– Tak. Zasługują na to.

– Wspomniałeś, że się naturalizuję – ale wydaje mi się, że wszyscy to robicie tutaj u siebie, z tego, co mówi mój znakomity przyjaciel szambelan!

– Oczywiście, że tak. Jesteśmy teraz cholernymi ludźmi Wschodu. – Terencjusz rozejrzał się, ale w pobliżu nie było nikogo, kto mógł usłyszeć, co mówi. Wszyscy rozmawiali w małych grupkach rozproszonych po całej sali. Szambelan zniknął.

– Wiesz, oni nic nie mogą na to poradzić – mruknął Terencjusz. – Wiedzą, że są prostymi ludźmi – robienie wielkiego przedstawienia to jedyny sposób, by wbić ludziom do głów, że są Augustami. Przejęliśmy perski ceremoniał – to dotychczas nasz jedyny podbój Persji.

– Żadnych propozycji, kto będzie dowodzić?

– Cóż, to właściwie nie nasza sprawa – my jesteśmy dziećmi Maksymiana. Tym zajmie się Dioklecjan – ale staruszek nie pójdzie sam, uwierz mi. Mój przeciek to Galeriusz.

– Którego ojciec był pasterzem.

– Och, mylisz się, przyjacielu. On sam był pasterzem. Nikt nie wie, kim był jego ojciec – nawet Galeriusz.

Roześmieli się.

– Dobrze, że tu jesteś – powiedział Konstancjusz. – Te orientalne bzdury mnie przygnębiają.

– Świński Ryj i Blada Twarz pocierający nosami cesarski dywan – mruknął Terencjusz. – Wspaniały obrót spraw. Czy domyślasz się, dlaczego odwołali cię z Brytanii?

– Nie mam pojęcia. Odwiedził mnie Allektus, prefekt czegoś tam, z listem od cesarza...

– Maksymiana?

– Tak... powiedział „przyjedź natychmiast", więc wsiadłem na statek i popłynąłem. Miałem rozkaz płynąć do Rzymu i przybiliśmy do Ostii. Tam dowiedziałem się, że cesarz nie jest w Rzymie, lecz tutaj, w Mediolanie, więc znów ruszyłem w drogę.

– Byliśmy w Rzymie – przez jakiś tydzień. Staruszek nienawidzi Miasta, a tam też go nie lubią, bo podniósł podatki.

– O, podniósł podatki?

Terencjusz gwizdnął.

– Tylko poczekajcie tam w Brytanii – też tak będziecie mieli. Ktoś musi płacić za wschodni ceremoniał i całą resztę.

– Rozumiem. A co oznacza „cała reszta"?

– Cóż, na przykład wielki triumf...

– Po jakim zwycięstwie?

Terencjusz znów gwizdnął.

– Co z tobą, człowieku? Gdzie ty byłeś, że tego nie wiesz?

– Powiedziałem ci – na statku. Nazywał się statek pocztowy, ale był najpowolniejszą starą łajbą, jaka kiedykolwiek minęła Słupy Herkulesa. Denerwowałem się i złościłem, ale moje słowa nie mogły go przyspieszyć. Powiedziałem kapitanowi, że będę zgrzybiałym starcem, kiedy dopłyniemy, i nazwałem go Charonem. Nie obraził się. Był zresztą zawsze pijany. Ale jakie zwycięstwo świętujemy?

– Powstanie w Galii wreszcie zostało stłumione.

– Co za zwycięstwo! Nad pomylonymi, niezdyscyplinowanymi wieśniakami...

– Powoli, przyjacielu. To nowy klejnot w diademie naszego Boskiego Cesarza...

Koło nich przeszedł błyszczący od złota urzędnik.

– Semproniusz – szepnął Terencjusz. – Najlepiej opłacany szpieg na dworze. W hierarchii urzędniczej minister dworu. Psiakrew. O, pokochasz życie w Mediolanie. Ale rozumiem, że złości cię sprawa galijska. Skierowali do Galii część twoich wojsk, prawda? Przyjacielu, to była trudna przeprawa, uwierz mi. Wzburzeni wieśniacy są najgorszym możliwym wrogiem. Człowiek zawsze walczy bardziej zaciekle o kraj niż o pieniądze – zwłaszcza, kiedy dorastał w kraju, o który walczy. Kiedy tłumiliśmy ich na zachodzie, od razu podnosili głowy na wschodzie. Ale cztery tygodnie temu schwytaliśmy Elianusa i ukrzyżowaliśmy go, i to był mniej więcej koniec. Był utalentowanym wojownikiem – kosztował nas jakieś dwanaście tysięcy hełmów, nim go dostaliśmy. Oczywiście, cały ten cyrk skończyłby się dawno temu, gdyby nie cholerny Karauzjusz...

– Karauzjusz? Co on ma z tym wspólnego?

– Cóż, jest admirałem naszej floty...

– Stacjonującej w Gesoriacum, wiem. Mój nieszczęsny stary statek do niej należał. Myślę, że chciał się go pozbyć, a ja stałem się dobrym pretekstem. Ale co on ma wspólnego z galijskimi wieśniakami?

– Wszystko i nic. Wieśniacy potrzebowali broni, prawda? A Frankowie mieli broń, rozumiesz? A żeby przewieźć ją z miejsca, gdzie byli Frankowie, tam, gdzie byli wieśniacy, musieli gdzieś minąć ludzi Karauzjusza. A on ich przepuszczał. Robiąc na tym niezłe pieniądze.

– Sprawna robota. A stary Maksymian nic nie zrobił, by to powstrzymać?

– Powstrzymać Karauzjusza? Widzę, że nie znasz człowieka. Dowodzi całą flotą – około dwunastu tysięcy ludzi, nie licząc marynarzy i niewolników. Ma własnych pomocników, w większości Franków. A każdy człowiek pod jego dowództwem jest gotów poderżnąć dowolne gardło na jedno mrugnięcie jego oka. Ma też szczególny talent do zjednywania sobie ludzi...

Konstancjusz skinął głową.

– Ten Allektus też mówił o nim z entuzjazmem...

– No proszę. Ale to już nie potrwa długo. Nie teraz, kiedy wojna się skończyła. Jeżeli bardzo się nie mylę,

Karauzjusz jest na czarnej liście, a kto się na niej znajdzie...

– ...długo nie pożyje. Słyszałem o tym. Cóż, będzie po Karauzjuszu. Zastanawia mnie tylko, jak go dosięgną, skoro jest otoczony oddanymi przyjaciółmi...

Terencjusz zmarszczył nos.

– Sądzę, że spokojnie możemy to zostawić staremu...

– Uwaga! – warknął czyjś głos. Należał do Hannibalianusa.

Wszyscy umilkli. Szambelan wrócił i stał teraz u dołu głównych schodów, trzymając zwój w ręce.

– Teraz goście pójdą – rzekł łagodnym głosem – w porządku, w jakim wyczytam ich imiona. Pierwszy senator Marek Treboniusz Wiktor, pierwszy legat Publiusz Korneliusz Mamertinus, prefekt straży pałacowej, Hannibalianus...

– Szlachetny wąż pełznący po schodach – szepnął Konstancjusz, a jego towarzysz z trudem stłumił śmiech.

– ...legat Licyniusz, legat Basjanus, legat Konstancjusz...

– Idź.

– ...legat Terencjusz, legat Aureliusz Kotta...

Wywoływał imię po imieniu. Wiele z nich rozbrzmiewało jak hejnał – imiona, które oznaczały zwycięstwo, dwieście, trzysta, pięćset lat temu, a noszący je spadkobiercy mieli teraz paść na twarz przed wieśniakiem w purpurowym płaszczu.

Sala audiencyjna była olbrzymia i już do połowy wypełniona urzędnikami, oficerami i strażą. Minister dworu Semproniusz stał pośrodku w otoczeniu swoich ludzi, nieruchomy jak posąg.

Jego ludzie dyskretnym ruchem wskazywali każdemu nowo przybyłemu jego miejsce. W wielkiej sali panowała zupełna cisza, prócz odgłosu kroków tych, którzy właśnie wchodzili.

– Dzisiaj ma łatwą pracę – szepnął Terencjusz. – Gdybyś go widział trzy miesiące temu, kiedy był tu Dioklecjan. Dwaj cesarze w jednym pałacu! Biedny Semproniusz pocił się jak szczur, by rozwiązać kwestie etykiety. Nawet ja mu współczułem. Jednego dnia obaj panowie mieli złożyć wspólną proklamację. Nie mogli wejść razem, ponieważ tylko jeden z nich byłby po honorowej stronie. Semproniusz wpadł zatem na sprytny pomysł, by weszli jednocześnie z przeciwnych stron. Mówiono mi, że ćwiczył to godzinami ze strażą pałacową. I wyszło znakomicie. Dioklecjan był zachwycony – uwielbia takie rzeczy. Stary Maksymian ich nienawidzi, ale uważa, że jeśli ustąpi w takiej sprawie, nie będzie musiał w innej. Na wszystkich bogów, patrz!

Zasłona w jednym końcu pokoju odsunęła się gwałtownie i pojawił się potężny mężczyzna. Miał okrągłą głowę, brodę i byczy kark. Jego włosy, wciąż gęste, sprawiały wrażenie nieuczesanych. Ubrany był w purpurową tunikę, ale nie miał płaszcza. Wywijał trzymanym w ręce sporym kawałkiem pieczonego bażanta.

Wszyscy zebrani znieruchomieli na to niespodziewane wtargnięcie. Tylko parę osób padło na twarz. Nieszczęsny minister wyglądał, jakby miał zaraz zemdleć.

– Gdzie jest Mamertinus! – ryknął cesarz. – Gdzie jest Konstancjusz!

– Tutaj, Wasza Wysokość.

– Tutaj, panie.

– Wejdźcie, wy dwaj. Odpraw pozostałych, Semproniuszu.

– T-tak, Wasza Wysokość.

W powstałym zamieszaniu dwóch oficerów podeszło do człowieka bez płaszcza. Maksymian wgryzł się w bażanta, odwrócił i znikł za zasłoną.

Mamertinus i Konstancjusz poszli za nim i znaleźli się sami w małym pokoju, w którym stał tylko jeden strażnik ze srebrną trąbką w dłoni. Wyglądał, jakby się wahał, czy ma na niej zagrać, czy nie. Zamiast tego postanowił przyjąć postawę zasadniczą. Dwaj oficerowie przeszli dalej przez wąski korytarz do następnego pokoju, a tam Maksymian – wciąż trzymający bażanta – stał przy stole, na którym była rozłożona wielka mapa. Otaczało go kilku oficerów wysokiej rangi: Konstancjusz rozpoznał Galeriusza, którego jego przyjaciel wymienił jako najbardziej prawdopodobnego dowódcę zbliżającej się wojny z Persami, i Watyniusza, legata Dwudziestego Drugiego Legionu, znanego jako najbardziej elegancki mężczyzna w cesarstwie. Był tam również młody Maksencjusz, syn cesarza – odziedziczył po ojcu wystający podbródek i przypuszczalnie również ambicję.

Konstancjusz zobaczył ku swemu zadowoleniu, że główny legat, zamiast padać na twarz, tylko sztywno zasalutował, więc poszedł za jego przykładem. To była najwyraźniej narada wojskowa, nie dworska audiencja.

Maksymian chciał przyjąć pozdrowienie i zorientował się, że podnosi bażanta. Rzucił go na środek pokoju. A jego wściekłość była tak wielka i przerażająca, że nie dostrzegli w tym geście niczego komicznego. Jego twarz przybrała barwę prawie fioletową – wyglądał, jakby miał za chwilę dostać udaru. Żyły na niskim, szerokim czole stały się nabrzmiałymi, pulsującymi powrozami.

– Ty jesteś legatem dowodzącym południową Brytanią, Konstancjuszu – powiedział ochrypłym głosem. – Dlatego zainteresuje cię pewnie, że brytyjska prowincja została zajęta przez wroga!

Rozdział dziewiąty

Przez krótką chwilę Konstancjusz myślał, że cesarz postradał zmysły. Niektórzy historycy sugerowali, że Tyberiusza ogarniało czasowe szaleństwo, kiedy był wściekły. Ale gdyby tak było z Maksymianem, ludzie wokół niego przyjęliby inną postawę. Baliby się jego – a oni tylko wbijali w posadzkę ponure, wściekłe spojrzenia.

Brytyjska prowincja została zajęta przez wroga – jakiego wroga? Jeżeli Kurio wzniecił bunt... Ale Kurio nigdy by tego nie zrobił, nie miał w sobie tyle ambicji – poza tym cesarz wspomniałby o buncie. Danowie? Frankowie? Ci drudzy byli bardziej prawdopodobni – mieli dużą flotę szybkich brygantyn i to właśnie przeciw nim stacjonowała flota Karauzjusza. Flota Karauzjusza! Czy to mógł być Karauzjusz? Tak, na Jowisza, to na pewno on!

– Karauzjusz, panie? – zapytał. Zakręciło mu się w głowie, ale się opanował. Teraz zobaczył przyczyny i przebieg zdarzeń z niesamowitą wprost jasnością. Karauzjusz, człowiek, który znajdował się na czarnej liście... człowiek otoczony przez wierne wojsko, będący w posiadaniu wielkiej floty wspaniałych statków stojących u bram Brytanii. Musiał wyczuć, jakie plany ma wobec niego cesarz, i pozostała mu tylko ucieczka – do Brytanii. Ale ucieczka do Brytanii oznaczała podbój Brytanii, jeżeli było się Karauzjuszem. Biedny mały Waleriusz nie miał najmniejszej szansy przeciw takiemu atakowi z zaskoczenia. A Kurio nigdy nie był człowiekiem czynu. Jedynym groźnym oficerem wyższej rangi – groźnym dla Karauzjusza – był legat Konstancjusz, a legat Konstancjusz znajdował się poza strefą zagrożenia, kiedy to wszystko się stało. Czy przypadkowo? Pamiętał dziwne zainteresowanie Allektusa liczebnością wojska pod jego dowództwem, niecierpliwe naleganie, by wyruszył od razu, rozpaczliwie powolną podróż „Tytanem" – wszystko zdawało się układać w całość...

Tymczasem Maksymian klął jak poganiacz mułów. Jego wielka pięść raz za razem spadała z hukiem na stół, a przekleństwa i sprośności płynęły z jego ust bez przerw na oddech. Karauzjusz, oczywiście, że Karauzjusz! Któż inny niż Karauzjusz, ten pomiot szumowin, syn i wnuk jednookiej dziwki? Czyż nie mówił zawsze, że to zdrajca? Czyż nie nalegał, błagał, zaklinał dowódcę w Galii, by wsadzić za kratki tego trującego grzyba, ten kawał cuchnącego ścierwa? Ale jego słowa trafiały oczywiście w próżnię; oni wszyscy wiedzieli lepiej – i dowódca Galii, i dowódca Brytanii!

Watyniusz, dowódca północnej i zachodniej Galii, wyraźnie zaczynał czuć się nieswojo. Konstancjusz starał się sprawiać wrażenie nieporuszonego. Odpędził wszelkie myśli o Helenie i Konstantynie. Poznać fakty, to było teraz najważniejsze, wydobyć fakty od tego rozzłoszczonego, apoplektycznego mężczyzny, który władał połową cywilizowanego świata.

– A potem przyszli do mnie świętować zwycięstwo – pienił się Maksymian. – Zwycięstwo nad Elianusem, biedną starą małpą! Zwycięstwo nad wygłodzonymi żebrakami, niech zgniją wasze kości! Zwycięstwo nad karpiami i dorszami jest bzdurą. Co takiego uczyniłem, że skazano mnie na rządzenie bandą trzęsących się półgłówków, którzy nie potrafią rozpoznać żmii, gdy widzą ją na ścieżce!

Na pewno nie jest zwykłym szalonym starcem, pomyślał Konstancjusz. Dioklecjan jest zbyt mądry, by miał dokonać takiego złego wyboru. Postąpił o krok i znów wyprężył się na baczność.

Cesarz odchrząknął i splunął.

– Świetnie – syknął. – Co masz do powiedzenia?

– Legat Konstancjusz, dowódca południowej Brytanii, melduje swoją obecność na żądanie Waszej Wysokości – powiedział Konstancjusz. – Wyruszyłem w ciągu dwudziestu czterech godzin od otrzymania rozkazu. Statek, wybrany przez wysłannika Waszej Wysokości, płynął sześćdziesiąt trzy dni.

Maksymian otworzył usta i znowu je zamknął.

– Mam wrażenie, że ten człowiek mnie gani! – wykrzyknął. – Na Hekate, naprawdę nie brak ci odwagi.

– Gdyby mi brakowało – odparł spokojnie Konstancjusz – Boski Cesarz nie posłałby po mnie. Wasza Wysokość mówi mi, że Rzym utracił prowincję. Mam nadzieję, że pozwoli mi ją odzyskać.

Galeriusz, patrząc na twarz cesarza, pozwolił sobie na stłumiony chichot. A jednak się przeliczył.

– Cieszę się, że kogoś to bawi – warknął Maksymian. – Co ci wiadomo o tym, co wydarzyło się w Brytanii, Konstancjuszu?

– Tylko tyle, ile Wasza Wysokość dotąd mi powiedział – padła niewzruszona odpowiedź. – Ale skoro Karauzjusz jest przestępcą, potrafię wyjaśnić, jak tego dokonał.

– Chętnie posłuchamy twojego wyjaśnienia – burknął Maksymian.

– Czy mogę najpierw o coś spytać, panie?

– Tak. Byle krótko.

– Czy Wasza Wysokość wysłał do mnie prefekta Allektusa z dwoma listami?

– Posłałem po ciebie, to prawda. Nie wiedziałem, kto pojedzie jako posłaniec. Kto pojechał, Mamertinusie?

– Trybun Straboniusz, panie. Ale znam bardzo dobrze Allektusa – jest jednym z oficerów Karauzjusza.

– Tak myślałem – pokiwał głową Konstancjusz. – To dlatego tak mu zależało, żebym wyruszył jak najszybciej.

Powiedział, że popadnę w niełaskę Waszej Wysokości, jeśli zaczekam choćby do zaprzysiężenia wojska. Karauzjusz pewnie zatrzymał Straboniusza, kiedy ten przybył do Gesoriacum, by popłynąć stamtąd do Brytanii. Pewnie coś podejrzewał, wiedząc, że cesarz go... nie bardzo lubi. Wiedział też, że wojna chłopska weszła w ostatnie stadium, że praktycznie się skończyła, i pomyślał sobie, że jest następny na liście osób do usunięcia. Miał tu trybuna z pierwszymi rozkazami nowego cesarza. Musiał się dowiedzieć, jakie są i czy dotyczą jego. Cóż, okazało się, że nie. Wpadł jednak na pomysł szybkiego usunięcia ze swojej drogi dowódcy południowej Brytanii i spowolnił moją podróż do Italii, dając mi najgorszy statek. Miałem być na morzu, kiedy Karauzjusz uderzy. Sądzę, że zaatakował w Kalendy w zeszłym miesiącu...

– Zgadza się – kiwnął głową Maksymian. – Skąd wiedziałeś?

– Wtedy miał najkorzystniejsze prądy, panie. To najważniejsza rzecz, jaką musi wziąć pod uwagę każdy, kto chce najechać na Brytanię. Mówią, że Karauzjusz jest zdolny – pewnie dlatego rozdzielił swoje siły do ataku. Jego szpieg Allektus mógł mu dostarczyć dokładnych informacji o sile i dyspozycyjności rzymskiego wojska – pewnie nawet próbował przekupstwa. Gdybym ja, będąc na miejscu Karauzjusza, miał takie informacje, wylądowałbym na Anderidzie, której obrona praktycznie nie istnieje...

– Dlaczego? – zapytał szorstko cesarz.

– Ponieważ Anderida miała być chroniona przez tę samą flotę, która ją zaatakowała, panie. Potem wysłałbym następną część floty w górę do ujścia Tamesis i jazdę do Londinium, a stamtąd do Verulam. Reszta jest łatwa.

– Wspaniale – powiedział Maksymian. – To dokładnie tak, jak zrobił Karauzjusz... – Nagle ryknął jak wół: – I to jest łatwe, tak, legacie Konstancjuszu? Powierzono tobie obronę południowej Brytanii – a ty masz czelność mówić mi, że jakiemuś zuchwałemu świńskiemu pomiotowi, zawszonemu piratowi, łatwo było ją podbić! Co, na imiona wszystkich bogów, robiłeś przez te wszystkie lata?

– Protestowałem daremnie przeciw systematycznemu uszczuplaniu okupacyjnej armii – padła chłodna odpowiedź. – Na całym południu nie ma więcej niż trzy tysiące regularnych żołnierzy i dziesięć tysięcy pomocników, których wartość bojowa jest zdecydowanie za mała. W ciągu ostatnich sześciu lat jedenaście razy składałem skargę.

Mamertinus poczuł, że nadszedł czas, by usprawiedliwił się jako główny legat.

– Zawsze dostajemy te protesty, panie – wymamrotał nieskładnie. – Gdybyśmy im ulegali, niemożliwe byłoby wyciąganie wojsk z jakiejkolwiek placówki w cesarstwie. Nie mieliśmy powodu przypuszczać, że Brytania będzie potrzebować maksymalnej siły wojskowej.

– Na to wygląda – zakpił cesarz.

– Brytania – rzekł Konstancjusz – została podbita przez rzymską flotę, której zadaniem było zabezpieczenie Brytanii przed podbojem.

– Twój triumf nad wieśniakami w Galii – powiedział Maksymian – został drogo okupiony, Watyniuszu. Nie, nie przepraszaj – to nie twoja wina. Konstancjusza też nie.

Wyraźnie się uspokoił.

– Jestem cholernie głodny – stwierdził. – Dlaczego? Och, już wiem – ten przeklęty posłaniec przeszkodził mi w posiłku. Cóż, nie odbijemy Brytanii w ciągu najbliższej pół godziny – lepiej wróćmy coś zjeść. Niech ktoś wyda polecenia. Możesz zostać i coś z nami przekąsić, Konstancjuszu... ty też, Mamertinusie. A jeśli ktoś w tym czasie wypowie nazwę Brytanii, odgryzę mu głowę. Chodźmy.

Konstancjusz dopiero teraz zobaczył wielki stół jadalny na drugim końcu pokoju. W zasięgu wzroku nie było ani jednego niewolnika – pewnie zostali odesłani, kiedy Maksymian, przerażony wieściami z Brytanii, zaimprowizował naradę wojenną.

A jednak... przy stole nie było zupełnie pusto. Siedziały przy nim dwie osoby – młoda kobieta i dziewczynka. Szaleństwo, pomyślał Konstancjusz. To wszystko jest szalone – nierealne jak sen. Może... może to jest sen, a on za chwilę się obudzi i dalej będzie na pokładzie „Tytana", kołyszącego się w morskiej bryzie podczas niekończącej się podróży. Perski ceremoniał... cesarz z pieczonym bażantem... Brytania podbita przez buntowników... A teraz wszyscy siadają z dziewczyną i dzieckiem i jedzą obiad. To na pewno bardziej przypominało sen niż cokolwiek innego. Może takie właśnie chwile, myślał, skłoniły niektórych filozofów do przekonania, że życie nie jest rzeczywistością, lecz iluzją. Do tej pory miał ochotę przyłożyć takiemu filozofowi w szczękę, by miał szansę doświadczyć rzeczywistości...

Teraz jednak Maksymian znów usiadł, a oficerowie poszli za jego przykładem. Tłum niewolników pojawił się znikąd i zaczęli stawiać przed nim coraz to nowe potrawy. A sposób, w jaki cesarz zaczął jeść, był tak realistyczny, że nie mógł już dłużej myśleć, że to sen.

Konstancjusz siedział naprzeciw młodej kobiety. Mamertinus siedzący obok niego wyszeptał jakąś prezentację – on się ukłonił, a ona uśmiechnęła. Córka cesarza, Teodora – albo raczej jego pasierbica, choć nie pamiętał, kim był jej ojciec. Atrakcyjna kobieta. Oczywiście bardzo elegancka. Drogocenne perły. Czy miał z nią poprowadzić lekką rozmowę?

Ona sama przyszła mu z pomocą.

– To musiał być dla ciebie wielki szok – powiedziała cicho, rzucając nieśmiałe spojrzenie na ojca, który pochłaniał właśnie wielką porcję skowronków w sosie; potrawa ta rozsławiła kucharza, który ją wymyślił. – Nie myśl, proszę, że musisz rozmawiać, jeżeli nie chcesz. Ja to zrozumiem.

Konstancjusz uśmiechnął się do niej z wdzięcznością.

– To bardzo miłe z twojej strony, pani. – Miała piękne, ciemne oczy z długimi rzęsami, prawie jak Helena... Gdzie ona teraz jest? Co się z nią stało podczas nawałnicy, jaka przetoczyła się przez Brytanię? I z Konstantynem...

Dziewczynka siedząca obok Teodory wychyliła się nad stołem.

– Jestem Fausta – powiedziała z powagą.

Miała słodką twarzyczkę z oczami koloru czarnych czereśni i upartym małym podbródkiem. Mogła mieć sześć lub siedem lat. Nie wiedział, co właściwie odpowiedzieć na tę autoprezentację, więc tylko kiwnął głową i lekko się ukłonił. Teraz do stołu usiadły inne kobiety – goście, damy dworu, a może jedno i drugie – i nikt nie zwracał na niego szczególnej uwagi. Niewiele się pewnie tu zmieniło od momentu, gdy nadeszły alarmujące wieści, z wyjątkiem dwóch dodatkowych gości przy stole i tego, że wszyscy wiedzieli już o tym, co dla większej części cesarstwa wciąż było tajemnicą. Konstancjusz wiedział, że musi odpędzić wszelkie myśli o Helenie i Konstantynie, dopóki nie zostanie sam; że musi obserwować cesarza – nieobliczalnego, wybuchowego starego człowieka, który mógł przyznać dowództwo Galeriuszowi lub Mamertinusowi, albo nawet swemu synowi, choć ten nie miał doświadczenia – i że odbicie Brytanii było jego sprawą i nikogo więcej. Wiedział, że to nie będzie łatwe: przez kilka minut zastanawiał się, czy nie poprosić o zgodę na natychmiastowy powrót, z taką ilością wojska, jaką mógłby dostać, i dowolną liczbą dostępnych statków – sześcioma, trzema lub nawet jednym – popłynąć do Brytanii, przybić gdzieś na północno-zachodnim wybrzeżu, gdzie się go najmniej spodziewano, a potem zobaczyć, co można zrobić. Gdyby był tam jeszcze Kurio ze swoimi ludźmi, mogliby połączyć siły i pomaszerować na południe – ale to wszystko zakrawało na czyste szaleństwo. Stawiał dziesięć do jednego, że Karauzjusz rozmieścił teraz wszędzie swoich szpiegów, że donoszą mu o każdym statku mijającym Słupy Herkulesa i że jego statek czy statki napotkałyby czekającą na nich flotę Karauzjusza. A ta była przecież najlepsza w Rzymie! Poza tym Kurio nie był człowiekiem zdolnym do długotrwałej walki i nawet gdyby chciał, nie doszedłby daleko z garstką swoich ludzi.

Nie, nie można było odbić Brytanii wyłącznie kawalerską fantazją.

Siedząca naprzeciw niego dziewczynka uderzyła piąstką w stół.

– Jestem Fausta – powtórzyła. – Jestem ważna. Nie rozumiesz? Zostanę cesarzową, kiedy dorosnę.

– Ciii, kochanie – powiedziała łagodnym głosem Teodora, rzucając Konstancjuszowi przepraszające spojrzenie.

– Ale to prawda – zaprotestowała Fausta. – Wiesz, że to prawda. Będę cesarzową. – Nie odrywała wzroku od Konstancjusza. – A kiedy zostanę cesarzową – ciągnęła – wyjdę za ciebie.

Teodora parsknęła śmiechem.

– Co ona powiedziała? – zapytał cesarz z ustami pełnymi skowronków i grzybów. Teodora powtórzyła, ku zakłopotaniu zarówno Fausty jak i Konstancjusza, a Maksymian uśmiechnął się, taksując wzrokiem byłego legata południowej Brytanii.

– Obawiam się, że wtedy będę dla ciebie o wiele za stary – rzekł Konstancjusz. – Poza tym mam żonę, wiesz.

– Nie szkodzi – odparła wielkodusznie Fausta.

Teraz wszyscy się roześmiali – oprócz Teodory, na której ślicznej twarzy pojawił się nawet cień lęku. Pochyliła się.

– Twoja... żona jest w Brytanii?

Skinął głową.

– Moja żona i mój syn.

Szybko odwróciła wzrok. Niewolnik stojący za jej krzesłem przysunął amforę z winem, ale podniosła dłoń w odmownym geście. Kiedy znów zwróciła się do Konstancjusza, w jej oczach lśniły łzy.

– Biedaku – powiedziała. – To musi być dla ciebie straszne!

Konstancjusz zapatrzył się przed siebie.

Watyniusz przewrócił swój puchar z winem i zaczerwienił się ze złości, kiedy Galeriusz roześmiał mu się prosto w twarz.

Cesarz, wciąż zajadający z niezmniejszonym apetytem, przyjął to ze spokojem. Nikt nie wiedział, co naprawdę myśli.

Rozdział dziesiąty

– Wkrótce będziemy w domu – powiedziała Helena. – Jesteśmy już blisko.

– Nie jestem zmęczony, matko. – Konstantyn potrząsnął głową.

Setnik Fawoniusz uśmiechnął się. On sam był śmiertelnie zmęczony, tak jak i wszyscy: pani, panicz, stary Rufus i nędzna garstka zebranych po drodze żołnierzy. Ale to była właściwa odpowiedź ucznia Marka Fawoniusza.

Prawdopodobnie był jedynym, któremu podobała się obecna sytuacja. Poprzednie lata były dość nudne, ale na pewno nie nudził się teraz.

Nie, nikt nie mógł narzekać na nudę. To było jak powrót do starych dobrych czasów – w powietrzu był ogień, żelazo i krew, i każdy musiał mieć oczy szeroko otwarte.

Szkoda, że nie mieli lepszych koni dla żołnierzy – ale żebrak nie może grymasić i, jak na kradzione, konie nie były takie najgorsze. Stary Rufus nie był w najlepszej formie – brak ćwiczeń, po prostu. Cóż, wróci do formy w ciągu paru tygodni – jeśli ich doczeka, co było trochę wątpliwe, jak zawsze w ciekawych czasach.

Obejrzał się.

– Dołączyć – warknął do tych na końcu małej kolumny. – Nie chcę maruderów. Weźcie się w garść ludzie – to łatwe.

Dołączyli bez entuzjazmu i Fawoniusz podjechał do Heleny.

– Czy mogę coś powiedzieć, pani?

Zbladła, zwracając ku niemu twarz.

– Tak, Fawoniuszu, co się stało?

Potężny setnik przełknął ślinę.

– Nauczyłem się czegoś wiele lat temu, pani – od wielkiego żołnierza. Na wojnie, podczas jazdy, nie myśl. Opróżnij umysł. To pomaga. Kiedy coś się dzieje, myśl normalnie. Ale pomiędzy zdarzeniami – nie. To nadweręża twoje siły.

Uśmiechnęła się blado.

– Dziękuję, Fawoniuszu. Postaram się o tym pamiętać.

Skinął głową i pojechał dalej. Wiatr wiał w stronę lasu, a on czujnie wciągnął powietrze. Gdzieś na północnym zachodzie był ogień. Czas, by dotarli do Coel Castra. Szczęście, że większość drogi prowadziła przez las – nie ma nic gorszego niż jazda na otwartej przestrzeni, kiedy nie można walczyć.

Opróżnij umysł – to pomaga. Helena zadrżała. Nie mogła się uwolnić od widoku Durbowiksa potykającego się na schodach do domu, ze strzałą w gardle, wymiotującego krwią. Kiedy ją zobaczył, zawahał się i podjął

wzruszającą próbę przyjęcia właściwej postawy. „Pani...
może... byłoby... rozsądnie..." A potem zgiął się wpół
i umarł, jak gdyby udzielenie rady swojej pani było zbyt
dużym wysiłkiem.

Wbiegła do domu, wołając o pomoc, i szukała Konstantyna, który miał właśnie zajęcia z Fawoniuszem.
Zachowała niewyraźny obraz tego, co działo się potem:
służba zbiegła się zewsząd, pojawił się Rufus uzbrojony
w długi kuchenny nóż, co niezmiernie rozbawiło Fawoniusza...

A potem przyszedł Allektus z sześcioma mężczyznami. Stanął nagle w tylnym wejściu, uśmiechnięty i bardzo uprzejmy. Wygłosił do niej krótką mowę, ale z jego
sposobu mówienia jasno wynikało, że jest skierowana do
nich wszystkich. Żyjemy w wielkich czasach, powiedział,
a w wielkich czasach rodzą się wielcy przywódcy. Wielki Karauzjusz wylądował w Brytanii ze stoma tysiącami
mężczyzn. Zajął Londinium bez oporu, co było szczęśli-
we dla Londinium, ponieważ opór przeciw Karauzjuszowi oznaczał pewną śmierć.

Mówił dalej o tym, kim jest ów wielki Karauzjusz,
i jak uczynił Brytanię niezależną od Rzymu wyspą wol-
ności i obfitości. Zakończył dość pompatycznie, że jest
dumny, mogąc oznajmić tak dobrą nowinę.

Widziała, że dwaj z jego ludzi byli łucznikami, i że
strzały w ich kołczanach miały czerwone pióra. Strzała

z czerwonym piórem przeszyła gardło biednego Durbo-wiksa.

Konstantyn słuchał z szeroko otwartymi oczami, a ona wyczuwała jego narastającą niecierpliwość. Kiedy Allektus przerwał, krzyknął chłopięcym głosem: „Co powie na to ojciec?". A Fawoniusz położył wielką rękę na jego ramieniu i szepnął: „Zaczekaj, żołnierzu".

Weszła do domu – służba pozostała zbita w gromadę w ogrodzie – i będąc sam na sam z Allektusem wypowiedziała swoje zdanie.

– To bunt przeciw cesarzowi, Allektusie. Ty i twoi wspólnicy zapłacicie za to.

Parsknął tym swoim nienawistnym śmiechem i odpowiedział:

– Znam tylko jednego cesarza: Karauzjusza. Jest największym człowiekiem swoich czasów. Maksymian i Dioklecjan to przy nim zera.

– Mówiłeś o wspaniałych czasach – zadrwiła. – Sądzę, że już się zaczęły. Jeden z twoich ludzi zamordował mojego służącego.

Allektus grzecznie przeprosił. To była godna pożałowania pomyłka. Kraj nie jest teraz bezpieczny – część cesarskich żołnierzy stała się maruderami i grabieżcami, i należało ich powstrzymać. Aktywność po walce bywa niebezpieczna i niewinny człowiek może czasami zapłacić za winy innych. Zapewnił ją, że ona i jej domownicy są całkowicie bezpieczni, dopóki będą posłuszni nowej władzy. On ze swojej strony zrobi wszystko, co w jego mocy, by uczynić jej życie w miarę przyjemnym. Przecież już miała powód, by być mu wdzięczna za to, że bezpiecznie usunął z drogi jej męża i w samą porę...

Mówił to z zuchwałym uśmiechem, po którym nastąpił jeszcze bardziej zuchwały czyn. Uderzyła go w twarz, a on zaklął i przyskoczył do niej. Widziała z bliska jego nienawistną twarz, czuła oddech, zdarł suknię z jej ramienia.

Walczyła z całych sił, ale szczęśliwie wystrzeliła znikąd ogromna pięść i odciągnęła go od niej.

– O nie, ty nie – powiedział setnik Marek Fawoniusz Facilis i uderzył Allektusa w twarz, a potem jeszcze raz i jeszcze.

Prefekt zdołał wyciągnąć miecz.

– Świetnie – zakpił Marek Fawoniusz. – Teraz zabawimy się we dwóch. – Też wyciągnął broń, a Helena spostrzegła, że nie był to tępy miecz, którego używał podczas ćwiczeń z Konstantynem. Musiał mieć czas, by pójść i przynieść go z arsenału.

Allektus w międzyczasie zwoływał głośno swoich ludzi.

– Nie trudź się – poradził mu Fawoniusz. – Już ktoś się nimi zajął. Jesteśmy tylko we dwóch – to na pewno bardziej ci się spodoba. Miecze i żadnych tarcz – to łatwe.

Helena słyszała gniew przebijający przez kpiący głos setnika.

– Każę cię za to obedrzeć ze skóry! – wrzasnął Allektus.

– Czemu nie zrobisz tego sam? – zapytał Fawoniusz. – Jestem tutaj. Bierz się do dzieła! – I natarł na cofającego się przeciwnika, zadając mu cios za ciosem.

W tej samej chwili do pokoju wszedł Konstantyn. Na policzku miał smugę krwi i wymachiwał sztyletem.

Fawoniusz dostrzegł go kątem oka.

– Uważaj, synku. Nie wtrącaj się. Czy tamtych sześciu zostało zabezpieczonych?

– Tak – wysapał Konstantyn. – Mówię ci, daj mi wziąć w tym udział, proszę...

Fawoniusz roześmiał się.

– To byłby dla niego zbyt wielki zaszczyt, synku. Ja zajmę się tym szczurem.

Zrobił wypad, odskoczył, znów wypad – i na rękawie tuniki prefekta pojawiła się ciemna, wilgotna plama, tuż pod pierwszym naramiennikiem. To było lewe ramię, lecz Allektus odruchowo zbliżył do niego uzbrojoną rękę, a Fawoniusz ruchem szybkim jak błyskawica pchnął go w twarz. Trafił w czoło i twarz prefekta zmieniła się natychmiast w krwawą maskę. Wypuścił miecz i upadł, uderzając o twardą posadzkę.

– I o to chodziło – stwierdził Fawonusz z niemałą satysfakcją. Zwracając się do Konstantyna, dodał: – Mam nadzieję, że widziałeś, jak lekko schylił głowę, by przyjąć cios na hełm, ale ja wziąłem to pod uwagę.

Potem rzekł do Heleny:

– Przepraszam za bałagan w pokoju, pani...

– Dziękuję ci, Fawoniuszu – odpowiedziała.

I w ten sposób pierwszy atak sił Karauzjusza został odparty w willi nieobecnego dowódcy południowej Brytanii.

W ogrodzie znaleźli większość niewolników – około dwudziestu – w wojowniczym nastroju. Sześciu ludzi Allektusa zostało związanych i zakneblowanych, a Rufus stał przed nimi z długim kuchennym nożem, objaśniając szczegółowo, co zamierza im zrobić.

– Nie znacie tego kraju – mówił pogardliwym tonem. – Dopiero tu przyjechaliście. Ja spędziłem w nim praktycznie całe życie. To bardzo humanitarny kraj, jeśli chcecie wiedzieć, i szczególnie lubiący psy. Nie takie, jakimi wy jesteście, drodzy przyjaciele, tylko lepsze, prawdziwe psy. I codziennie dajemy im na śniadanie wyborne siekane mięso. Wyglądacie na dobrze odżywionych, przyjaciele, i...

Zobaczył idących ku niemu Helenę i Fawoniusza, więc przerwał i zasalutował kuchennym nożem.

– Sześciu więźniów pod strażą, pani – zameldował.

– Nie powalczyli sobie za wiele – wyjaśnił Fawoniusz. – To naprawdę nie ich wina. Było nas dla nich zbyt wielu.

Dwóch naszych ludzi ma kilka zadraśnięć, to wszystko. Czy mamy ich zamknąć w piwnicy, pani?

Zgodziła się, a Rufus wykonał polecenie z pomocą kilkunastu niewolników.

Zapanował nastrój triumfu, ale nie miał trwać zbyt długo. Nadeszła wiadomość od trybuna Waleriusza. Po drodze strzelano pięć razy do posłańca, ale upierał się, by od razu wracać. List był krótki:

Połowa moich ludzi przeszła na stronę buntowników, reszta wkrótce pójdzie w ich ślady. Usilnie radzę, byście jechali na północ i oddali się pod ochronę legata Kurio. Spieszcie się. Londinium zostało już zajęte przez wroga. Jeśli znów zobaczycie legata Konstancjusza, powiedzcie mu, że poddałem się tylko śmierci, nie Karauzjuszowi.

Niech bogowie będą z wami.

Gajusz Waleriusz

Biedny mały Waleriusz, taki dumny ze swojego pierwszego dowództwa!

List nadszedł wieczorem. Od strony Londinium zbliżała się czerwona łuna. Waleriusz miał rację. Nie było czasu do stracenia. Allektus był prawdopodobnie kimś ważnym dla tych ludzi. Będą go szukać. Nie umarł. Fawoniusz powiedział jej, że stracił dużo krwi, ale wciąż żył i miał szanse wyzdrowieć.

– Wyjedziemy od razu – powiedziała. – Ale nie jadę na północ – pojadę do mojego ojca. Każ osiodłać konie, Fawoniuszu. Będziemy potrzebowali parę koców, trochę jedzenia i oczywiście broń, ale nic więcej. Dam pieniądze niewolnikom i niech idą, dokąd chcą. Nie mogą ich tu znaleźć po tym, co zrobili ludziom Allektusa.

Setnik skinął głową.

– Jesteś mądrą kobietą, pani. Myślę jednak, jeśli pozwolisz mi coś doradzić, że moglibyśmy wziąć starego Rufusa. Jest dobrym żołnierzem.

Kiwnęła głową na znak zgody, a setnik szybko się oddalił.

Poszła do swoich pokoi, otworzyła ciężkie żelazne skrzynie, w których trzymała pieniądze i biżuterię, napełniła ich zawartością skórzaną sakiewkę i odprawiła służące mimo ich rozpaczliwych błagań.

– Beze mnie będziecie znacznie bezpieczniejsze – powiedziała. – Tu macie pieniądze przynajmniej na roczne utrzymanie, weźcie je i idźcie do Londinium lub Verulam. Nie sądzę, by ktoś zrobił wam krzywdę. Jestem żoną legata cesarskiego... może będą chcieli wziąć mnie na zakładniczkę. Idźcie, dziewczęta – któregoś dnia znów się spotkamy. To nie może trwać długo. Rzym upomni się o swoje.

W pół godziny później wyruszyli – ona, Konstancjusz, Fawoniusz i Rufus, który prowadził dodatkowego konia, obładowanego kocami, jedzeniem i paroma innymi niezbędnymi rzeczami. Była noc, a oni znali drogi – to była dobra sposobność, by się przebić. Wróg skoncentruje się pewnie na większych miastach i ważnych skrzyżowaniach dróg. Musieli więc tylko trzymać się z dala od miast i jak najczęściej używać skrótów.

Tuż przed Trinovante natknęli się na dwunastu żołnierzy, którzy ocaleli z ostrej potyczki w pobliżu ujścia Tamesis. Większość z nich stanowili żołnierze Dwudziestego Legionu – znali i Fawoniusza, i Rufusa, więc zgotowali im entuzjastyczne powitanie. Fawoniusz powiedział im:

– Słuchajcie, chłopcy, nie ma wątpliwości, że ten zbrodniarz ma teraz nad nami przewagę. Dlatego zostaniecie prawdopodobnie zabici, jeśli się do nas przyłączycie, tak w ciągu czterech do pięciu tygodni. Możecie, oczywiście, przejść na ich stronę – w takim wypadku pozostaniecie zapewne przy życiu, nim cesarz znów nie przejmie tych terenów. Potem z pewnością zostaniecie zabici. Co zatem wolicie? Zginąć na pewno czy prawdopodobnie? Wybierzcie sami.

Postanowili pozostać wierni cesarzowi. Mieli zresztą krew do pomszczenia. Fawoniusz zachichotał.

– Nie jesteście nawet w połowie tacy głupi, jak myślałem, chłopcy. Teraz wujek Fawoniusz pójdzie zwinąć dla was parę koni. To łatwe.

Fawoniusz był znakomitym koniokradem. Udało mu się ukraść dwanaście koni w ciągu trzech godzin.

Teraz jechali przez lasy Trinovantu i wkrótce mieli się znaleźć w Coel Castra – jeżeli jeszcze istniał.

– Matko...

– Tak, Konstantynie.

– Jak myślisz, kiedy przyjedzie ojciec i ich wypędzi?

– Nie wiem, Konstantynie, ale przyjedzie na pewno.

Chłopiec popatrzył na nią.

– Oczywiście, że tak – przytaknął żarliwie. – Ale kiedy? Czy myślisz, że za kilka miesięcy?

– To może nawet potrwać dłużej, Konstantynie. Nie wiem.

Jechali w milczeniu. Tak, to mogło potrwać dłużej niż kilka miesięcy, ponieważ Konstancjusz był w Rzymie, z cesarzem, a kto mógł wiedzieć, co zadecyduje cesarz? Mógł wysłać innego generała – a nawet obarczyć Konstancjusza odpowiedzialnością za to, co się stało. Nie dało się tego przewidzieć. Jedno było pewne: w tej chwili ani Konstancjusz, ani cesarz nie mieli pojęcia o tym, co dzieje się w Brytanii...

Krzewy janowca. Sosny. Za godzinę zajdzie słońce.

Ona jednak znała grupę drzew w oddali – znała ją przez całe swoje życie. To były dęby – ulubione drzewa ojca. A po drugiej stronie znajdował się wielki kamień o szczególnym kształcie i barwie – nawet ojciec nie wiedział, skąd się tam wziął. To był jednak jego ulubiony kamień i ulubiony las.

Czy między drzewami mignęło coś białego?

Fawoniusz, jadący na czele kolumny, podniósł głowę i popatrzył przed siebie. Wszyscy się zatrzymali. Tylko Helena pojechała dalej, dając Konstantynowi znak, by do niej dołączył.

– Tam ktoś siedzi – szepnął Fawoniusz.

Kiwnęła tylko głową i wjechała na polanę, wokół której dęby stały jak strażnicy.

– Witaj, córko. Witaj, dziecko – powiedział król Coel.

Hilary, przykucnięty obok, wstał i ukłonił się.

Helena zsunęła się z siodła i pobiegła do ojca.

– Już dobrze – powiedział stary człowiek, gdy wtuliła się w niego, wypłakując serce. – Przybywasz w samą porę. Niech chłopiec też do mnie podejdzie. Hilary, zaprowadź oficera i jego ludzi do domu i daj im jeść i pić. Potem wróć po nas i przyprowadź ze sobą muzyków – i jeden z tych małych wozów. Będziemy zmęczeni.

Konstantyn potrząsnął głową. Nie podobało mu się, że matka płacze jak małe dziecko. Kobiety łatwo wybuchały płaczem, choć jego matka zwykle tego nie robiła. I nie mógł zrozumieć, że dziadek powiedział „oficera i jego ludzi", choć Fawoniusza i żołnierzy nie było w zasięgu jego wzroku. Siedział odwrócony do nich plecami, a nawet gdyby się odwrócił, nie dojrzałby ich zza wielkich drzew.

Podjechali dopiero teraz i Hilary, skinąwszy chłopcu przyjaźnie głową, podszedł do Fawoniusza. Konstantyn zeskoczył z konia i zbliżył się niespiesznym krokiem do dziadka. Król Coel ściągnął nieco krzaczaste siwe brwi.

– Usiądź, chłopcze – tutaj, na mchu.

Posłuchał, składając najpierw nieśmiały pocałunek na pomarszczonym policzku starca, suchym jak stary pergamin. Zobaczył Hilarego, prowadzącego konia Fawoniusza przez polanę. Rufus i żołnierze poszli za nim gęsiego. Zostali sami.

Czując dotknięcie ręki króla na głowie, Helena uspokoiła się.

– Wiesz, co się stało, ojcze – szepnęła. – Na pewno wiesz. Kiedy to się skończy? Co mamy robić?

– Najeźdźcy przychodzą i odchodzą – odrzekł król Coel. – Tylko przesłanie jest wieczne.

Spojrzała na niego w nagłym przypływie strachu.

– Ale Rzym... Rzym na pewno nie odejdzie... na dobre?

Usłyszała tak dobrze znany jej chichot.

– Pamiętam czasy, kiedy miałaś nadzieję, że tak się stanie, Elen – ty też?

– Byłam wtedy dzieckiem.

– Wciąż jesteś dzieckiem, Elen. Niewiele się nauczyłaś. Wkrótce nauczysz się więcej.

Dużo się nauczyłam, pomyślała. Tu, w tym samym miejscu, siedząc u jego stóp tak, jak siedziała teraz, snuła swoje marzenie o Zenobii i osobistej władzy, a on się uśmiechał. I powiedział jej, że nie będzie rządzić, jeżeli chce być jak Zenobia. Ale teraz, kiedy chciała władzy dla Konstancjusza, on stracił swoją moc i zostawił ją bezbronną. Czy samo jej życzenie wystarczyło, by spowodować porażkę? „Uspokój umysł – jak inaczej usłyszysz głos swego serca?" Ale jej serce przemówiło. Kochała męża. Chciała dla niego władzy, ponieważ go kochała...

„Czy jesteś ze sobą szczera, Elen?"

Nie wypowiedział tych słów, ale czuła, że tak myśli, i ta myśl zawiera już odpowiedź.

– Kocham go, ojcze – powiedziała z mocą. – Kocham go.

– On myśli o tobie... teraz – odparł król. – Ale może nie zawsze będzie o tobie myślał. Jeśli go kochasz, kochaj go ze wszystkich sił. To ciebie też uczyni silną. Kochaj go tam, gdzie nie potrafisz go zrozumieć. Kochaj go ponad smutek i rozczarowanie. To przyniesie owoce, kiedy nadejdzie czas. Niech miłość będzie silniejsza od dumy – nie zapomnij o tym. Niech miłość będzie silniejsza od dumy, kiedy nadejdzie czas.

Nie rozumiała tego, ale wyczuła ukryte ostrzeżenie, mroczny cień rzeczy, które miały nadejść, i głęboko westchnęła.

– Co mam robić, ojcze? Czy mogę zostać z tobą? Czy to będzie bezpieczne dla chłopca?

– Nie, Elen, nie możesz zostać. Ja też nie, choć nie pójdziemy tą samą drogą.

Znów podniosła na niego wzrok.

– Ale dlaczego nie, ojcze? My na pewno...

Urwała. Zobaczyła jego twarz i chociaż się uśmiechał, wiedziała, że jego dni, a może nawet godziny, są policzone.

– Ojcze...

– Spokojnie, dziecko. Jestem szczęśliwym starym człowiekiem. Nie chciałabyś zniszczyć mojego szczęścia, prawda? Teraz posłuchaj: cokolwiek zrobisz – a znam twoje dumne serce i twoją wierność – nie pozwól, by mój naród cierpiał. Nie podburzaj go, by stawił opór najeźdźcy. Na to jest za wcześnie. Nawet Rzym potrzebuje czasu, by zbudować flotę. Niech ta burza przejdzie nad ich głowami jak nad polem pszenicy. Najeźdźcy przychodzą i odchodzą. Tylko przesłanie jest wieczne. Wkrótce je zrozumiem. Obiecaj mi, że nie pozwolisz mojemu narodowi cierpieć.

– Obiecuję – szepnęła.

Pokiwał głową.

– To dobrze. Nie mogę cię prosić, byś kłaniała się najeźdźcy. Jesteś winna wierność swojemu mężowi i Rzymowi. Nie mogę dać ci armii swoich ludzi, ale mogę dać ci większy dar – umysł niespotykanego rodzaju. Mój służący Hilary zostanie teraz twoim sługą. Żaden król nie dał swemu dziecku lepszego dziedzictwa. Zaufaj mu tak, jak ufałaś mi.

– Na pewno, ojcze. Lubię Hilarego.

Stary król znów zachichotał.

– Hilary jest mądry jak na swój młody wiek. Będzie tym, czym nie może być ten silny setnik. Idź na północ – ale nie przekraczaj Wielkiego Muru. Nie masz tam przyjaciół, Rzym już tego dopilnował. Na północy są lasy – a las jest dobry dla córki króla Coela. Las to drzewo, drzewo życia, Elen – choć nie to drzewo życia. Drzewo życia nie wyrosło w naszych lasach.

Znowu to samo – nie potrafił widocznie uciec od swej ulubionej opowieści.

– Drzewo, Elen, drzewo. Drzewa ochronią cię przed twoimi wrogami. Na drewnianych statkach przybędzie też zemsta, i radość, i smutek. Kiedy on się rodził... – sękata starcza dłoń głaskała ciemne włosy chłopca – pamiętasz, Elen? Powiedziałem, żebyś położyła się na drewnie, prawda? A z niego skoczyłaś do zwycięstwa. Istnieje silna więź, córko, między tobą i chłopcem... silniejsza niż krew... silniejsza nawet niż matczyna miłość, o której poeci mówią, że jest największą siłą na ziemi. Ty i on... razem znajdziecie Drzewo Życia... tak, samo żywe drzewo...

Jego głos stał się niemal niesłyszalny. I jak często zdarzało się wcześniej, zasnął. Jego oddech, choć słaby, był regularny.

Oczy Heleny spoczęły na Konstantynie. Chłopiec też usnął, zmęczony długą jazdą. Uśmiechnęła się współczująco i dalej siedziała zupełnie nieruchomo, żeby nie obudzić ani dziadka, ani wnuka. Oni wszyscy są zmęczeni... zmęczeni i słabi, pomyślała. Muszę być silna dla nich.

Sama przyroda wokół niej znieruchomiała. Przez chwilę zdawało się jej, że widzi głowę jelenia między drzewami, ale pewnie się pomyliła. Zaczynało się ściemniać...

Wtedy usłyszała muzykę. Zdawała się dochodzić z bardzo daleka, krótkie, urywane nuty, potem mała kadencja – i znów krótkie, urywane nuty. Skrzypkowie ojca, pomyślała. Przez wyspę przetoczyła się wojna, mężczyźni zostali zabici, domy spalone do fundamentów, ale król Coel wezwał swoich skrzypków.

Nigdy wcześniej nie czuła się bardziej oddalona od ojca. To nie była pora na starczą mądrość, rozważne powstrzymanie się od działania – to była godzina walki. Już żałowała danej ojcu obietnicy, że nie będzie podburzać mieszkańców Trinovante. I nie przybyła tutaj, by usłyszeć po raz tysięczny opowieść o drzewie życia...

Teraz ich zobaczyła. Hilary szedł na przedzie, za nim trzech muzyków i mały wóz ciągnięty przez podkutego konia. Muzycy przestali grać.

Zobaczyła spojrzenie Hilarego, pełne głębokiego niepokoju. Prześliznęło się po niej i nie znalazło chyba pocieszenia w spokojnym oddechu starego króla. Potem spojrzał na nią i na Konstantyna. Przyklęknął i dotknął ramienia chłopca, którego to nie obudziło. Wziął go na ręce z matczyną niemal czułością. Poszła za nim powoli i zobaczyła, jak układa jej syna na posłaniu z miękkich koców wyścielających wóz.

Powoził nim stary zasuszony Gullo. Miał już ponad osiemdziesiąt lat i uśmiechnął się do niej bezzębnymi ustami. Poczciwy stary Gullo.

Hilary odwrócił się i jego uśmiech ogrzał jej serce. Potem wrócił do króla. Przystanął nagle i zobaczyła, jak tężeje mu twarz. Pochylił głowę; lekko drżały mu ręce.

Spojrzała na niego, a potem gwałtownie odwróciła wzrok...

Król Coel siedział tak jak przedtem na swoim ulubionym kamieniu. Jego twarz była jednak bladoszara i wiedziała już, że nie żyje.

Minęła cała wieczność... Nikt się nie poruszył. Wszystkie sny dobiegły kresu. Nawet słońce się ukryło. Przerażający bezruch przyrody dławił wszystkie uczucia – nie pozostawiając nawet wyrzutów sumienia. Stała tak i stała...

Głęboki jęk kazał jej odwrócić głowę w stronę wozu. To był stary Gullo, wciąż trzymający wodze – po jego drobnej zasuszonej twarzy płynęły strumieniem łzy.

Dała muzykom znak ręką.

– Grajcie – rzekła głosem, który nie należał do niej.

I zagrali Pieśń Królewską, starą jak ludzka pamięć. Król wrócił do domu z podróży – z długiej, długiej podróży przez swój wesoły kraj – król wrócił do domu z podróży...

Kiedy pieśń zakończyła się wysoką, triumfalną nutą, Hilary zbliżył się wreszcie do świętego kamienia i schylając się, podniósł ciało, od którego uwolnił się król, i zaniósł je tak, jak królewskiego wnuka.

Muzycy poszli za nim, a ich śladami stąpał ciężki koń, ciągnący wózek ze śpiącym chłopcem. Z tyłu szła przez polanę Helena, sama. Nie mogła myśleć, czuła tylko tępy, jałowy ból. Brytania upadła.

Rozdział jedenasty

– Udanego polowania – powiedział legat Terencjusz.

Konstancjusz dopasował fibulę do swojego płaszcza, zdjął ją i znów dopasował.

– Co masz na myśli, Świński Ryju?

– Dokładnie to, co powiedziałem, przyjacielu. Udanego polowania.

Fibula – z malachitu i złota – znajdowała się teraz na właściwym miejscu. Płaszcz opadał w odpowiednich fałdach. Tunika była świeżo wyprasowana. Sandały z drobnymi malachitowymi guziczkami wyglądały zdecydowanie elegancko. Konstancjusz krótko skinął głową swemu ordynansowi, który zasalutował i oddalił się.

– Nie wiem, o czym mówisz – rzekł chłodno. – Idę na małe przyjęcie...

– ...na zaproszenie pani Teodory. Oczywiście.

– Będzie tam Mamertinus. I jest szansa, że pojawi się sam cesarz...

– Stary Maksymian jest zbyt zajęty podatkami, by mieć czas na przyjęcia.

– Jest zbyt zajęty, by mieć czas na kampanię brytyjską – odrzekł z goryczą Konstancjusz. – Prawie rok – i nic nie zostało zrobione.

Terencjusz westchnął.

– Robisz, co możesz, Blada Twarzy. Nikt nie mógłby zrobić więcej. Ale na twoim miejscu trzymałbym się z dala od Mamertinusa. Nie sądzę, że długo pozostanie głównym legatem. Uwierz mi, chłopcze, prosta droga jest najlepsza.

– Tak jak powiedziałem, jest szansa, że cesarz...

– O bogowie, dajcie mi cierpliwość. Kiedy mówię, że prosta droga jest najlepsza, nie mam na myśli cesarza. Ładne imię, Teodora – „dar bogów".

Konstancjusz tupnął nogą.

– Tylko bez takich głupich insynuacji, Świński Ryju. Księżniczka jest łaskawą damą i okazała mi dużo życzliwości.

– To właśnie – odrzekł nieporuszony Terencjusz – mam na myśli. A mówią, że ma wielki wpływ na ojca. A ja myślę, że jesteś inteligentnym mężczyzną, choć czasem mówisz jak dziewica westalka. Udanego polowania.

Konstancjusz chciał odpowiedzieć, lecz jego przyjaciel stał się nagle bardzo zajęty. Krzyknął na swego ordynansa, poprosił o dokumenty z raportem kwestora, wydał rozkazy, by zajęcia w szkółce jeździeckiej odbywały się od przyszłego tygodnia o godzinę wcześniej – krótko

mówiąc, był teraz tylko legatem dowodzącym Czternastym Legionem – i nikim więcej. A to był jego dom i Terencjusz zachował się bardzo porządnie, udzielając mu
gościny podczas wszystkich tych miesięcy. Właśnie ten
rodzaj gościnności lubił – żołnierskiej.

Terencjusz jednak dokuczał mu w kwestii córki cesarza i to bywało trochę irytujące.

Konstancjusz wyszedł z pokoju, nie odpowiadając.
Przed domem czekał na niego jeden z rydwanów legata.

– Sam będę powoził – powiedział krótko, wsiadając.
Woźnica rydwanu podał mu wodze i bat, a sam zeskoczył na ziemię. Konstancjusz odjechał.

Mediolan znacznie się rozwinął w ciągu tych siedemnastu lat i nawet centrum miasta bardzo się zmieniło,
zwłaszcza w ostatnim czasie. Dioklecjan zdawał się cierpieć na budowlaną gorączkę. Nowe świątynie, nowe pa-
łace, nowy sąd, wszystko nowe. Nic dziwnego, że musiał
podnieść podatki. Jego nowy współrządca nie potrafił
powstrzymać imperialnego programu rozbudowy. A nie-
szczęśni mieszkańcy prowincji nie byli w stanie tego fi-
nansować. W międzyczasie Rzym stracił jedną prowincję
dla zwykłego buntownika.

Takie myśli nie pomagały, kiedy jechało się przez za-
tłoczone ulice rydwanem zaprzężonym w dwa narowiste
gniadosze. Jakie morze ludzi i jaki hałas robią na cześć
wielkiego boga zysku! Sklepikarze i ich klienci, wędrow-

ni handlarze sprzedający niemal wszystko. Domy wyglądały jak wielkie sześciany z sera, z których wyroiło się robactwo. Powietrze wypełniał ich nieprzyjemny zapach. Tysiące rozpychających się, poszturchujących, krzyczących ludzi, lektyki torujące sobie drogę wśród bezbronnych pleców, złodzieje i prostytutki pilnujący swojego interesu, przenikliwe okrzyki woźniców mieszające się z muzyką fletów i tamburynów, zapach mięsa od rzeźnika, które obsiadły roje much, woń przypraw i kadzideł.

Czy ktokolwiek z nich poświęcił chociaż jedną myśl utraconej prowincji? Wszyscy dbali tylko o zysk i przyjemność – napełnić kieszenie, napełnić brzuchy i zasnąć wtulonym w coś okrągłego i miękkiego. Tak samo było w Rzymie, w Neapolu, w Atenach i w Bizancjum, w Aleksandrii i każdej części Imperium.

Żołnierze byli jedynymi ludźmi myślącymi o Imperium; jedynymi, dla których granice znaczyły więcej niż różnice w mundurach i obyczajach. Nawet wśród nich wielu myślało tylko o władzy, ale przynajmniej niektórzy o samym Rzymie, Boskim Rzymie, i tysiącu lat jego chwały.

Zamieniali chłopów w cesarzy – ale oczekiwali od nich, że będą dbać o jedność cesarstwa. Maksymian będzie musiał się zdecydować. Szkoda, że trzeba było marnować czas na wizyty towarzyskie w nadziei, że spowoduje się jakieś działanie w tej sprawie; że mogło być ważne, czy widują cię tu i tam; że ten czy ów oficer miał swoje wpływy; że nawet trzeba było nadskakiwać kobietom z kręgu cesarza. To było więcej niż smutne – to było niemal odrażające, ale jeśli pomagało, należało to robić. Świński Ryj mógł mu tego nie utrudniać głupawymi uśmieszkami i aluzjami, jakby chodziło o romans z panią Teodorą, która była czarującą kobietą, a przy tym inteligentną.

Na obrzeżach miasta powoziło się łatwiej i świsnął batem nad głowami gniadoszy. Gdyby tylko mógł zdobyć jakieś wieści z Brytanii. Cała wyspa zdawała się być hermetycznie zaplombowana. Kilku agentów zdołało zbiec na statkach w pierwszych tygodniach, ale od tamtego czasu zapanowała ponura, ołowiana cisza. Co się działo z Heleną... z Konstantynem?

Dalej, obiecałeś sobie, że nie będziesz o tym myśleć. Jazda! Znów zaciął bat.

– Przystojny, prawda? – powiedziała Domitylla.

Niewolnik napełniał jej puchar chłodzonym w śniegu winem. Czynił to z dużą zręcznością, ale majordomus zmarszczył brwi, ponieważ niewolnik nie powinien się przyglądać przegubom i kostkom swojej pani, nawet jeśli jest zamężna po raz szósty.

Wipsania poczęstowała się następnym, a potem jeszcze jednym pierniczkiem. Figura i tak jej się psuła, więc czemu nie korzystać z uroków życia.

– Kto jest przystojny? Były legat Brytanii?

– Konstancjusz? Z tą bladą twarzą i wiecznie zmarszczonymi brwiami? Nonsens, moja droga. Watyniusz, oczywiście.

– No cóż, o tym wiedzą wszyscy. Nie przyglądaj mu się tak, kochana, bo jeszcze się zakochasz.

– Czemu nie? – odparła nonszalancko Domitylla. Wypiła trochę za dużo i jej piękna twarz zarumieniła się pod makijażem.

Wipsania zachichotała z ustami pełnymi ciastka.

– Czemu nie? Kochana, nie masz szans. Nie z Watyniuszem.

– Miewałam lepszych – Domitylla wzruszyła ramionami.

– Tak, ale to było jakiś czas temu.

– W każdym razie – wycedziła Domitylla – nie zniżyłam się jeszcze do uprawiania miłości z własnymi niewolnikami.

Niełatwo jednak dopiec kobiecie, która waży dwa razy więcej niż dziesięć lat temu.

– Ciebie też to kiedyś czeka, moja droga – odrzekła Wipsania z szerokim uśmiechem. – I uwierz mi, to oszczędza wielu zbędnych umizgów. Nie chciałam ci dokuczyć w kwestii Watyniusza – wręcz przeciwnie, chciałam cię ostrzec. Ta rywalizacja jest zbyt niebezpieczna...

– Och – Domitylla okazała zainteresowanie. To prawda, że Watyniusza często ostatnio widywano z księżniczką Teodorą, ale wokół niej zawsze się roiło od oficerów pierwszej, drugiej, a nawet trzeciej młodości. Była jednak ostrożna. Dotychczas nie dało się powiedzieć o niej nic pewnego od śmierci jej męża. Zyskała sobie nawet opinię *univira* – kobieta jednego mężczyzny. To oczywiście był nonsens. Nie istnieje takie stworzenie jak *univira*. Straszny pomysł...

– Watyniusz – powiedziała Domitylla – może mieć każdą kobietę, jakiej zapragnie – i o tym wie.

– Mnie nie może mieć – oznajmiła Wipsania. – Nienawidzę wysiłku.

W drugim końcu ogrodu, pod cieniem palmowych drzew, senator Prokulejusz rozmawiał o polityce z pierwszym senatorem Wiktorem Treboniuszem. Nie było wątpliwości, że cesarz żywi pewną... pewną niechęć wobec senatu. Prokulejusz gorzko narzekał, że pięć – pięć! – jego ostatnich wniosków dotyczących stałych cen na egipskie zboże nie zostało rozpatrzonych, ponieważ senatorowie obawiali się, że mogłyby się spotkać z dezaprobatą cesarza. Pierwszy senator uśmiechnął się chłodno.

– Szkoda, że się nie urodziłeś w czasach Katona, mój Prokulejuszu – powiedział.

– Ponieważ wtedy senatorowie mieli charakter? – Prokulejusz poczuł się mile połechtany.

– Nie, wcale nie to mam na myśli. Ponieważ ja nie żyłem w tamtych czasach. – Chłodny uśmiech stał się lodowaty. – Na twoim miejscu byłbym ostrożny, mój Prokulejuszu. Masz całkowitą rację. Jego Cesarska Mość nie ma teraz dla nas zbyt wielu zadań, więc w razie reorganizacji...

– W przeciwieństwie do niektórych moich kolegów – syknął Prokulejusz – mam czyste sumienie.

– Być może – pierwszy senator opróżnił puchar – ale masz również tylko jedną głowę. Oszczędzaj ją, zamiast zajmować się egipskim zbożem, mój Prokulejuszu.

Na trawniku przy fontannie w środku ogrodu grupki młodych ludzi rozmawiały, śmiejąc się głośno. Galijski żongler i syryjski akrobata pokazywali swoje sztuczki.

Przy stole księżniczki Teodory na środku tarasu zebrał się duży krąg gości. Konstancjusz odbył krótką rozmowę z głównym legatem. Mamertinus zachowywał się bardzo dyplomatycznie. Był raczej starym dworzaninem niż żołnierzem i spędził trzydzieści lat życia na unikach. Niewielu ludzi mogło pochwalić się, że do czegoś go zmusiło, a jeszcze mniej miało powód, by się z tego cieszyć. Cesarz, oczywiście będzie musiał podjąć kroki w sprawie odbicia Brytanii – to tylko kwestia czasu. W rzeczy samej, budowano statki z największą możliwą prędkością. Problemem był obecnie niedobór wojska. Szkoda, że Konstancjusz nie wie, jak trudno teraz o rekruta. Prowincjonalne rządy wykazują w tej sprawie niewielki zapał i zawsze mają świetne wymówki: nie można oczekiwać, że tysiące mężczyzn zaciągną się do armii w porze żniw, bo jeśli nie zbiorą zboża, zapanuje głód i trzeba będzie je sprowadzać na statkach z Egiptu, Panonii lub Afryki. A statki są potrzebne w Brytanii. Tak tworzy się błędne koło. Funkcja głównego legata to najbardziej niewdzięczna posada. Młodym dowódcom łatwo ponaglać i naciskać – nie żeby to krytykował, wręcz przeciwnie, tak właśnie powinno być. Dowódcy muszą być żarliwi i pełni zapału, to jest ich obowiązkiem, tak jak utrzymywanie możliwie największego porządku w gigantycznej wojskowej machinie cesarstwa. Nadejdzie czas na ponowne odbicie Brytanii, na pewno nadejdzie. Tak, tak, to zupełnie naturalne, że Konstancjusz chce poprowadzić tę ekspedycję, może być pewny, że on będzie o tym pamiętał. Wszystko zależy, oczywiście, od decyzji cesarza. Pozycja głównego legata nie jest teraz taka, jak kiedyś. Ale on będzie o tym pamiętał, oczywiście, będzie pamiętał...

Wszystko to bardzo życzliwe, przyjazne, czarujące – i bardzo pokrętne. Zupełnie nic niewarte.

A księżniczka Teodora nie była tak serdeczna jak zwykle. Przywitała go, co prawda, tym samym olśniewającym uśmiechem, który kilka tygodni albo nawet miesięcy temu dawał mu nadzieję, że naprawdę go lubi. Ale rozmawiała głównie z Watyniuszem. Co ona u licha w nim widziała? Był tym, co w kręgach wojskowych nazywano „złotym żołnierzem" – człowiekiem, który doświadczył więcej życia w garnizonie niż służby na froncie. To prawda, że nieźle sobie radził jako młody oficer pod dowództwem Aureliana, ale nie zasłużył się specjalnie w wyprawie przeciw tej dziwnej dziewczynie, Zenobii z Palmyry. Laury wygrały z kobietą – cóż, wyglądało na to, że zdobywał więcej laurów tego rodzaju. Stroił się jak paw. Jedwabna tunika, jedwabny płaszcz, włosy perfumowane jak u modnisia.

Konstancjusz był zły na samego siebie. Zamiast snuć rozważania jak stary oficer w stanie spoczynku, powinien starać się być miły dla księżniczki – schlebiać jej, czarować błyskotliwością.

Teodora była jednak bardzo zajęta rozmową z tym chłystkiem w jedwabiach. Konstancjusz wstał i przeszedł niespiesznym krokiem przez trawnik. Nie mógł się powstrzymać od obejrzenia się za siebie i zobaczył wzrok Teodory śledzący go z dziwnym wyrazem. Może ktoś jej powiedział jakieś kłamstwo przeciw niemu – albo jak większość kobiet nie mogła znieść myśli, że zmniejszy się krąg mężczyzn wokół niej. Kto wie? Kobiety to dziwny gatunek.

Wziął puchar wina caecuban ze srebrnej tacy trzymanej przez uroczą niewolnicę i opróżnił go jednym haustem. Do Hadesu z przyjęciami w ogrodzie. Do Hadesu z kobietami. Co on tutaj robi? Wino. Potrzebuje więcej wina. A tutaj było go mnóstwo. To już coś.

Szkoda, że cesarz nie przyszedł. Właściwe słowo we właściwym momencie z osobą pokroju Maksymiana i już ma się dowództwo.

Na trawniku prezentowała się teraz nowa atrakcja: iluzjonista. On też był zręczny, wyciągając niekończącą się wstążkę z oczu i uszu ładnej czerkieskiej dziewczyny, olbrzymi bukiet kwiatów z tuniki starego napuszonego senatora i kilkanaście wijących się węży z własnych włosów. Kiedy panie wystraszyły się, wypowiedział dziwne, niewyraźne zaklęcie i węże jakby wyschły, zesztywniały i zamieniły się w małe drewniane patyki, które wrzucił do ognia. Wywijając chudymi ramionami sprawiał, że ogień płonął i przygasał zgodnie z jego wolą, a kiedy wypowiedział następną magiczną formułę, zgasł całkowicie.

Bardzo zręczni ci sztukmistrze. Konstancjusz poczuł, jak ktoś lekko dotyka jego ramienia. Odwrócił się. To była Liwonia, jedna z dam dworu księżniczki, urocza istota z pełnymi wargami i skrzącymi się oczami.

– Godzinę po zachodzie słońca – szepnęła. – Przy małej furtce ogrodowej.

Podeszły Domitylla z Wipsanią i Liwonia szybko znikła pośród widzów.

Czarująca kobieta, pomyślał Konstancjusz. Ale cóż za śmiałość zdobyć potencjalnego kochanka w taki sposób. Wypił następny puchar caecubana. Poczuł się mile połechtany, jak każdy mężczyzna, kiedy piękna kobieta daje mu do zrozumienia, że go pragnie. Ale nie zamierzał nawiązywać z nią romansu. O nie. Musiał się skoncentrować na swoim zadaniu i tylko to się liczyło. Żadnych głupstw.

Trochę mocne to wino. Teraz musiał tylko się wymknąć i pognać z największą prędkością rydwanem. To mu dobrze zrobi. Nikt nie odczuje jego nieobecności, te przyjęcia ogrodowe są przecież nieformalne...

Następnego ranka przy śniadaniu Terencjusz był wyjątkowo wścibski. Chciał wiedzieć wszystko, znać każdy szczegół. To było niezwykłe – legat Czternastego Legionu siadał z reguły do śniadania po dwóch godzinach solidnej pracy i pochłaniał łapczywie ogromne ilości jedzenia, zbywając pytania gościa krótkimi mruknięciami.

– Przyjęcie nie było zbyt ciekawe – rzekł Konstancjusz. – Mamertinus wił się jak piskorz, księżniczka okazywała najwięcej względów złotemu chłopcu Watyniuszowi, cesarz się nie pojawił, tak jak przewidywałeś, a ja wypiłem za dużo caecubana. Wróciłem przed zachodem słońca, wykąpałem się, zjadłem kolację, trochę poczytałem i poszedłem spać.

– Najgłupszy raport, jaki w życiu słyszałem – odrzekł Terencjusz. – Czy nie ukrywasz czegoś przede mną, Blada Twarzy?

– Mówię ci, że to wszystko. Na przyjęciu był całkiem dobry iluzjonista, pokazywał sztuczki, jakich wcześniej nie widziałem, a piękna dziewczyna chciała, bym ją odwiedził po zachodzie słońca, jeżeli to cię interesuje...

– Cóż... – Terencjusz ziewnął lekko i zabrał się za miskę duszonych moreli – czemu się z nią nie spotkałeś... jeśli była piękna? I kto to był?

– Nie miałem nastroju na te sprawy – odparł Konstancjusz. – Poza tym jestem żonaty, jak wiesz, i...

Terencjusz ryknął śmiechem.

– Wspaniałe, naprawdę wspaniałe! On jest żonaty. On ma trzynastoletniego syna. Święta Junono, czy ty w to wierzysz? Droga Blada Twarzy. Życie w Brytanii musi być smutne...

– Wcale nie – Konstancjusz czuł się zarazem zdenerwowany i speszony. – Nie spotkałem tu kobiety nawet w połowie tak atrakcyjnej jak Helena...

– Wzruszające – Terencjusz pokiwał głową – naprawdę wzruszające. Ale, człowieku, nawet jeśli twoja pani jest wcieleniem samej Wenus – nie ma jej tutaj! Czy chcesz powiedzieć, że zamierzasz dochować jej wierności? Do czasu, gdy odbijesz Brytanię? Powiedz, że tak, powiedz tylko, że tak, a ja powtórzę tę historię Beroncjuszowi, który zawsze szuka pomysłu na nowy poemat. Cóż, nieważne, przyjacielu, nie gniewaj się na mnie, nie warto. Ale powiedz mi, kim była twoja piękna wielbicielka?

– Jesteś wścibską starą babą, Świński Ryju.

– Dobra, dobra, co ty teraz próbujesz robić? Bronić dziewiczego honoru jakiejś kobietki, tylko dlatego, że miała dość rozumu, by uznać cię za atrakcyjnego? Możesz mi wierzyć, że na tym przyjęciu nie było choćby dwóch dziewczyn czy kobiet, o których nie mógłbym ci opowiedzieć takich historii, że nawet słoń by się zarumienił! Kto to był? Domitylla? Metella? Fulwia? Ta Fulwia jest niczego sobie, ale ma paskudny zwyczaj zostawania wdową, kiedy znudzi jej się mąż. Paula? Nie, to nie mogła być ona, właśnie zaczęła romans ze śpiewakiem Rezusem. Właściwie nie jest śpiewakiem, ale kobiety za nim szaleją i mdleją, kiedy zaskrzeczy na wysoką nutę. Marcella? Nie miałbyś dużej konkurencji, jeśli to Marcella. Tylko stary Emiliusz, który myśli, że jest mu wierna, ponieważ jest stary, i młody Gabiniusz, który myśli tak samo, ponieważ nie docenia starego Emiliusza i Marek Pollio, który nie myśli. Nigdy mu się to nie zdarzyło. Nie Marcella? Cóż, może Celia. Jest ósmym cudem świata, ta nasza Celia.

Trochę za duża konkurencja, nawet na mój gust. Drogi senator Prokulejusz, nadęty osioł, Warro, Straboniusz, poeta Beroncjusz, o którym ci mówiłem, i korpus oficerów z kawalerii numidyjskiej. Tak, nasza Celia.

– To obrzydliwe – stwierdził Konstancjusz. – Chcę zjeść śniadanie, Świński Ryju.

– Cóż, wyliczyłem praktycznie wszystkie odpowiednie kobiety, jakie były na przyjęciu. Jakoś nie wyobrażam sobie, by cię uwodziła droga stara Wipsania. Zmieniła się w hipopotama i rozsądnie dała sobie z tym spokój. Inne nie spełniają kryteriów, a ty powiedziałeś, że była piękna. Są jeszcze damy dworu, ale to nie wchodzi w rachubę...

– Dlaczego? – zapytał niewinnie Konstancjusz.

Terencjusz wbił w niego wzrok.

– Cóż, oczywiście, dlatego... – przełknął z trudem i nalał sobie puchar wina.

– Co ci się stało, Świński Ryju?

Twarz legata była o odcień bledsza, kiedy zapytał:

– Posłuchaj, przyjacielu, nie będę cię pytał o imię tej damy, skoro jesteś taki dyskretny, ale czy się dowiem, co ci właściwie powiedziała?

Konstancjusz potrząsnął głową.

– To żadna tajemnica – powiedział, wzruszając ramionami. – Dotknęła mego ramienia i szepnęła „godzinę po zachodzie słońca – przy małej furtce ogrodowej". Wtedy ktoś nadszedł i oddaliła się.

Twarz Terencjusza była teraz spięta.

– Jeszcze jedno – powiedział. – Czy ona była damą dworu?

– No tak. Czemu pytasz?

– O, Jowiszu – jęknął Terencjusz. – O Plutonie. O Blada Twarzy.

– Czy powiesz mi w końcu, co ci jest? – nalegał Konstancjusz.

– Mnie? Zapewniam cię, że nic mi nie jest. Martwię się o ciebie! Tak, o ciebie... ty nieznośne, niemożliwe wcielenie niewinności. Nie przyszło ci do głowy, że wiadomość przekazana przez twoją piękną damę mogła nie być od niej?

– C-co?

– Tak! Jak myślisz, od czego są damy dworu? To miałem na myśli, mówiąc, że to nie mogła być dama dworu. Żadna z nich nie odważyłaby się na coś takiego pod nosem swojej pani, zwłaszcza jeśli pani wyraźnie dała do zrozumienia, że lubi towarzystwo pewnego mężczyzny. Ona przekazała ci wiadomość od swojej pani – to właśnie zrobiła! A ty, jak głupiec, jak siedem legionów głupców, pojechałeś do domu, zjadłeś kolację, trochę poczytałeś i poszedłeś spać! O bogowie, dajcie mi siłę! Córka cesarza chce się z nim przespać, a on jedzie do domu poczytać. Dobra była ta książka, mój Konstancjuszu?

– Ale... ona spędziła całe popołudnie na rozmowie z Watyniuszem – ledwo mogłem dojść do słowa.

Terencjusz roześmiał się.

– To dowodzi, że jest mądrą kobietą, Blada Twarzy. Zabawiała się z nim, żeby wszyscy widzieli. Znakomity kamuflaż. A potem posłała po ciebie. A ty... na wszystkie święte furie! Chodzi o dowodzenie wyprawą brytyjską...

– To nie jest sposób na zdobycie dowództwa – mruknął Konstancjusz.

Terencjusz spojrzał na niego ze współczuciem.

– Nie wiem, co zrobiła z tobą Brytania – powiedział – ale jeśli myślisz, że masz najmniejszą szansę teraz, kiedy Teodora stała się twoim nieprzejednanym wrogiem, musisz być szalony. Jesteś skończony, przyjacielu. A miałeś zwycięstwo w zasięgu – co ja mówię, miałeś je podane na srebrnej tacy.

– Kogo tam wyślą? – wyszeptał Konstancjusz, zupełnie zbity z tropu. – Kogo mogą wysłać?

Odpowiedź otrzymał w tydzień później, kiedy oficjalnie zakomunikowano, że legat Marek Watyniusz pojechał do Massilii, by nadzorować tam budowę floty oraz przejąć dowództwo Dziewiętnastego i Dwudziestego Legionu, które miały zostać skoncentrowane do specjalnego zadania.

Terencjusz miał rację. Był skończony.

Poszedł do swojego pokoju. Usiadł przy wielkim stole pod oknem i wpatrzył się w dziwny labirynt z gliny, który go pokrywał. Nie czuł się rzeźbiarzem. Jego model Gesoriacum był bardzo prymitywny, ale zachowywał dość dokładne odległości. Tu było centrum, pagórki przy nabrzeżu, port, fortyfikacje, które znał, i te, które Karauzjusz prawdopodobnie zbudował, by zabezpieczyć miasto od strony lądu. Karauzjusz wciąż był w posiadaniu Gesoriacum, którego port gościł sporą część jego floty. Stanowiło potężną fortecę. Gdyby teraz ktoś zbudował tutaj groblę, sztuczny odcinek lądu – a można było to zrobić nawet w obecności wroga – odcięłaby port i zamknęła całe miasto. To był dobry pomysł. Tak, to był świetny pomysł. Niestety, pozostanie tylko pomysłem.

Kaprys kobiety dał Watyniuszowi dowództwo. Od takich rzeczy zależą losy imperiów.

Zmiótł glinę ze stołu. Koniec. Koniec. Był skończony.

Rozdział dwunasty

– Ostrożnie – ostrzegł Hilary. – Skały są śliskie. Trzymajcie się mocno...

– Wszystko w porządku, Konstantynie?

– Oczywiście, matko – padła pełna urazy odpowiedź. – To łatwe.

Fawoniusz zachichotał. Zawsze go bawiło, kiedy panicz używał jego ulubionego zwrotu. Pomiędzy sobą na wpół popychali, a na wpół nieśli szczupłego, starego człowieka.

– Zejście do Hadesu – wymamrotał legat Kurio. – Chyba nie dam rady, setniku.

– O tak, panie, dasz radę. Tylko się o mnie oprzyj.

W dole śpiewało morze. Jedyne światło dawał blady księżyc, na wpół ukryty w chmurach.

Helena poślizgnęła się i czyjeś ramię od razu przytrzymało ją w pasie.

– Już dobrze – powiedział Hilary. Jego spokojny uśmiech był wart królewskiego okupu. Odwzajemniła go.

– Wiem, że nie powinnam była tu przychodzić – powiedziała. – Ale musiałam.

– Oczywiście – rzekł Hilary.

– Czy widzisz łódź, Konstantynie?

– Jeszcze nie, matko.

– Na Jowisza, udało się – powiedział Kurio. – Jesteśmy na miejscu, prawda?

– Tak, panie. Pochodnia, Konstantynie!

Błysnął niewielki, migotliwy płomień.

– Teraz widzę łódź, matko.

– Sokole oko – mruknął Fawoniusz.

– Muszę coś powiedzieć, zanim odpłynę, pani Heleno – rzekł Kurio. Jego blada, starcza twarz miała wyraz niemal zachwytu. – Dokonałaś cudów, wiesz. Niełatwo wzbudzić mój podziw, ale nigdy wcześniej nie spotkałem kobiety takiej jak ty i, szczerze mówiąc, nie sądzę, że druga taka istnieje. To naprawdę nie twoja wina, że wyspa nie została odbita. Atak został źle przeprowadzony.

– Nie przeprowadził go mój mąż – odrzekła spokojnie Helena. – Kiedy zobaczysz cesarza, powiedz mu, że prędzej czy później będzie musiał dać dowództwo Konstancjuszowi, a im wcześniej, tym lepiej dla Rzymu. Ja nie zrobiłam nic. Może bym czegoś dokonała, gdyby atak nie skończył się klęską.

– Powiem mu – rzekł Kurio. – Ale spytam jeszcze raz, pani – czy nie zmienisz zdania i nie popłyniesz ze mną? To oczywiste, że twój mąż będzie dwa razy silniejszy, mając u boku ciebie.

– Na łodzi jest tylko jedna kabina – powiedziała Helena z cieniem uśmiechu.

Stary legat spojrzał na Konstantyna i zrozumiał.

– Poza tym – ciągnęła Helena – cesarz bardziej potrzebuje doświadczonego oficera niż mnie. A ja muszę zebrać naszych mężczyzn – do następnego ataku. Na razie niewielu z nich zostało narażonych, chociaż szkoda każdego. Ten Watyniusz będzie miał się z czego tłumaczyć.

Hilary i Fawoniusz starali się utrzymać łódź przy małej skalnej platformie, na której stali. W łodzi było sześciu mężczyzn, sami marynarze.

– Niech bogowie mają cię w opiece, pani Heleno – rzekł Kurio. – Przybyłaś na północ prosić mnie o ochronę, a skończyło się na tym, że ty chronisz mnie – ty i oddani tobie ludzie. A gdyby nie Hilary, nie dowiedziałbym się o tej łodzi.

– Żegnaj, Kurio. Myślę, że możesz zaufać kapitanowi i załodze. Są przemytnikami, to prawda, ale też cenią własne życie, a Hilary powiedział im, że każę ich obedrzeć ze skóry, jeśli coś się tobie stanie. Zrobią wszystko, co w ich mocy, choć nie jest taka wielka. Wysiądziesz w Galii, dość blisko bezpiecznego terytorium. I... przekaż pozdrowienia mojemu mężowi, Kurio...

– Przekażę – odrzekł legat.

– Już czas, panie – krzyknął Fawoniusz.

– Dobrze. Żegnaj, Konstantynie. Powiem twojemu ojcu, że może się spodziewać, iż zastanie mężczyznę, kiedy tu wróci. Do widzenia, Hilary. Do widzenia, Fawoniuszu.

Nie zdążył jeszcze usiąść, gdy odepchnięto łódź. Przemytnicy nie mieli czasu do stracenia. Ich towar był już bezpiecznie ukryty na pokładzie – powiadomiono ich wcześniej, że mają wziąć pasażera w porze wypłynięcia.

Mała grupka na skale zaczekała, aż łódź zniknie z pola widzenia. Potem zaczęli wspinać się z powrotem. Najpierw Fawoniusz, potem Konstantyn, za nim Helena i Hilary. Było to znacznie łatwiejsze od zejścia. W kwadrans później byli już na klifie, przy krzakach, w których Rufus czekał z końmi.

– Nic, Rufusie?

– Jest spokojnie, Fawoniuszu.

– Więc jedziemy.

Godzinę zajęła im jazda na opuszczoną farmę, gdzie przyłączył się do nich chudy stary człowiek w prostej niebieskiej szacie i wsiadł na konia, na którym wcześniej jechał Kurio. W milczeniu pojechali dalej. Sześć osób opuściło małe miasteczko Iuviacum i sześć osób do niego wracało.

Karauzjusz miał zbyt wielu szpiegów, by nie trzeba było zachowywać ostrożności.

W dwa tygodnie później wrócili do małej willi na przedmieściach Verulam, gdzie „wdowa Zenia i jej syn" przeżyli ostatnie kilka lat. Ludzie niewiele o niej wiedzieli, prócz tego, że „przybyła skądś z północy", a z nią jej syn, majordomus Hilary i wielki, niedźwiedziowaty osobnik, który chyba był ogrodnikiem. Miał na imię Marek i potrafił podnieść jednocześnie dwóch rosłych mężczyzn – każdego jedną ręką. Był także kucharz, imieniem Rufus, i paru innych służących.

Wdowa Zenia prowadziła spokojne, samotne życie. Przywiązywała dużą wagę do utrzymania swego pięknego ogrodu i do stajni – uwielbiała dobre konie, a jej syn był znakomitym młodym jeźdźcem, który pewnego dnia zostanie wybitnym żołnierzem w armii wielkiego Karauzjusza. Sąsiedzi wiedzieli to z bardzo dobrego źródła – od samego ogrodnika Marka.

Trochę może ich dziwiło, że wdowa Zenia, dystyngowana i wciąż niezwykle piękna kobieta, tak często zmienia służących. Nie główną służbę, oni zawsze zostawali, ale pokojowych, pomywaczy i pomocników ogrodowych – kiedyś nawet szef policji w Verulam, Rutilo, zasięgnął w tej sprawie informacji. Wynik był chyba zadowalający, bo od tamtej pory Rutilo pozdrawiał wdowę z wielkim szacunkiem, kiedy spotkali się przypadkiem na ulicy. A właściwie co w tym dziwnego? Była dobrze urodzoną damą, każdy to widział, regularnie płaciła podatki nowemu poborcy na Via Capuana, a raczej Via Carausia, jak się teraz nazywała, a jej majordomus miał szczodrą rękę dla biednych. Poza tym nie popisywała się strojami i nie miała w domu niewolnic, poza dwiema starszymi kobietami, które jej służyły jako pokojówki... bardzo rozsądne, kiedy ma się syna w wieku szesnastu lub siedemnastu lat.

Mówiono jednak, że młodzieńca widziano parę razy z małą Minerwiną, której rodzice mieszkali w sąsiedniej willi. Zapewne czcze plotki... cóż, dziecko miało dopiero piętnaście lat i było słodkim stworzeniem z tymi swymi wielkimi oczami. Szkoda, oczywiście, że była z urodzenia Rzymianką, nie Celtką ani Frankonką, ale przecież to nie jej wina. W takich czasach rzymskie pochodzenie było raczej nieszczęściem niż winą. Wielu z nich myślało chyba, że cesarz rzymski może zażądać zwrotu Brytanii lub odebrać ją siłą, co oczywiście było bzdurą. Nikt nie miał takiej armii jak Karauzjusz, do tego z każdym dniem rosła w siłę. Frankowie, Fryzowie, Danowie wysyłali takie duże kontyngenty, że karauzjańscy oficerowie mogli wybierać najlepszych ludzi, a pozostałych odsyłać tam, skąd przybyli.

Wzdłuż wybrzeży budowano nowe fortyfikacje, a północna granica nigdy wcześniej nie była tak pilnie strzeżona. Handel również się poprawił po nieuchronnym zastoju w pierwszym okresie po inwazji.

A jeśli w czyichś sercach pozostały jakiekolwiek wątpliwości, rozwiało je imponujące zwycięstwo nad rzymską flotą. Rzymianom nie udało się wysadzić na brzeg ani jednego człowieka! Sami bogowie przyszli Karauzjuszowi z pomocą, ponieważ sztorm, niezwykły o tej porze roku, rozproszył cesarską flotę, ściganą przez zwycięskie okręty obrońców...

– Teraz nie ma się o co martwić – powiedział Hilary. – Widziałem się z Rutilo i rozmawiałem z nim ponad godzinę – nie jest człowiekiem, który stara się ukrywać to, co myśli. Nie ma przeciw nam żadnych podejrzeń. Traks i Boaldus nie żyją i nie powiedzieli niczego przed śmiercią. Cała nasza sieć jest praktycznie nietknięta. Inna sprawa, jak długo to się utrzyma.

Wdowa Zenia uniosła podbródek córki Coela.

– Utrzyma się, aż powróci mój mąż – powiedziała zdecydowanym głosem. – Cieszę się, że nie dałam pochopnie sygnału do ataku – to twoja zasługa, Hilary, nie moja.

– Byłaś przeciw mnie – uśmiechnął się Hilary – dopóki się nie dowiedziałaś, że to nie Konstancjusz dowodzi cesarską flotą. Może to dobrze, że tak wcześnie się o tym dowiedzieliśmy. Karauzjusz jest niestety wielkim człowiekiem.

Zaperzyła się.

– Nie lubię, kiedy tak mówisz, Hilary. Jest uzurpatorem, buntownikiem – skandalicznie wykorzystał okazję.

– Nie zgodzę się z tobą – padła spokojna odpowiedź.

– To było błyskotliwe militarne uderzenie. Nie nazywam go wielkim człowiekiem dlatego, że pokonał rzymską flotę. Jego własna flota była najlepszą, jaką kiedykolwiek mieli Rzymianie, a on był ich najlepszym admirałem... zanim zdecydował się podjąć własną grę. Nie jest wielkością pokonać drugiego w kolejności, jeśli samemu jest się najlepszym. A rzymska flota została zbudowana w wielkim pośpiechu i była źle dowodzona, jak powiedział legat Kurio. Ale popatrz, co zrobił Karauzjusz w ciągu tych paru lat u władzy. Chociaż jest najeźdźcą, sprawił, że zarówno go lubią, jak się go boją. Granica północna jest bezpieczna – Kaledończycy żywią zdrowy respekt. A flota jego imienia dociera nawet poza Słupy Herkulesa. On rządzi kanałem zupełnie suwerennie, a to oznacza rząd nad Brytanią. Nie, nie marszcz brwi, pani – wiem, że jest uzurpatorem, że musimy z nim walczyć i walczyć będziemy. Nie powinniśmy jednak umniejszać jego wartości – bo to oznacza umniejszanie naszego wysiłku i naszych własnych zasług.

– Zawsze sprawiedliwy, Hilary, prawda? – uśmiechnęła się Helena.

– Staram się, pani. Nauczyłem się tego w dobrej szkole. Westchnęła.

– Ojciec... umarł w samą porę. Coś we mnie pękło, Hilary, kiedy to się stało. Ale umarł w porę.

– Wierzę, że w jakimś sensie wszyscy to robimy – rzekł w zamyśleniu Hilary. – Zacząłem myśleć, że umieramy, kiedy wykonamy nasze zadanie. A to daje mi nadzieję.

– Co masz na myśli?

– Że wielkość Karauzjusza może być dla nas korzystna.

– Mówisz zagadkami.

Rozmarzone oczy Hilarego były na wpół przymknięte. Siedział naprzeciw niej – kiedy byli sami, często rezygnowała z etykiety, jaka obowiązywała w relacjach pani i służącego.

– Jego rządy są zbudowane na zbyt wątłych fundamentach – powiedział powoli. – Na jego własnej wielkości. To system jedynowładztwa. Nikt go nie zastąpi – jeśli umrze.

– Czemu miałby umrzeć?

– Umrze... kiedy nadejdzie jego czas. Ale nikt nie potrafi powiedzieć, kiedy to nastąpi.

– Chyba że – wtrąciła szybko – jego śmierć będzie wynikiem... wypadku.

Potrząsnął głową i uśmiechnął się.

– Wciąż ta sama szalona królowa – powiedział. – Bardziej Zenobia niż Zenia.

Też się uśmiechnęła. Rzeczywiście wybrała to imię dlatego, że było zdrobnieniem imienia królowej Palmyry.

– Nie myślałem o żadnej akcji z naszej strony – ciągnął. – Ale zdobywcy rzadko umierają we własnym łóżku. Musimy czekać i obserwować. Kurio na pewno jest już w Rzymie. Mamy swoją organizację – jest mała i nigdy nie będziemy w stanie wydać bitwy. Ale możemy sporo zrobić, kiedy Rzymianie tu przybędą. Mamy po swojej stronie chrześcijan.

– Nie mają wielkiej wartości bojowej, z tego, co zdążyłam zobaczyć – odrzekła, ściągając usta. – To głównie kobiety i niewolnicy, i nic w tym dziwnego – to religia dla słabych, nie dla silnych.

– Nie byłbym taki pewny – mruknął Hilary z oczami utkwionymi w podłogę. – Widziałem dziwne rzeczy... i znam trochę ich historię. Kiedy w coś wierzą, raczej za to umrą, niż się poddadzą. A wierzą we władzę i prawo. Nigdy nie powstaną przeciw legalnej władzy. Zawsze będą ją wspierać. I dlatego są po stronie Rzymu, nie Karauzjusza, którego władza nie jest legalna.

– Mogą się przydać, kiedy będziemy ich bardzo potrzebować – zgodziła się Helena.

Hilary skinął głową. Myślał o czasach, gdy mieszkali w lesie, daleko na Północy; kiedy Fawoniusz, on i Konstantyn zastawiali sidła na dzikie króliki, a żołnierze szukali jagód i gotowali zupę z dzikich ziół i grzybów. Niekiedy prawie głodowali. Ale było dwóch żołnierzy, którym zawsze jakoś udawało się zdobyć jedzenie z najbliższej wioski czy miasta, zwyczajnie o nie prosząc. Przez długi czas nie zdradzali, jak to robią, mimo ciekawości ich przyjaciół, ale w końcu się wydało – byli chrześcijanami i po prostu nawiązali kontakt z osobą wyznającą ich wiarę, która powiadomiła innych członków społeczności. Wzajemna pomoc zdawała się być ich zasadą. I mieli tajemne znaki, dzięki którym natychmiast się rozpoznawali. Pamiętał, że cała ta sprawa wydawała mu się dość niesmaczna. Nienawidził konspiracji przez całe swoje życie – a teraz zdawało mu się, że to było bardzo dawno temu. I było bardzo dawno temu – zanim poznał Albanusa. To zmieniało wszystko: czy się poznało Albanusa, czy nie.

– Miałeś ostatnio jakieś wieści od swego przyjaciela Albanusa?

Hilary ze zdumieniem podniósł wzrok. Potem się uśmiechnął.

– Czasami zapominam, że jesteś córką króla Coela – powiedział. – Tak, myślałem o nim. Myślałem, że to zmienia wszystko: czy się zna Albanusa, czy nie.

Potrząsnęła głową.

– Niedobrze jest pozostawiać sprawy bogom czy też Bogu, jak czyni twój przyjaciel. Trzeba rozwiązywać je samemu. Nie mam potrzeby poznawać Albanusa – ani nie sądzę, że to by coś zmieniło.

Z zewnątrz usłyszeli szybkie kroki i Konstantyn wpadł do pokoju jak wicher.

– Matko... Hilary... wielka nowina!

Matka spojrzała na niego surowo.

– Jesteś już mężczyzną, synu. Żadna nowina nie usprawiedliwia takiego wejścia.

Ciało młodzieńca zesztywniało i niemal zastygł w powietrzu. Pochylił głowę.

– Przepraszam, matko.

– No, już dobrze – co to za nowina?

– Karauzjusz zamierza przejść przez Verulam jutro po południu.

Jej oczy rozbłysły, ale głos brzmiał dość spokojnie, kiedy powiedziała:

– I co z tego? Nie przybywa, by zobaczyć się ze mną! Kto ci o tym powiedział?

– Stary Skapula... to znaczy Aulus Skapula. Dowiedział się tego od samego namiestnika. I teraz przygotowują ulice na jego przyjazd. Chciałbym zobaczyć, jak on wygląda, dobrze?

– Widziałeś się z Minerwiną? – padło twarde pytanie.

Twarz chłopca przybrała kolor piwonii.

– T-tak, matko.

Pokiwała głową.

– Pamiętaj, że jest córką ludzi wysokiego stanu – jeśli będziesz się z nią widywał zbyt często, to jej zaszkodzi. Zaczną się pogaduszki i plotki. Bądź dyskretny i pamiętaj, że o nas też nie wolno mówić. Nie, nie chcę teraz nic słyszeć. Przemyśl to. Zostaw nas samych, synu.

Był moment, pomyślał Hilary, kiedy Konstantyn naprawdę wyglądał jak mężczyzna. Ale przy niej nikt nie wygląda długo jak mężczyzna.

A kiedy spojrzał na jej twarz, wyczuł natychmiast bliskie niebezpieczeństwo. Nauczył się rozpoznawać znaki i rzadko się mylił. Nie myślała o Konstantynie i jego pierwszej miłości – to w jej pojęciu zostało już omówione. Myślała o czymś zupełnie innym. Pamiętał, jak niedbale przyjęła wiadomość o bliskiej wizycie Karauzjusza w Verulam: „I co z tego?".

Ona też myślała o przyjeździe Karauzjusza. Wspomniał swoje własne słowa – nikt nie zastąpi Karauzjusza, kiedy ten umrze. I nagle zrozumiał, że ona myśli o tym, jak Karauzjusz mógłby umrzeć...

Dwustu jeźdźców tworzyło straż przednią – ich zbroje, twarde napierśniki, wielkie tarcze, skrzydlate hełmy i długie kopie były w stylu frankońskim. Karauzjusz, o czym wszyscy wiedzieli, bardzo lubił Franków. Nawet ubierał się tak, jak oni, podobnie jak większość jego oficerów i strażników.

Ulice były obsypane kwiatami i wiele domów miało wywieszone w oknach dywany z małymi srebrno-niebieskimi herbami, w kolorach Karauzjusza.

Za jeźdźcami jechał lekki galijski wóz, otoczony przez pięćdziesięciu konnych strażników. Dalej następnych dwustu jeźdźców, a za nimi kolejny galijski wóz.

Młody człowiek w cieniu otwartych drzwi starannie wycelował – napiął cięciwę – i w tej samej chwili ścisnęła ją wielka dłoń, a znajomy głos powiedział:

– Nie warto, synku – poza tym to niewłaściwa osoba.

– Fawoniuszu – syknął Konstantyn. – Zostaw mnie... jesteś szalony. O bogowie, miałem go, miałem go jak na dłoni...

– Spokojnie, synu. Już za późno. Daj spokój, mówię. Chcesz, żebyśmy wszyscy poszli do więzienia, razem z twoją matką?

– Matka nie ma z tym nic wspólnego – mruknął młodzieniec. – Nie wiem, co cię natchnęło, żeby mnie szpiegować...

Potężny setnik uśmiechnął się.

– Kiedy z arsenału znika jeden z moich najlepszych łuków, i kiedy ty kręcisz się z miną człowieka, który nie potrafiłby skrzywdzić muchy, nawet gdyby chciał – cóż, to daje do myślenia...

Minął ich ostatni oddział jeźdźców, ale w tłumie wciąż byli agenci. Fawoniusz zamknął drzwi.

– To był cholernie głupi pomysł, synu – powiedział surowo. – Nic dobrego by z tego nie wynikło, czy by ci się udało, czy nie. A człowiekiem, w którego mierzyłeś, był Allektus, nie Karauzjusz.

– Czyż nie zasłużył na śmierć? – upierał się Konstantyn. – Jest zdrajcą, prawda? Nie zapomniałem, co próbował zrobić matce cztery lata temu – nawet jeśli ty tego nie pamiętasz.

– Kto go wtedy powalił? – zachichotał Fawoniusz. – Może nie dokończyłem roboty, ale przynajmniej żadna krzywda nie spotkała twojej matki z tego powodu. Gdybyś zabił go teraz, mielibyśmy tu już pełno żołnierzy, a czy potrafiłbyś obronić dom przed kilkuset mężczyznami? To był dziecinny wybryk, Konstantynie.

– Zabiłbym niebezpiecznego wroga cesarza.

– Za jaką cenę? Czy Allektus jest wart życia twojej matki? Teraz bądź rozsądny, chłopcze – to łatwe. Wielki żołnierz, którego znałem, zwykł mawiać: Wielkość polega na robieniu rzeczy koniecznych, nie popularnych.

Przez cały czas spoglądał na ulicę przez mały owalny otwór używany przez odźwiernego do sprawdzania, kto przyszedł.

– Karauzjusz siedział w pierwszym wozie – powiedział. – Myślę, że był dla ciebie za szybki; trudno byłoby też trafić go strzałą w środku wozu przy całej otaczającej go ochronie. To nie jest robota dla jednego człowieka – nawet jeśli w ogóle musi być wykonana. Ale nawet Karauzjusz...

Przerwał nagle i wziął głęboki wdech.

– Dobrze – powiedział niepewnym głosem. – Odłóż łuk na miejsce i skończ z tymi głupstwami. Wiesz, że nikomu nie powiem. Ale daj mi słowo, że nigdy więcej nie zrobisz czegoś podobnego.

– Dobrze – odrzekł ponuro Konstantyn.

Fawoniusz widział, jak się ociąga z odejściem. Kiedy znikł z pola widzenia, setnik otworzył drzwi i wyszedł. Zobaczył jeszcze ostatnią małą grupkę jeźdźców jadących stępa. Kilkunastu i... tak, trzej w środku byli rzymskimi oficerami...

Z okna na piętrze domu Helena obserwowała kawalkadę Karauzjusza, a Hilary obserwował ją.

– Głowa byka – powiedziała. – I szyja byka. Czy ojciec opowiedział ci historię Brengana, który był taki silny, że potrafił uciąć bykowi głowę jednym ciosem siekiery?

– Zastanawiam się – odparł Hilary – co by powiedział, wiedząc, o czym teraz myślisz.

– W drugim wozie jechał Allektus – ciągnęła. – To oznacza, że w pełni odzyskał siły.

– Teraz jest ważnym człowiekiem – odrzekł Hilary. – Głównym poborcą podatków. Niektórzy mówią, że to druga osoba w państwie. Ale nie jest wielki. A ja bym wolał, żebyś nie myślała o tym, co teraz.

– Czy ty nie jesteś czasami nudny, Hilary?

– To szaleństwo, pani. Nie należy tego robić. Z jakiej strony nie spojrzysz, to zawsze będzie morderstwo.

Odwróciła się.

– Jak śmiesz...

Hilary upadł na kolana.

– Przebacz mi, pani. Ale musiałem to powiedzieć.

– Wstań – rozkazała oschłym tonem. – Nie znoszę widoku mężczyzny na kolanach. Wolałabym jednak, żebyś nie nadużywał mojej cierpliwości...

Wstał powoli.

– Kiedy mamy wątpliwości, czy działanie, jakie podejmujemy, jest słuszne, czy też nie – powiedział swoim zwykłym jasnym głosem – powinniśmy starać się pomyśleć, co by powiedział na to najlepszy człowiek, jakiego znamy. A kiedy myślę o twoim ojcu... lub o Albanie...

– Albanie? To on jest teraz najlepszym człowiekiem, jakiego znasz, Hilary? Nie wiedziałam, że sprawy zaszły tak daleko. Jesteś chrześcijaninem?

Ku jej zaskoczeniu zawahał się. Czy to naprawdę możliwe, że on, Hilary, z jego bystrym umysłem, uczeń króla Coela, dał się omotać dziwnej nauce żydowskiego proroka? Słabe, niemądre kobiety i niewolnicy, z hierarchii i z natury – tak. Ale Hilary?

– Nie wiem – odrzekł Hilary. – Nie jestem jeszcze pewny. To bardzo trudne. Jest wiele rzeczy, których wciąż nie rozumiem. Nie widuje Albana wystarczająco często.

– A ja mam wrażenie, że widujesz go o wiele za często – wykrzyknęła. – A stosując twoją zasadę, Hilary – ciekawa jestem, co by powiedział na to mój ojciec!

Skinął głową z wielkim entuzjazmem.

– Ja też, pani. Myślę o tym od pewnego czasu. I może najbardziej na świecie żałuję tego... że król Coel i Alban nigdy się nie spotkali.

Wzruszyła niecierpliwie ramionami.

– Beznadziejne gadanie. Ja muszę myśleć o tym, o czym myśli mój mąż – o... sprawie, wobec której powinniśmy być lojalni. Myślę o Rzymie. Karauzjusz spędzi kilka dni w pałacu namiestnika. Wdowa Zenia z łatwością mogłaby uzyskać audiencję. Ty sam powiedziałeś, że jego rządy opierają się na nim samym. Jeśli coś mu się stanie, Rzym będzie...

Zobaczyła, że Hilary przykłada palec do ust.

W chwilę później wszedł niewolnik.

– Pani, ogrodnik chce się z tobą widzieć. Mówi, że to pilne.

– Wprowadź go.

Kiedy Fawoniusz wszedł, szeroko otworzyła oczy. Nigdy jeszcze nie widziała go tak bladego.

– Co się stało, Fawoniuszu? Nie stój jak słup. Mów, człowieku. Co się stało?

Ale on czekał, nasłuchując kroków niewolnika. Zdawało się, że upłynęła długa chwila, nim podniósł głowę, a jego głos brzmiał dziwnie ochryple, gdy powiedział:

– Widziałem grupę jeźdźców mijających nasz dom. Nie, nie w kolumnie Karauzjusza, tylko osobno. Wśród nich było trzech rzymskich oficerów w mundurach. Poszedłem za nimi.

– Rzymskich oficerów?

– Tak, pani. Legat i dwóch trybunów. Pozostali byli ze straży albo z dworu Karauzjusza.

– Dworu Karauzjusza – jakby ten łajdak był koronowaną głową!

Fawoniusz z wysiłkiem przełknął ślinę.

– Obawiam się, że jest, pani.

– Oszalałeś?

– Nie zdziwiłbym się, pani, gdyby tak było. Podszedłem do nich – nie mogłem się powstrzymać – i zapytałem, co tu robią. Nie byli jeńcami – nosili broń. Nie odpowiedzieli, ale jeden z dworzan rzekł: „Z drogi, psie. Ci szlachetni Rzymianie przybyli zawrzeć pokój z naszym panem i uznać go cesarzem Brytanii w imieniu Rzymu".

Helena nie odrywała od niego wzroku.

– To nieprawda – powiedziała głucho. – To nie może być prawda. On kłamał.

Fawoniusz jednak potrząsnął głową.

– Też tak myślałem, pani, i spojrzałem na legata, a legat się ukłonił...

– Rzym – powiedziała Helena. – Rzym.

– Ten dworzanin mówił to wszystko dość głośno – ciągnął Fawoniusz. – Chciał, żeby ludzie usłyszeli. Chciał, żeby zrozumieli, że Rzymianie mu się nie sprzeciwili. Tysiące już to usłyszały, nowina roznosi się po całym mieście.

– Karauzjusz, cesarz Brytanii – powiedziała Helena. – Uznany przez Rzym za cesarza Brytanii. Mój mąż na pewno nie żyje.

Fawoniusz miał łzy w oczach.

Najbardziej jednak cierpiał Hilary. On, dla którego Rzym znaczył niewiele, widział, jak smutek zamienia kobietę, którą kochał, w kamień. Tak, kochał. Surowa dyscyplina, jaką sobie narzucił, nie wystarczała już, by chronić go przed palącym, rozpaczliwym bólem. Nie mógł już dłużej się opierać. Kochał ją. A kochając, zagarniał jej ból z żarliwością ukochanego i czynił swoim własnym. Był jego – bez pocieszenia i nadziei.

KSIĘGA
TRZECIA
A.D. 294–296

Rozdział trzynasty

Cała Brytania była zajęta przygotowaniami do święta, jakiego nigdy wcześniej nie było – święta Siedmiu Lat.

Od siedmiu lat Karauzjusz rządził Brytanią – od trzech jako cesarz Brytanii.

We wszystkich miastach i miasteczkach odbędą się oficjalne programy uroczystości, przemowy i wieńce, bankiety i sztuczne ognie, przedstawienia teatralne i parady. I to wszystko miało trwać siedem dni i siedem nocy.

Możliwe, że jedynym budynkiem, w którym nikt nie zdawał się zwracać na to większej uwagi, był pałac w Londinium.

Wszyscy w mieście znali rząd okien na górnym piętrze lewego skrzydła, gdzie pracował cesarz. W ciągu dnia pałac był cichy i ponury, w nocy przez okna przeświecało przyćmione światło. Ale dzień czy noc – Karauzjusz był zawsze przy pracy.

Nie było nic dziwnego w tym, że główny poborca podatków miał audiencję na godzinę przed północą. Nie było też dziwne, że miał przyprowadzić ze sobą cały sztab – głowy różnych departamentów z wyższymi urzędnikami i doradcami.

Cała galaktyka krwiopijców, pomyślał Liudemar, przeciągając się trochę i krzyżując dłonie na rękojeści miecza. Dowódca gwardii przybocznej cesarza był Frankiem o wzroście sporo przekraczającym dwa metry. Wydawało się, że do uformowania jego ciała użyto ciał co najmniej dwóch mężczyzn. Zawsze nosił na ramionach skórę niedźwiedzia, zimą i latem, i Karauzjusz lubił żartować, że Liudemar zdjął ją z własnego ciała, by się trochę ochłodzić.

Szambelan Teudowik poszedł zaanonsować gości. On też był Frankiem, tak jak ponad połowa wyższych urzędników w pałacu. Karauzjusz nabrał szacunku dla swoich wrogów w ciągu lat, kiedy walczył z nimi na morzu – teraz tworzyli grupy uderzeniowe jego armii i floty oraz stanowili większość ochrony.

Liczby, pomyślał Liudemar i chciał splunąć, ale przypomniał sobie w porę, że cesarz zbeształ go za to w zeszłym tygodniu. Ciągle liczby. Dodawanie. Dzielenie. Spory zysk dla siebie i spory bałagan dla cesarza. Krwiopijca.

Tym razem myślał o samym głównym poborcy. Twarz jastrzębia. Sęp. Ważniak. Krwiopijca. Za każdym razem, kiedy wchodził zobaczyć się z cesarzem, stary człowiek wpadał w zły humor. Dziś sam miał wielu pomocników – może ich też potrzebował.

W masywnej czaszce Franka nie było wiele miejsca na intuicję, ale wystarczająco, by wyczuć, że kłopoty wiszą w powietrzu. Cały dzień był nieprzyjemny. Kiedy wstał rano, miecz wypadł mu z pochwy, a wszyscy wiedzieli, że to zły znak. Złożył ślub Odynowi – cielak, nie później niż w dzień po najbliższej wypłacie. Czasem to pomagało, czasem nie. Z Odynem nigdy nic nie wiadomo. Miał równie zmienne usposobienie jak Karauzjusz. Cóż, jego zmiana dobiega końca i jeśli coś się wydarzy, nie będzie to jego sprawa, lecz innych. Ale cesarz przez cały dzień był w złym humorze, jak wiązka pokrzyw.

Wrócił szambelan Teudowik.

– Cesarz chce się zobaczyć z poborcą sam – oznajmił.

Teudowik zajął miejsce obok Liudemara.

– Nie chciałbym dziś być na miejscu Allektusa – szepnął.

– W innym czasie też nie – odrzekł z pogardą Liudemar.

Teudowik ukrył uśmiech.

– Stary był w złym humorze przez cały dzień, jak wiesz – mruknął – ale jest znacznie gorzej, odkąd wszedł posłaniec.

– Który? Było ich tu kolejno z pół tuzina.

– Ostatni – z tajną odznaką. On to sprawił.

– Jaka była wiadomość?

– Nie mam pojęcia. Ale na pewno zła.

– Może Kaledończycy znów sprawiają kłopoty.

– Może. Cóż, stary się tym zajmie.

W czasie, gdy rozmawiali, Allektus podszedł do wielkiego biurka na końcu wielkiego pokoju, stanął na baczność i zasalutował.

Karauzjusz nie zwrócił na niego uwagi. Czytał list. Cesarz Brytanii wydawał się na pierwszy rzut oka podobny do Maksymiana. Ta sama krzepka budowa ciała, ten sam byczy kark i wystający podbródek pod brązową brodą. Ale na twarzy o grubych rysach malował się wyraz dziwnej melancholii, który bardziej niż cokolwiek innego sprawiał, że ludzie czuli się czasem nieswojo w jego obecności. Melancholii, która zdawała się mówić, że nic na tym świecie nie ma większego znaczenia – a na pewno nie ludzkie życie. Swego czasu, nawet całkiem niedawno, śmiał się tubalnie ze sprośnych żartów, pił przez całą noc i dzień, a następnej nocy wyruszał ścigać piratów, ciesząc się tym taką samą prymitywną radością, jaką odczuwał Liudemar. Zmienił się. Nie chodzi nawet o to, że się zestarzał czy zmęczył życiem. W wieku pięćdziesięciu dwóch lat był silny jak zawsze i z łatwością pracował po siedemnaście godzin na dobę. Nie uderzyło mu też do głowy, że Dioklecjan i Maksymian uznali jego cesarstwo i tytułowali go w listach „Augustem". Potrzebował ich uznania tylko z powodów politycznych, to wszystko. Nie dbał specjalnie o urzędowy ceremoniał.

A jednak to właśnie tytuł cesarza wywołał tę zmianę, ponieważ uświadomił mu, że człowiek w swej istocie jest sam. Do narodzin i śmierci, cesarstwo dodaje trzecią samotność, może bardziej przerażającą od którejkolwiek z tamtych dwóch, ponieważ dłużej trwa w świadomości.

Allektus czekał, wysoki, prosty i elegancki. Pomyślał, że przeczytanie krótkiego listu zajmuje cesarzowi dużo czasu. Nauczył się jednak odgrywać swoją rolę. Ile on naprawdę wie?

Zadawanie sobie tego pytania było bezcelowe. Nie miało znaczenia, ile wie cesarz. Plan był ustalony, nieodwołalny. Nic nie mogło go zmienić. W klepsydrze kończył się piasek.

Po dłuższej chwili Karauzjusz podniósł wzrok.

– Powiem krótko – rzekł swoim niskim, spokojnym głosem. – Mam ważniejszą pracę niż zajmowanie się tobą.

Źle, pomyślał Allektus. Bardzo źle. Ale nie szkodzi. Wyrzuć to z siebie.

– Zbyt wiele skarg – ciągnął Karauzjusz. – Mogę przymknąć na to oko przez krótki czas, jeśli dotyczą człowieka, którego lubię i któremu ufam. Nie mogę przymykać oka bez końca. Wziąłeś ze sobą połowę swoich ludzi – zupełnie niepotrzebnie. Przeprowadziłem własne dochodzenie.

– Wiem... panie – odrzekł Allektus.

– Wiesz? Tym lepiej? – Usta Karauzjusza wyrażały pogardę. – Podniosłeś podatki o jedną dziesiątą względem tego, co ci kazałem, i nie są zaksięgowane. Nie pytam cię, co zrobiłeś z pieniędzmi, ponieważ to wiem.

Allektus uśmiechnął się.

– Co z nimi zrobiłem, panie?

Karauzjusz podniósł masywną głowę.

– Stworzyłeś zalążek prywatnej armii – powiedział spokojnie. – Pięć tysięcy mężczyzn, których sam opłacasz. Zostaną rozbrojeni i wygnani z Brytanii w ciągu tygodnia.

– Tak? – zapytał Allektus. Jego przebiegły, krzywy uśmieszek był dla cesarza nie do zniesienia. Wstał.

– Zawsze byłeś głupcem, Allektusie, ale nie myślałem, że aż takim. Chciałem cię oszczędzić, lecz mi to uniemożliwiasz. Liudemar!

Zabrzmiało to jak ryk lwa.

Ale dowódca cesarskiej straży nie wszedł. Zamiast tego w przedpokoju narastał tumult. A Allektus wciąż się uśmiechał tym swoim nieznośnym uśmieszkiem.

Karauzjusz wreszcie zrozumiał. Jego ręka wystrzeliła w stronę małego stolika koło biurka, ale miecza nie było na zwykłym miejscu. Poczuł palący ból w boku. Z najwyższym zdumieniem spojrzał na wielką metalową gałkę wystającą z tuniki. Nie było jej wcześniej – co to może być?

Wtedy zobaczył, jak Allektus rzuca drugi oszczep, próbował uskoczyć w bok, ale nie mógł się ruszyć i poczuł uderzenie w nieosłoniętą zbroją pierś. Osunął się na krzesło z dwoma koronowanymi lwami.

– Kto jest głupcem? – zapytał łagodnie Allektus. Zbliżył się ostrożnie do ofiary, jak doświadczony myśliwy, którym w istocie był. – Zrobiłeś swoje, Karauzjuszu – powiedział, wciąż się uśmiechając. – Wstępna praca, jaką musiał wykonać ktoś twojego pokroju. Praca wojownika. Zrobiłeś ją dla mnie. A teraz ja ją przejmuję. Czas admirałów i generałów minął, zaczyna się czas mężów stanu. Naprawdę myślałeś, że próbuję cię oszukać na jedną dziesiątą, kiedy bez oszukiwania mogę mieć całość? Nigdy mnie nie doceniałeś...

Tumult na zewnątrz ucichł. Allektus wiedział, co to oznacza. Nawet Liudemar nie mógł pokonać sam pięćdziesięciu mężczyzn – a byli to najlepsi oficerowie, z mieczami ukrytymi pod płaszczami. Liudemar nie żył. Teudowik nie żył. A pięćset mężczyzn, w grupach po trzydziestu, pięćdziesięciu i więcej, schodziło się ze wszystkich stron do pałacu, aby się upewnić, że przekupieni urzędnicy nie cofną danego słowa.

Patrzył wciąż na umierającego cesarza i jakoś nie mógł się już dłużej uśmiechać. Nagle zrozumiał, dlaczego. Karauzjusz sam się teraz uśmiechał. Pierwszą reakcją Allektusa był strach – obejrzał się nawet przez ramię, jak gdyby uśmiech Karauzjusza mógł oznaczać tylko to, że nadchodzi pomoc, bezgłośnie, za jego plecami. Ale nikogo tam nie było, a z cesarza szybko uchodziło życie – każda z dwóch ran była śmiertelna. Dlaczego się uśmiechał? Może był już nieprzytomny? A jednak nie. Oczy miał wciąż otwarte i widać w nich było... coś jakby... ogromną wesołość. Wyglądał, jakby miał wybuchnąć głośnym, dudniącym śmiechem, który zatrzęsie posadami pałacu, miasta i wyspy. I jakby współczuł swemu zbitemu z tropu mordercy, biednemu człowiekowi, który nie rozumiał, że to wszystko jest wspaniałym, głośnym żartem, i trzeba mu to wytłumaczyć. Karauzjusz otworzył usta, by przemówić. Strumień krwi chlusnął na papiery i zwoje na biurku. Twarz cesarza zmieniła się w wykrzywioną, przerażającą maskę – popłynęło jeszcze więcej krwi, i jeszcze, a jego usta wyglądały jak spieniony szkarłat, a jednak wciąż się uśmiechał i teraz Allektus usłyszał jego głos, bardziej westchnienie niż słowo, ochrypłe i szydercze...

– ...głupcze.

Potem oczy Karauzjusza wpatrzyły się w wieczność, a jego głowa, szyja i ramiona znów opadły na wysokie krzesło.

Nareszcie, pomyślał Allektus. Odetchnął głęboko. Wygrał – mógł oddychać, a Karauzjusz nie. Wygrał. Nareszcie. Potężne ciało na krześle stało się żerem dla robactwa. Teraz w jego żyłach zaczynała krzepnąć krew.

Ale nawet teraz, tak, nawet teraz na martwej twarzy pozostał szyderczy uśmiech, wyraz największej i pełnej pogardy radości.

Allektus, przyciągany przez magiczną siłę, zbliżył się do ciała i zobaczył, że zmarły wciąż trzyma list. Nie był zmięty – a martwa ręka trzymała go tak, by mógł przeczytać, by tylko on mógł przeczytać.

I przeczytał tajemnicę, z twarzą odległą tylko o cal od martwego oblicza z zastygłym uśmiechem.

Krzyknął.

Drzwi otworzyły się natychmiast i wpadli do pokoju – trzech, pięciu, dziesięciu, dwudziestu jego ludzi. Czekali na wezwanie – dał im surowy rozkaz, by mu nie przeszkadzali w „ostatniej audiencji z cesarzem", nim nie usłyszą jego głosu.

Usłyszeli i od razu się zjawili. Stanęli jak wryci, tak nagle i gwałtownie, że powstało zamieszanie wśród tych, którzy znajdowali się za nimi, szczękanie zbroi, kilka przekleństw – i cisza.

Zastali Allektusa, tak jak on zastał Karauzjusza zaledwie kwadrans temu – z oczami utkwionymi w mały list trzymany w dłoni, czytającego go raz za razem.

W tym liście Rzym wypowiadał wojnę.

Rozdział czternasty

Sześćdziesięciu wyższych oficerów wstało, kiedy cezar wszedł do namiotu. Odpowiedział na ich pozdrowienie skinieniem głowy i zajął miejsce na czele rady wojennej.

Czterech chorążych przed namiotem świadczyło o tym, że Rzym tym razem nie szczędził wysiłków. Cztery regularne legiony stanowiły armię, a armia był niezbędna, by odbić Gesoriacum. Nawet oni, wraz z tysiącami pomocników, nie daliby rady, gdyby nie gigantyczny sojusznik, jakiego stworzyli w ciągu wielu miesięcy pracy.

Był tam, widoczny nawet z wejścia do namiotu, rozciągający się niemal po horyzont: największa grobla w całej historii wojen. Wiele razy myśleli, że nie uda im się tego przeprowadzić. Cezar jednak ich ponaglał, schlebiał im, groził i praca postępowała, nieugięcie, mimo setek kontrataków ze strony oblężonych karauzjańczyków – do dnia, kiedy grobla posłużyła swoim celom, odcinając karauzjańską flotę w porcie, który był jej twierdzą. W Gesoriacum raz za razem zwoływano radę wojenną i grobla była zawsze pierwszym punktem porządku obrad – odkąd zdali sobie sprawę z tego, w jakim celu rzymski generał ją zbudował. Stała się obsesją karauzjańczyków, olbrzymim wężem z kamieni, którego uścisk miał wydusić życie z nieszczęsnego miasta. Nie mogli, nie odważyliby się wysłać swoich statków z portu – wiedzieli, że czeka na nich rzymska flota, złożona z nowo zbudowanych statków. A główna siła floty Karauzjusza stała bezczynnie tam, po drugiej stronie kanału, w różnych portach wyspy Vectis. Tymczasem kamienisty wąż rósł i rósł, mimo ich wszelkich pomysłowych prób, by go zburzyć. Potem, gdy straszna grobla dosięgła samego wejścia do portu, rzymski generał zaatakował z całą mocą. I miasto upadło.

W ręce Rzymian wpadło mnóstwo materiałów wojennych, w tym ponad jedna trzecia karauzjańskiej floty, właściwie nienaruszona. A najeźdźcy natychmiast wzięli się do pracy przy statkach – uczynili je zdatnymi do żeglugi i pomalowali na kolor morskiej zieleni. Setki robotników całymi dniami mieszały farbę.

Cezar okazał niebywałą łaskawość. Wprawdzie większość karauzjańskich oficerów wysłano pod ścisłą strażą na południe Galii, ale niektórym pozwolił wstąpić do jego armii, a wraz z nimi żołnierzom wszystkich stopni, którzy tego chcieli. Pozostałych zmuszono do pracy. Trzeba było odbudować spalone domy, naprawić urządzenia portowe, oczyścić ulice z gruzu, bo rzymskie machiny oblężnicze wyrządziły wiele szkód. Ogromne transporty jedzenia przybywały drogą lądową, a cenę zboża ustalono na niskim poziomie, żeby każdego było stać na jego zakup. Wino też było tanie i dostępne w dużej ilości, a plądrowanie surowo zabronione. „To jest miasto Boskiego Cesarza Maksymiana. Plądrowanie go jest taką sama zbrodnią jak łupienie Mediolanu czy Rzymu".

Może ludzie z Gesoriacum nie staliby się tak szybko ludźmi Rzymu, mimo łaskawości cezara, gdyby Karauzjusz wciąż żył. Był on rzeczywistym cesarzem Gesoriacum na długo przed tym, nim stał się cesarzem Brytanii. Ale Karauzjusz nie żył, a nowy cesarz nie był dobrze znany. Wielu nigdy nie słyszało o Allektusie, nim nie dotarła do nich zdumiewająca wiadomość, że zabił Karauzjusza w otwartej walce i sam został cesarzem na jego miejsce.

Może imię Karauzjusza przyćmiłoby imię cezara, choć ten był naprawdę wielkim człowiekiem i zięciem samego rzymskiego cesarza. Mogli się obawiać powrotu Karauzjusza, bo on, jak wiedzieli, nie był łaskawy. Ale teraz Karauzjusz sam był cieniem. Gesoriacum stało się żarliwie rzymskie.

W namiocie legat Asklepiodot zameldował, że wszystko jest przygotowane. Statki były zdolne do żeglugi i w pełni obsadzone. Regularne wojsko otrzymało niezbędne uzupełnienia, podobnie jak jednostki pomocnicze.

Z ostatnich raportów od wroga wynikało, że spodziewa się desantu na wybrzeżu Cantium lub Regnum, prawdopodobnie koło Anderidy. Jego flota wciąż okrążała wyspę Vectis, gotowa uderzyć. Prądy były korzystne dla ataku, podobnie jak pogoda – morze lśniło gładkie jak lustro.

– Daj rozkaz, panie, a w ciągu dwóch godzin wypłyniemy.

Cezar jednak potrząsnął głową.

– Nie zgadzam się z tobą, że pogoda jest dobra. Twoje spokojne morze będzie nas kosztować pięć tysięcy hełmów i może zepsuć cały plan.

Asklepiodot, zdolny żołnierz, zrozumiał.

– Właśnie w taką pogodę wróg będzie się spodziewał, że uderzymy – powiedział cezar tak, by słyszeli go pozostali. – Zapamiętaj żołnierską zasadę – niespodziewane przybycie to połowa zwycięstwa. Nawet sztorm jest lepszy niż gładkie morze – ale najlepsza z wszystkiego jest mgła. Byłem w Brytanii dość długo, by wiedzieć, co oznacza mgła. Cóż, moglibyśmy praktycznie wylądować, zanim zostalibyśmy dostrzeżeni. Legacie Aureliuszu?

– Tak, cezarze?

– Chcę, by wniesiono na pokłady wszystkich statków beczki z farbą w kolorze morskiej zieleni. Jak tylko zostanie wydany sygnał do ataku, wszyscy ludzie na pokładzie muszą się pomalować cali na zielono: zbroje, tuniki, twarze i wszystko. To sprawi, że będą mniej widoczni i ocaleje wiele istnień. Legacie Asklepiodocie!

– Tak, cezarze?

– Poprowadzisz samodzielnie pierwszą eskadrę. Wszystkie statki stojące teraz u ujścia Sekwany są twoje. Popłyniesz na północny zachód, ominiesz wyspę Vectis i ląd w zachodniej części południowego wybrzeża, w rejonie Durotriges. Twoim zadaniem jest wyciągnięcie wroga – wroga, nie jego floty – na ląd. Chcę uniknąć bitwy morskiej. Ktokolwiek atakuje Brytanię, musi zrobić, co w jego mocy, by uniknąć bitwy morskiej. Mają bardzo dobrą flotę i doświadczonych żeglarzy. Jak tylko wylądujesz – spal swoje statki.

– Spalić je, cezarze?

– Spal je, powiedziałem. Przybywamy tam, by zostać. Chcę, żeby każdy żołnierz w twojej jednostce to zrozumiał. Zrób z nich piękne, wielkie ognisko. Im dalej będzie widoczne, tym lepiej. Ważne jest, by Allektus pomyślał, że ty jesteś główną siłą. Jeśli będziemy mieć szczęście, uwierzy w to i pospieszy na zachód, by cię odeprzeć. A ja wylądują dokładnie tam, gdzie się mnie teraz spodziewa – na Anderidzie. Muszę mieć Anderidę, to jedyny użyteczny port i mogę stworzyć regularną żeglugę między nim a Gesoriacum, by szybko przerzucać wojska pomocnicze.

Asklepiodot skinął głową.

– Znakomicie – powiedział. – Jakie mam rozkazy po spaleniu statków, cezarze? Mam wydać bitwę czy grać w kotka i myszkę, zanim on nie znajdzie się między nami?

Cezar lekko mu się ukłonił.

– Masz pełne dowództwo nad swoją eskadrą, Asklepiodocie. Zrobisz to, czego będzie wymagała sytuacja.

Oczy Asklepiodota zaiskrzyły się.

– To przyjemność służyć pod tobą, cezarze – powiedział.

Cezar uśmiechnął się i wstał. Kiedy wychodził, wszyscy stali na baczność.

Na zewnątrz czterech dowódców oddało mu honory.

Przyjął je i przeszedł koło nich. Sześciu adiutantów stanęło przed nim w szeregu. Spojrzał po raz ostatni z zadowoleniem na swoją wielką groblę i wsiadł na konia. Adiutanci zrobili to samo – młodzi mężczyźni, gorliwi i twardzi, wybrany owoc najlepszego wojskowego szkolenia na świecie.

W kwadrans później doszli do domu namiestnika, wcześniejszej kwatery głównej Karauzjusza.

– Moja żona? – zapytał krótko cezar.

Majordomus ukłonił się.

– Księżniczka czeka na cezara.

– Bardzo dobrze. – Zwrócił się do adiutantów: – Dziesięć funtów złota temu, który pierwszy zgłosi mi złą pogodę. Dwadzieścia temu, który zgłosi mgłę.

Uśmiechnęli się, pokazując wszystkie zęby. Uwielbiali go wszyscy, tak jak kocha się zwierzchnika. Był tego świadomy i to go zadowalało. Ale na jego twarzy pojawił się wyraz nieokreślonego smutku, kiedy szedł niespiesznie do pokojów, w których czekała na niego Teodora.

Rozdział piętnasty

Pergola nadal tam była. Trawnik zmienił się w pustynię, ale można było to naprawić. Dom stał nietknięty. To naprawdę było jak cud po tych wszystkich latach. Pozostała nawet większość mebli – może dlatego, że Allektus zażądał tej willi i otrzymał ją jako prezent od wdzięcznego Karauzjusza prawie dziesięć lat temu.

Prawie dziesięć lat temu...

Niewiarygodne. To było jak wczoraj.

Helena chodziła niespokojnie od jednego pokoju do drugiego, od jednego łańcucha wspomnień do następnego: tu był jej własny pokój – pokój, w którym marzyła o tym, co miało się zdarzyć; okno, przez które jej myśli wędrowały przez pola, rzeki i morze do Rzymu.

Wiedziała, że Allektus nigdy nie mieszkał w tym domu, choć miał tam paru służących. Może nie był dla niego wystarczająco duży – albo wolał się trzymać bliżej pałaców człowieka, który był wtedy jego cesarzem.

W ten oto sposób tylko jej własne myśli i wspomnienia zagnieździły się w ścianach i w kątach – to był jej dom, który znów brała w posiadanie. To było jej życie, które znów brała w posiadanie. Narodziła się na nowo, tak właśnie się stało. Odrodziła się do chwili, w której po raz ostatni otworzyła ramiona dla życia.

Dziesięć lat pomiędzy nie było prawdziwe. Wszystko, co się wydarzyło w ciągu dziesięciu lat między wyjazdem Konstancjusza do Rzymu a jego powrotem, zdawało jej się snem. Tu była ona, i dom, i ogród, i drzewa patrzące z powagą w dół na swoje cienie, tak jak ona z powagą patrzyła tego ranka w lustro.

Była wciąż młoda. Srebrne lustra nie kłamią. We włosach miała teraz pasemko siwych włosów – nieco z boku pukla na czole, który zawsze tak go zachwycał – mniej więcej szerokości palca, jak gdyby jakiś złośliwy duszek dotknął jej, kiedy spała, i wyciągnął tym dotknięciem życie z jej włosów. Ale to wcale jej nie postarzało. Miała zaledwie parę ledwo widocznych zmarszczek w kącikach oczu. A on może przyjechać wieczorem – albo nawet w nocy. Była tu tylko od paru godzin, ale pomyślała o tym przynajmniej kilkanaście razy. O nie, znacznie więcej. Roześmiała się cicho do siebie. Zawsze jej się spieszyło, taka już była.

Przyjazd tutaj, w obecnym stadium walk o odzyskanie Brytanii, był wręcz niewiarygodnym zuchwalstwem. Ale gdy nadeszły nowiny, że „cesarz" Allektus maszeruje na zachód ze wszystkimi swoimi wojskami, by odeprzeć rzymski atak, nie mogła dłużej czekać. Małe grupy oporu, które stworzyła na północy i wschodzie dostały sygnał, by działać samodzielnie – tak, jak będzie tego wymagała sytuacja. To było wszystko, co mogła im powiedzieć na tym etapie.

Ona sama z Konstantynem, Hilarym, Fawoniuszem, Rufusem i około dwudziestoma niewolnikami wyruszyła na południe. Nawet ostrożna natura Hilarego poddawała się jej energii. Najpierw odbył naradę wojenną z Fawoniuszem – stary pies wojny miał szósty zmysł, gdy chodziło o walkę i niebezpieczeństwo. Odkrył, że nawet cały legion nie powstrzymałby Fawoniusza przed działaniem. Wtedy się poddał. Gdyby natknęli się na wojska Allektusa, udawaliby zbiegów z rzymskiego ataku. Helena nadal byłaby „wdową Zenią".

Ona sama nie zważała na ostrożność. To był czas, na który czekała – nie miała wątpliwości, że Konstancjusz jest dowódcą, choć w ostatnich latach napływało bardzo mało wieści z Rzymu. Karauzjusz odizolował Brytanię od świata.

Nie miała żadnego dowodu – parę bardzo ogólnych plotek trudno było nazwać dowodem – ale nie miała wątpliwości.

Konstancjusz dowodził, a to oznaczało, że Allektus nie ma szans i jego ryzykowna, awanturnicza gra już się skończyła.

Jedna z plotek głosiła, że Gesoriacum poddało się Rzymianom – dotarła tuż przed wiadomością, że Rzy-

mianie wylądowali na zachodzie. To było trzy dni temu...
nie, cztery... rano po tej sztormowej nocy, po której zaległa gęsta mgła.

Wiedziała, że mgła przynosi jej szczęście. We mgle i dzięki niej spotkała Konstancjusza.

Kiedy Fawoniusz z niewiarygodnie szerokim uśmiechem powiedział: „Wylądowali pod osłoną mgły, pani" – błyskawicznie podjęła decyzję. Nie będzie czekać, aż rzymskie wojska znów zajmą Verulam. Pojedzie prosto na południe, na wybrzeże, by sama zobaczyć to na własne oczy.

– Będzie drugi desant, Fawoniuszu, znam mojego męża. Mówił mi często, jak zamierza najechać Brytanię – opracował cały plan. „Moim obowiązkiem jest obrona Brytanii – dlatego muszę starać się myśleć tak, jak potencjalny wróg próbujący ją zaatakować." Wciąż słyszę jego słowa.

Fawoniusz jednak nalegał na wybór okrężnej drogi. Za wszelką cenę musieli ominąć Londinium, bo tam mogli trafić na samego Allektusa, a on od razu by poznał, kim jest wdowa Zenia! Według pogłosek poszedł na zachód, ale nikt nie mógł być tego pewny – tak czy inaczej, było to zupełnie niepotrzebne ryzyko.

Spotykali jednak po drodze mnóstwo wojska idącego w kierunku zachodnim, jedni w regularnym szyku, inni bezładnymi, pomieszanymi falami jak barbarzyńcy, którymi w rzeczy samej byli.

– Ten człowiek jest szaleńcem – powiedział Fawoniusz, mając na myśli Allektusa. – Ogołaca cały kraj z wojska. Jeśli masz rację co do drugiego desantu, nie spotka się on z żadnym oporem.

– Konstancjusz – to słowo starczyło za całą jej odpowiedź. Była z niego tak dumna, że mogłaby płakać z tej dumy.

Ostatnie wrogie wojska minęły ich następnej nocy. Były mieszane, piechota i jazda, w większości Frankowie, z wielkimi drewnianymi tarczami i skrzydlatymi hełmami, śpiewający swoje ponure, gardłowe pieśni wojenne.

W dzień później doszli do wybrzeża. Nie było tu śladu drugiego desantu – w zasięgu wzroku nie znajdował się ani jeden żagiel.

– Nie szkodzi – przypłynie.

Żyli tu Kantowie, posępni i spokojni – wyraźnie nie wiedzieli, jaką postawę mają przyjąć. Nie było jeszcze wieści z zachodu, a potem nadeszły – i to jakie!

Allektus chciał zbyt gorliwie zbierać laury. Pospieszył ze swoim wojskiem na zachód w nadziei, że zaatakuje Rzymian, nim zbyt wielu z nich zdąży wylądować. Skończyło się tym, że przybył na pole bitwy praktycznie tylko z jazdą – piechota została daleko w tyle. Rzymski dowódca wykorzystał okazję i od razu zaatakował. Zamiast się wycofać w stronę zbliżającej się piechoty, Allektus podjął walkę.

Sygnały ogniowe oznajmiły wynik tej bitwy wzdłuż całego brytyjskiego wybrzeża... płonące dachy domów, słupy dymu unoszące się powoli znad podbitych wiosek, jak widmowe nogi olbrzymów, których ciała i głowy kryły się w chmurach, kroczących z zachodu na wschód. Allektus został pokonany. Uciekł. Nie, został zabity. Nie, został wzięty do niewoli przez ścigającą go jazdę. Jego wojska plądrowały teraz kraj, korzystając ze sprzyjających okoliczności.

To wtedy Helena postanowiła wrócić do willi, w której mieszkała dziesięć lat temu. Kiedykolwiek i gdziekolwiek nastąpi drugi desant, Konstancjusz będzie szukał jej tam, gdzie ją zostawił.

– Jadę tam, gdzie znajdzie mnie mój pan – powiedziała do Hilarego. – Nie mogę mu tego utrudniać.

Przybyli w nocy i zastali willę pustą. Urządzili się w niej najlepiej, jak mogli – i usnęli.

Przynajmniej mężczyźni spali, nawet strażnicy, których Fawoniusz postawił przy głównym i tylnym wejściu.

Konstantyn przez pewien czas dotrzymywał jej towarzystwa.

– Wiem, że nie jesteś ze mnie zadowolony, synu...

– Tak myślisz, mamo?

Pogłaskała jego ciemne włosy.

– Oczywiście – naprawdę myślisz, że nie wiem, co się dzieje w twojej głowie? Jesteś niezadowolony, ponieważ chciałeś sam trochę powalczyć, a ja ci nie pozwoliłam. Myślisz sobie: Teraz zawsze będę musiał mówić, że Rzym wyzwolił Brytanię, a ja, Konstantyn, nawet nie wyciągnąłem miecza, ponieważ matka mi nie pozwoliła.

Zaczerwienił się.

– A czy to nie jest prawda, matko? Mam prawie dwadzieścia dwa lata...

– Niedawno skończyłeś dwadzieścia jeden, ale nie będziemy się spierać o kilka miesięcy. Jesteś teraz mężczyzną, synu, a to oznacza jedno – ponoszenie odpowiedzialności.

– Właśnie, matko, ja...

– A jak byś osądził siebie – jak by osądził cię twój ojciec, gdybyś poszedł walczyć z małym oddziałem karauzjańskich wojsk, a w międzyczasie coś by mi się stało?

– Miałaś przy sobie Hilarego, Fawoniusza i jego ludzi, matko. To oczywiste, że nigdy bym ciebie nie zostawił bez ochrony.

Roześmiała się zadowolona.

– Zapytaj Fawoniusza. Powie ci, że nasza mała wyprawa była równie niebezpieczna jak wszystko, co mógłbyś przedsięwziąć sam. To prawdziwe szczęście – albo, z twojego punktu widzenia, wyjątkowy pech, że nie musieliśmy walczyć po drodze w tym czy innym miejscu. Pomyślmy, Konstantynie – co byś zrobił, gdyby twoje życzenie się spełniło?

– Poszedłbym na zachód – z kilkunastoma mężczyznami, z trzema... sam, gdyby było to konieczne. Spotkałbym rzymską armię...

– Nie spotkałbyś rzymskiej armii. Twoja droga na zachód prowadziłaby wzdłuż trasy wojsk Allektusa. Zostałbyś zabity, zanim byś zobaczył rzymski hełm. A nawet gdybyś się przedostał, spóźniłbyś się na bitwę. Tak, może miałbyś okazję zabić kilku wycofujących się karauzjańskich maruderów – niezbyt bohaterski czyn, mój Konstantynie, nie całkiem chwalebny start wojskowej kariery. Żaden powód do dumy...

– Rozumiem, o czym mówisz matko, ale...

Usiadła na leżance. Było bardzo ciemno. Mała lampa oliwna, którą znalazł dla niej Rufus – „to lepsze niż nic, pani" – rzucała na ścianę dziwne i wyolbrzymione cienie. Olbrzymka siedziała, rozmawiając ze swoim olbrzymim synem.

– Posłuchaj mnie, Konstantynie. Nie jesteś synem kulących się ze strachu plebejuszy, którzy wiedzą tak mało o życiu i śmierci, że woleliby dopuścić się haniebnego czynu niż narazić siebie lub swoje dzieci na niebezpieczeństwo. Jesteś szlachetnej krwi, ponieważ masz takich rodziców. Gdybyś był dowódcą... nie, gdybyś miał najmniejszą szansę zrobić coś znaczącego w tej bitwie, posłałabym tam ciebie, nawet wiedząc, że to oznacza moją pewną śmierć. Czy mi wierzysz, Konstantynie?

– Tak, matko – powiedział z powagą młodzieniec. – Wierzę, że naprawdę myślisz, iż mój udział w bitwie nie miałby żadnego znaczenia.

– Ale się ze mną nie zgadzasz?

– Tak, matko, nie zgadzam się. Nie pozostałbym sam, nawet gdybym wyruszył samotnie. Zebrałbym ludzi – trochę naszych, trochę starych legionistów z Dwudziestego w okolicach Spinae lub Calleva Atrebatum. Mówiono mi, że w samym Spinae jest ich ponad pięciuset. Odbierałbym broń wrogowi. Tak, wiem, że to dziecinne – bawić się w wojnę zamiast ją prowadzić – ale uwierz mi, że w ciągu trzech lub czterech dni mielibyśmy broń. A pięciuset uzbrojonych mężczyzn nękających uciekającego wroga może wyrządzić sporo szkody. Nie wydałbym oczywiście bitwy – tylko nękał ich atakami.. Spowolnił ich przemarsz. Dał ścigającym szansę, by dogonili szybszych.

– To szaleństwo! – krzyknęła. – Ale myślę, synu, że jesteś żołnierzem.

– Ja wiem, że nim jestem, matko.

Ukłoniła mu się lekko.

– Przepraszam cię – powiedziała. Jej oczy lśniły niewysłowioną dumą. Ucałował ją z czułością.

– Teraz musisz spać, matko. Jechałaś konno przez cały dzień – w twoim wieku. Musisz być bardzo zmęczona.

– Dobranoc, Konstantynie – powiedziała, skrywając uśmiech.

– Dobranoc, matko.

Młody olbrzym wyszedł, a ona została sama w domu pełnym wspomnień. Będzie dumna ze swojego syna. Wiedziała, że będzie.

Jutro musi zrobić porządek w domu – dziwna myśl, kiedy Brytania stoi w płomieniach. Wypielić ogród, posprzątać, znaleźć pokojówki, służbę...

A jeśli przejdzie tędy pokonana armia? Czuła jednak, że to próżna myśl, niewarta rozważenia. Allektus okazał się najgorszym typem dowódcy – impulsywnym, głupim, wręcz ignorantem. Pokonanie prawdziwego przywódcy w polu było czymś zupełnie innym niż spiskowanie przeciw niemu. Konstancjusz nazywał go głupim lisem. Może nie dojdzie do drugiej bitwy. Gdyby Allektus – czy kto tam teraz dowodził – wycofał się na północ, wojna mogła się przedłużyć. Nie mógł sobie jednak na to pozwolić. Musiał myśleć o swojej flocie koło wyspy Vectis.

Znowu próżna myśl. Kobieta nie powinna się bawić w generała. Stara kobieta – w oczach Konstantyna. „W twoim wieku, matko." Ale zachowała wszystko, co kochał w niej Konstancjusz – szczupłą sylwetkę i wciąż ładną twarz. Czy on się zmienił?

Może właśnie lądował... albo zrobi to jutro rano... nie, raczej w nocy. I to będzie koniec karauzjańczyków – zostaną wzięci w dwa ognie.

Wciąż widziała niekończące się kolumny maszerujących na zachód frankońskich żołnierzy, śpiewających ponure barbarzyńskie pieśni. Wyglądali na dzikich, nieokrzesanych i silnych – lecz nie na ludzi maszerujących ku zwycięstwu. Otaczała ich atmosfera niepewności – trudno powiedzieć, dlaczego. Byli jak wypływająca woda, jak fala biegnąca na brzeg – część wody wsiąknie w piasek, resztę zabierze z powrotem morze...

Przeczuwała to. A Rzym znów zaczynał należeć do niej. Rzym i Konstancjusz. Jaka szkoda, jaka wielka szkoda, że musieli wtedy uznać Karauzjusza – nawet jeśli tylko na czas potrzebny do zbudowania nowej floty. Ale taka jest historia. Jak małe wydawały się teraz jej własne wysiłki, jej drobne spiski na północy i wschodzie! Cieszyła się jednak z tego, co zrobiła... Potem pomyślała o Konstancjuszu.

Następnego dnia po południu nadeszła wiadomość o drugim lądowaniu. Przyniósł ją Fawoniusz, zasłyszaną od uchodźców przechodzących pobliską główną drogą z Anderidy do Londinium. Błysk podziwu w oczach starego żołnierza wprawił ją w dobry nastrój, ale odpowiedziała mu tylko powściągliwym uśmiechem. Wiedziała to przez cały czas, prawda?

– Dlaczego uchodźcy? – zapytała spokojnie.

Fawoniusz uśmiechnął się.

– To pierwszy strumyk – za kilka godzin będzie potężny strumień. Zawsze lepiej zejść z drogi armii – rzymskiej czy innej.

Uniosła brwi i wróciła do swoich prac porządkowych. Dom zaczynał nabierać kształtu – choć upłyną miesiące, nim ogród będzie wyglądał tak, jak przedtem. Hilary poszedł sprawdzić, czy dałoby się pożyczyć trochę naczyń z sąsiednich willi. Rufus nadzorował pół tuzina parobków pomagających przy sprzątaniu domu. Trzeba będzie oczywiście kupić wiele rzeczy, ale w takim zamęcie niedobrze byłoby posyłać kogokolwiek do Londinium. Nie było całkiem jasne, gdzie miało miejsce drugie lądowanie – może u samego ujścia Tamizy, a może bliżej Anderidy – albo w obu miejscach jednocześnie.

Cóż, Kantowie raczej nie stawią oporu – nie w ich obecnym stanie ducha. Byli prostymi ludźmi, od dawna przyzwyczajonymi do rzymskiego panowania – wielu z nich miało w żyłach rzymską krew. Ale przede wszystkim byli rolnikami i nie lubili, gdy ich zboże wdeptywały w ziemię maszerujące buty – obojętne, do kogo należały.

Nie obchodziła ich specjalnie idea Imperium – to było oczywiste. Nigdy go nie widzieli, najwyżej w postaci żołnierzy i poborców podatków. Pokój, jaki przynosiło od prawie trzech stuleci, zaczęli traktować jako oczywisty – zawsze tak się traktuje dobre rzeczy, kiedy trwają wystarczająco długo... Kantowie będą trwać przy swoich małych domkach.

Uchodźcy, o których mówił Fawoniusz, prawdopodobnie byli z miast, z Lemanae, Dubrae lub Anderidy. Niektórzy z nich mogli się bać, bo piastowali urzędy lub zbyt blisko współpracowali z reżimem Karauzjusza, a wszyscy bali się podpaleń i rabunków. Niedobrze być nadmiernym patriotą w tej kwestii – coś z tego zawsze się zdarzało w pierwszym szturmie najeźdźczej armii. A jednak w tych ludziach było coś budzącego odrazę – zwłaszcza w mężczyznach. To samo, co czyniło trwających przy swoim wieśniaków tak pozytywnymi. Oni byli po prostu żałośni. Widziała część z nich z małego pagórka na końcu ogrodu – nie musiała nawet wychodzić na drogę jak Fawoniusz – obszarpane istoty, wlokące się w pyle drogi, wozy ze skrzypiącymi kołami, ciągnięte przez woły, przez konie, przez samych ludzi. Był to przykry widok i w jakiś sposób ją ranił. Nastała godzina triumfu, wybawienia, zwycięstwa prawa – a ci ludzie ją psuli.

Odwróciła się plecami do drogi i poszła w stronę domu. Biedny ogród – to też ją bolało. Ale może tak jest lepiej. Konstancjusz nie powinien myśleć, że jej życie było proste i gładkie przez te wszystkie lata. Stwierdziła, że nienawidzi zwrotu „te wszystkie lata". Zdawał się budzić niepewne, blade światło w jej duszy, jak blask z butwiejącego drewna, a w tym świetle lata pomiędzy zdarzeniami same zdawały się rzeczywistością. To był czas, o jakim bardzo chciałaby zapomnieć, zniweczyć go, unieważnić. On opuścił ją wczoraj – wracał dzisiaj.

Ubrała się dla niego – nawet włożyła biżuterię. Musiała ubrać się sama – szkoda, że Hilaremu nie udało się znaleźć dla niej paru pokojówek. Konstantyn spojrzał na nią z takim szczerym zdumieniem, kiedy zobaczył ją rano, że musiała się roześmiać. Przez lata widział ją tylko w prostym ubraniu – to był jeden z powodów, dla których myślał, że jest stara. Ale matka zawsze jest stara w oczach dorosłego syna... każdego syna. Suknia była oczywiście stara – tylko bogowie wiedzieli, co się teraz nosi w Rzymie – ale najlepsza, jaką miała, i wcześniej włożyła ją tylko raz... na ostatni obiad z nim i Allektusem i biednym małym Gajuszem Waleriuszem, który zginął tak odważnie w kilka tygodni później.

Z nim i z Allektusem! Kto mógł wtedy przewidzieć, w jakich okolicznościach spotkają się znowu – jeden jako rzymski dowódca w polu, drugi jako cesarz barbarzyńskiego imperium, w ostatnim dniu swego panowania. Teraz była to historia – historia napisana przez Konstancjusza.

Weszła do domu. Przyjdź, pomyślała, z gwałtownością, która czyniła jej słowa niemal zaklęciem, przyjdź do mnie... przyjdź!

W dwie godziny później pierwsi rzymscy żołnierze przeszli drogą do Londinium. Fawoniusz naliczył dwie kohorty i wyciągnął z tego wniosek, że więcej wojska musi zdążać do Londinium innymi drogami.

Widok ich mundurów wprawił go w taki dobry nastrój, że chciało mu się krzyczeć z radości. Teraz przechodził następny oddział – wyglądał na mieszany – byli w nim jeźdźcy, piechota i kilka wozów galijskich. Setnik jechał na czele małej kolumny, która skręciła z głównej drogi w stronę willi.

Fawoniusz rozpromienił się na widok setnika.

– W Dwudziestym Siódmym zawsze byli kiepscy jeźdźcy – powiedział. – Myślę, że nie chcesz być wyjątkiem.

Oficer spojrzał na niego, a uśmiech Fawoniusza stał się jeszcze bardziej szeroki i promienny.

– Dobrze cię widzieć, stary. Mogłeś jednak przyjechać kilka lat wcześniej. Byłeś zbyt zajęty polerowaniem zbroi, co?

– Stać! – rozkazał setnik, podnosząc rękę. Był dużym, tęgim mężczyzną z podwójną blizną na policzku. Kolumna zatrzymała się. Znów popatrzył przenikliwie na Fawoniusza. – Który legion? – zapytał.

Fawoniusz głośno się roześmiał.

– Dwudziesty, oczywiście – powiedział. – Jak myślisz, gdzie jest – w Afryce?

Setnik w końcu też się uśmiechnął.

– Widzę, że nie straciłeś poczucia humoru – lepiej je trochę oszczędzaj. Dwudziesty, też coś! Dzieciaki, które Karauzjusz pożerał na śniadanie. Ciebie chyba uznał za niejadalnego. Mieszkasz tutaj?

– To jest dom legata Konstancjusza.

– Wiem. Teraz jest dla ciebie cezarem Konstancjuszem.

– Bracie – rzekł Fawoniusz – to najlepsza nowina, jaką mogłeś mi przekazać. Gdybyś nie był mężczyzną, do tego tak brudnym, a ja bym nie dbał o twoją reputację – ucałowałbym ciebie.

– Wolałbym zaszczytną śmierć – odrzekł sucho setnik. – Przybyliśmy tutaj, by zająć ten dom i jak najszybciej doprowadzić go do porządku.

– Chcesz powiedzieć, że on... że cezar tutaj jedzie?

– Może tu być lada moment. On nie podróżuje ślimakami na kołach, tak jak ja musiałem.

Fawoniusz potarł dłonie.

– Przyjacielu, nie wiem, skąd go zdobędę, ale dam ci kask falerneński, nawet gdybym miał go zwędzić samemu kwestorowi. Żona cezara jest tutaj, jak pewnie wiesz.

Setnik znów zmierzył go wzrokiem.

– Ja wiem – powiedział. – Ale skąd ty wiedziałeś, że ona tu przyjedzie? To miała być tajemnica! Tak czy inaczej, otwórz bramę, przyjacielu. Muszę się wziąć za robotę.

– Przyjedzie? – zapytał Fawoniusz. – Co znaczy „przyjedzie"? Ona już tu jest!

Setnik jednak odwrócił się do kolumny. Znów podniósł rękę, warknął komendę. Fawoniusz dał znak dwóm ziewającym niewolnikom, by otworzyli bramę i kolumna zaczęła się wlewać do środka.

W tej samej chwili zobaczył galopującego drogą Hilarego. Znalazł się przy bramie w chwili, gdy wchodzili nią ostatni mężczyźni, maszerujący za drugim transportem wozów, i zeskoczył z konia. Coś się stało – nigdy nie widział Hilarego w takim stanie.

Podszedł do Fawoniusza, ciężko dysząc.

– Co ci jest, człowieku, wyglądasz jak śmierć! Co się stało?

– Wszystko – wydyszał Hilary. – Te wojska tutaj – czy ona wie? Kurio tu jedzie – o, już jest. Musiał mieć bardzo dobrego konia, skoro mnie dogonił. Czy ona wie?

– Ale o czym?

Zanim jednak Hilary zdążył odpowiedzieć, zjawił się legat Kurio na czele grupy pomocników.

– Starzy przyjaciele, jak sądzę – powiedział ciepło. – Chciałbym polecić... – przerwał, widząc twarz Hilarego.

– Panie – rzekł Hilary – księżniczka Helena i jej syn są w domu.

Ku zupełnemu zaskoczeniu Fawoniusza stary legat zbladł jak ściana. I tak, jak wcześniej Hilary, zapytał:

– Czy ona wie?

Ale sam sobie odpowiedział:

– Oczywiście, że nie. Gdyby wiedziała, nie byłoby jej tutaj, prawda? Hilary, co robimy?

– Powiedz jej – rzekł Hilary. Oczy mu płonęły. – Ona przynajmniej ma prawo wiedzieć, nie sądzisz, panie?

Stary człowiek bardzo się zasmucił.

– Ty też nie wiesz wszystkiego, drogi przyjacielu. Oni tutaj jadą – oboje!

– Nie! – krzyknął Hilary. – Nie!

– To kwestia kwadransa, może nawet mniej – jęknął legat. – A ona... księżniczka... o niczym nie wie... nie potrafię...

– Ja to zrobię – rzekł Hilary, ale zachwiał się i pewnie by upadł, gdyby nie podtrzymał go Fawoniusz.

Stary legat wyprostował się

– To mój obowiązek – powiedział głosem, który miał brzmieć pewnie. – Zaprowadź mnie do niej.

– Przez wzgląd na stare dobre czasy – wyszeptał Fawoniusz – i na moją biedną głowę, powiedz mi, Hilary, o co w tym wszystkim chodzi?

– O najgorsze, Fawoniuszu. Pani będzie potrzebować... o, jest tam. Zaciśnij zęby, człowieku i módl się do tego, w co wierzysz – tak, jak nigdy przedtem się nie modliłeś.

Świat oszalał, pomyślał Fawoniusz. Cały świat definitywnie oszalał. Ale tak szanował Hilarego, że naprawdę pomyślał o Marsie Mścicielu, do którego modli się – a przynajmniej powinien się modlić – żołnierz odpierający atak silniejszego wroga, i nawet trochę o Największym i Najlepszym Jowiszu. Hilary patrzył na wejście do domu, jak gdyby się spodziewał, że uderzy w nie piorun albo zostanie zburzone przez trzęsienie ziemi.

W wejściu stała Helena. Nie widziała jeszcze Kuriona, Hilarego ani Fawoniusza – patrzyła na żołnierzy rozładowujących ciężkie wozy. Setnik, pilnujący rozładunku, rozpoznał w niej damę wysokiego rodu i grzecznie zasalutował, na co odpowiedziała wdzięcznym skinieniem głowy, nie odrywając wzroku od rzeczy, wielu magicznych rzeczy – dywanów, waz i wytwornych krzeseł inkrustowanych kością słoniową; sukien z chińskiego jedwabiu i z rzadkiej indyjskiej wełny barwionej fenicką purpurą; złotych pucharów i talerzy – wszystkiego, co żołnierze wnosili teraz do domu. Wyglądało na to, że pomyślał o wszystkim i wysłał to do willi ze swoimi żołnierzami, jak gdyby nie mógł się doczekać, kiedy zobaczy swój dom... ich dom... powracający do życia. Nie wspaniałość tych rzeczy, lecz to, że oboje pomyśleli o tym samym, poruszyło ją tak głęboko, że w jej oczach zalśniły łzy.

Potem zobaczyła żołnierzy stających na baczność i zwróciła rozpromienioną twarz w stronę ogrodu. Ale to nie był Konstancjusz, tylko Kurio, który szedł do niej ze złotym hełmem pod pachą.

Szybko ukryła rozczarowanie i posłała mu uśmiech, jakim obdarza się starego przyjaciela.

– Kurio – powiedziała. – Jesteś tu bardzo, bardzo mile widziany.

Dopiero teraz zauważyła, że ma twarz barwy popiołu i mocno zaciśnięte wargi. Czy był ranny? Chory? Ale jego oczy, utkwione w niej z dziwną intensywnością, nie domagały się uwagi dla siebie. To nie on był ranny, nie on był chory – tylko ona. Wpatrywała się w niego w milczeniu i poczuła powiew niebezpieczeństwa i czegoś gorszego niż niebezpieczeństwo. Jej dłoń powędrowała do serca. Nie mogła wydobyć głosu.

Zaniepokojony starszy mężczyzna skłonił się przed nią głęboko. Z łysiejącą głową okoloną siwymi kosmykami przypominał kapłana pochylającego się przed ołtarzem. Nie była boginią. Czy to oznaczało, że była ofiarą?

Podniósł głowę.

– Pani, przynoszę niedobre nowiny... czy możemy wejść?

Postąpiła ku niemu o krok.

– Mój mąż...

– Żyje i ma się dobrze – odparł Kurio. Odetchnęła z ulgą.

– Tylko to ma znaczenie, Kurio. Mów zaraz, co się stało?

Słyszała, co mówi, ale wydawało się to nie mieć żadnego sensu. Przez ostatnie lata nie miała kontaktu z Rzymem.... Nie jest świadoma zmian, jakie tam zaszły... najważniejszych, decydujących zmian, niezbędnych dla samego istnienia Imperium...

Nie, nie miała. Nie jest. O co w tym wszystkim chodzi?

Obaj cesarze, Dioklecjan i Maksymian, byli starymi ludźmi... czuli, że młodość i energia są najważniejsze dla wielu bieżących zadań i dlatego uznali, że należy podnieść do godności cezara dwóch mężczyzn, którym mogli te zadania bezpiecznie powierzyć. Tymi dwoma, podlegającymi tylko cesarzom, byli Galeriusz na Wschodzie i Konstancjusz na Zachodzie.

Konstancjusz na Zachodzie. Konstancjusz cezarem. Podlegający tylko cesarzom. Ogromna, ogromna władza. Czemu to ma być niedobra nowina?

Kurio mówił dalej i jego głos przeszedł w szept. To była wyjątkowa, nagła sytuacja... ona to rozumie, prawda? To się nigdy wcześniej nie zdarzyło. Dla cesarzy stało się niezwykle ważne, by ich pierwsi słudzy, niemal współwładcy byli z nimi związani szczególnymi więzami... silniejszymi nawet od najświętszej przysięgi: więzami rodzinnymi. Dlatego cesarz Galeriusz był zmuszony opuścić swoją poprzednią żonę i poślubić córkę cesarza Dioklecjana, księżniczkę Walerię.

Helena skinęła głową. W następnej sekundzie dotarło do niej, jaki cios spadnie na nią – słowo „opuścić" otworzyło przepaść. Na chwilę straciła panowanie nad sobą – wyglądała jak przestraszone dziecko. Ale gdy Kurio, myśląc, że zemdleje, uczynił gest, jak gdyby chciał jej pomóc, odsunęła się od niego, a jej ciało zesztywniało.

– Mów dalej, legacie Kurio – powiedziała.

Stary człowiek z trudem przełknął ślinę.

– Cesarz Konstancjusz także został zmuszony do... do zrobienia tego samego, by poślubić córkę cesarza Maksymiana, księżniczkę Teodorę.

– Tak – powiedziała Helena.

Otaczały ją wpatrzone w nią twarze. Żołnierze przestali rozładowywać rzeczy i patrzyli. Wpatrywał się w nią setnik. Nikt nie słyszał ani słowa z tego, co powiedział Kurio, ale wszyscy przeczuwali, że w powietrzu wisi coś strasznego. Fawoniusz, który w końcu zdołał wyciągnąć wszystko od Hilarego, rozglądał się wokoło, gotów zabijać. Ktoś musiał za to umrzeć, to było oczywiste. Hilary padł na kolana, modląc się do jakiegoś boga. Ale to był moment, w którym wszyscy bogowie odwrócili twarze, zawstydzeni tym, co stworzyli. Fawoniusz obrócił się na pięcie i wyszedł.

Konstantyn, pomyślała Helena. Nie może się dowiedzieć. Nie mogą mu powiedzieć...

Kurio miał za sobą prawie czterdzieści lat służby i zdążył posiwieć pod hełmem. Jednak ostatnie minuty wyczerpały jego odwagę. Nie mógł dłużej patrzeć na tę kobietę o twarzy białej jak śnieg. Wiedział jednak, że musi przekazać resztę wiadomości.

– Nie można było powiadomić cię o... tym, co się stało – powiedział ze wzrokiem wbitym w ziemię. – Wcześniej nie było sposobu, by przekazać wieści do Brytanii. Twój... cezar myśli, że jesteś w Verulam. Sam mu powiedziałem, że tam mieszkasz. Wybrał tę willę na kwaterę główną i właśnie tutaj jedzie...

Cofnęła się o krok.

– ...razem z księżniczką – ciągnął Kurio. – Mogą się tu zjawić w każdej chwili. – Teraz powiedział już wszystko. Kielich był pusty.

– Hilary – powiedziała spokojnym głosem Helena. Od razu się przy niej pojawił. – Przyprowadź mojego syna. Chcę wyjechać.

– Jestem tu, matko – odezwał się Konstantyn.

Kurio zobaczył, że stoi za nią. Musiał być w domu, pomyślał. Czy wszystko słyszał? Tak, na pewno. Stary legat znów się ukłonił.

– Jesteś tarczą swojej matki, Konstantynie.

– Wiem, kim jestem – odparł Konstantyn.

Fawoniusz pojawił się znikąd, razem z Rufusem. Prowadzili między sobą pięć koni.

Helena spojrzała na niego wzrokiem, którego nigdy nie miał zapomnieć.

– Widzisz, Kurio – powiedziała. – Jest jeszcze wierność na tym świecie.

Stary legat zaczął szlochać.

Wsiedli na konie.

– Baczność! – ryknął Kurio. – I cesarskie pozdrowienie!

Osłupiali adiutanci i żołnierze znajdujący się w ogrodzie stanęli na baczność i oddali honory.

Mała kawalkada powoli odjechała.

– Cesarskie pozdrowienie – mruknął jeden z adiutantów, młody trybun noszący nazwisko wielkiego rodu.

Kurio odwrócił się.

– Tak, Agryppo. Właśnie tak. Nie musisz tego zgłaszać. Zrobię to sam.

Głos trąbki w oddali zapowiadał przybycie cesarza.

Rozdział szesnasty

– Mój przyjaciel przybył zobaczyć się z tobą, pani – powiedział Hilary.

Kobieta w czerni nie poruszyła się, patrząc niewidzącymi oczami na szare dachówki domu naprzeciwko. Szare dachówki. Szare dachówki widziane przez okno. Te same dachówki. Ta sama ulica. To samo życie. Przyjaciel?

– Czego on chce?

– Zobaczyć cię, pani – powtórzył łagodnie Hilary.

– Nie chcę widzieć nikogo. Kto to jest?

– Albanus, pani.

– Albanus... – Zwróciła ku niemu głowę. Jej usta skrzywiły się w czymś w rodzaju pogardliwego uśmiechu. – Jakim głupcem jesteś, Hilary, myśląc, że mogłabym... Dobrze, wprowadź go, tego twojego Albanusa.

W jej oczach zamigotał groźny błysk. Widział to, ale tylko się ukłonił i wyszedł.

Chciała się z nim spotkać, z tym dziwnym człowiekiem, który zdawał się mieć silny wpływ na umysł Hilarego. Mężczyźni byli głupcami. Głupcami albo zdrajcami. Ten Albanus był głupcem. Zamierzała go pokonać na oczach jego ucznia.

Słyszała jego kroki. Teraz zobaczyła go w korytarzu – szczupła sylwetka, siwe włosy, prosty strój rzemieślnika. Jego pozdrowienie było pełne godności. Skinęła głową i dała mu znak, by usiadł. Kiedy stojący za nim Hilary zamierzał się wycofać, zatrzymała go krótkim gestem i pozostał tam, gdzie stał, jak zawsze w obecności osoby trzeciej.

Powinnam była kazać temu Albanusowi też stać, pomyślała. Nierozsądnie było proponować mu miejsce siedzące jak komuś jej równemu, ale już się stało. Ile miał lat? Sześćdziesiąt, może trochę więcej. Delikatne dłonie – pamiętała, jak Hilary mówił jej, że jest snycerzem. Cóż, nawet jego twarz wyglądała na wyrzeźbioną w drewnie – wydatny nos, szeroki podbródek. Ale oczy i usta miał łagodne, choć nie tak, jak Hilary. Niemal szkoda było miażdżyć tego delikatnego, podobnego do ptaka człowieczka.

– Cóż, Albanusie... spotykamy się w końcu.

– Nie chciałaś widzieć się ze mną wcześniej, księżniczko.

Uniosła podbródek.

– A dlaczego sądzisz, że teraz chcę?

– To nie jest twoje życzenie, księżniczko. To życzenie Boga.

Parsknęła śmiechem.

– Zawsze wiesz, czego chce Bóg, Albanusie?

– Tak, księżniczko. On zawsze chce dobra.

Poczuła bardziej niż zobaczyła uśmiech Hilarego i to ją zirytowało.

– Jeśli tak jest, ten twój bóg chyba nie jest zbyt potężny... Jego życzenia nie spełniają się zbyt często, prawda? Popatrz na świat!

– Trzeba rozróżnić dwie rzeczy – odrzekł spokojnie Albanus. – Życzenie Boga – i wolę Boga. On zawsze chce dobra, ale nie zawsze narzuca swoją wolę. Otrzymaliśmy naszą własną wolę i Bóg szanuje swój dar dla człowieka i nie chce go lekceważyć.

– To sprytne – odrzekła uszczypliwym tonem Helena. – W ten sposób twój bóg jest dobrze zabezpieczony, prawda?

– O tak – odpowiedział Albanus – ale my nie jesteśmy.

Poruszyła się nieco na krześle.

– Kim jest ten twój bóg – to bóg żydowski, prawda? Czemu uważasz, że ma władzę poza Palestyną i Syrią? Czy Żydzi nie uważali się za naród wybrany przez swojego boga? A jeśli to prawda, czy widzisz Rzymian lub Brytów zajmujących drugie i trzecie miejsce? Sam jesteś Brytem – dziwi mnie, że modlisz się do żydowskiego bóstwa...

– Żydzi stali się narodem wybranym przez Boga – wyjaśnił cierpliwie Albanus. – Było konieczne, by jeden naród niósł przez wieki prawdę o Jedynym Bogu... Jedynym, który może powiedzieć „JESTEM", ponieważ zawsze był, jest i będzie. A Żydzi zostali starannie wybrani – bo kiedy Żyd jest w posiadaniu prawdy, łatwo jej nie wypuści. Nieśli ją wspaniale – mały naród, otoczony przez wrogie plemiona modlące się do wielu bogów, Baala, Melkartha i Astarte, Nergala i Marduka czy jak się tam nazywali. Żydzi trwali przy Jednym Bogu, którego imię było dla nich tak święte, że nigdy go nie wymawiali. A ich święci mężowie, prorocy, przepowiadali, że pewnego dnia pomiędzy nimi narodzi się Chrystus... narodzi się z dziewicy... Ten, który przyjdzie zbawić świat przez swoje życie i śmierć.

Helena skinęła głową. Słyszała już tę opowieść.

– Chrystus – powiedziała sucho – „Pomazaniec"... wiem. Przyszedł – trzysta lat temu, jak sądzę – zebrał wokół siebie garstkę prostych ludzi i głosił naukę innym prostym ludziom. A na koniec wszedł w konflikt z prawem, władze aresztowały go i skazały na śmierć... chyba przez ukrzyżowanie...

Albanus wziął głęboki oddech.

– Tak, pani – powiedział. – Został ukrzyżowany – za ciebie!

– Za mnie! – wykrzyknęła Helena, szczerze wstrząśnięta i zniesmaczona. – Cóż za absurd, Albanusie.

– Za ciebie – powtórzył spokojnie stary snycerz. – I za mnie, i za Hilarego, i za twojego syna, za cesarza Rzymu i najnędzniejszego żebraka w jego imperium, za Germanów nad Renem i Negrów w Afryce. Za wszystkich ludzi, pani – także za tych, którzy jeszcze się nie narodzili – za niezliczone pokolenia, które nadejdą, a przy tym za każdego z nas z osobna. Widzisz, On zdjął z nas klątwę.

Zakipiała ze złości.

– Klątwę, też coś – jaką klątwę?

Stary człowiek pokręcił głową.

– Klątwę, z powodu której wszyscy cierpimy, pani. Kiedy ktoś z nas zrobi coś złego, często mówimy – z życzliwości, jak nam się wydaje – „cóż, to ludzka rzecz, prawda?" i jest to do pewnego stopnia słuszne – czynienie zła jest rzeczą ludzką. Jednak legendy i mity wszystkich ludów mówią nam o dawno minionej epoce, złotym wieku, kiedy ludzie nie czynili zła, kiedy na ziemi panował pokój i dobra wola... aż stało się coś, co zmieniło wszystko. Jest o tym mowa także w naszej Księdze. To był akt nieposłuszeństwa – akt, przez który odcięliśmy się od źródła szczęścia – i od tamtego czasu świat stał się taki, jaki jest...

– Bardzo poetycka legenda – rzekła pobłażliwym tonem Helena.

– Legendy to jedyne prawdziwe historie – odpowiedział Alban.

Odwróciła się.

– Kto ci to powiedział? – zapytała gniewnie. – Hilary? Przyznaj, że to był Hilary?

Stary człowiek wyglądał na szczerze zaskoczonego.

– Hilary? Nigdy nie rozmawiałem z nim o legendach, pani.

– On nic nie wie o twoim ojcu, pani – powiedział Hilary.

Dała mu ręką znak, by umilkł. Nie, ten stary nie wyglądał na pospolitego kłamcę. Ale o co mu chodziło? Nikt nie robi czegoś bez powodu. Czego od niej chciał?

– Nasi celtyccy bogowie – rzekła powoli – bywali czasem okrutni... pamiętam jednego, którego moi przodkowie zrobili z wikliny. Napełnili go życiem... ludzkim życiem: więźniowie lub niewolnicy zostali zakuci w kajdany i stłoczeni we wnętrzu boga. Potem ich tam spalono. Okrutne, prawda? Ale nie tak okrutne, jak okrutny jest twój bóg, Albanusie. Potępił całą ludzkość – z powodu nieposłuszeństwa paru ludzi w zamierzchłej przeszłości.

Alban westchnął.

– Kiedy ojciec zostaje uwięziony za popełnione przestępstwo – czyż nie cierpi cała rodzina? Kiedy plemię opuszcza swoje tereny łowieckie i wędruje przez pustynię, bo tak postanowiła rada starszych – czyż dzieci nie cierpią pragnienia tak samo jak starsi? Kiedy ludzkość postanowiła opuścić Boga, czyż nie było naturalne, że będą cierpieć, pokolenie za pokoleniem, dopóki nie znajdą drogi powrotnej do Niego? Człowiek jest jednym plemieniem, jedną rodziną, pani. Każdy mężczyzna jest Adamem, pierwszym narodzonym, a każda kobieta jest Ewą. Tylko jeden Mężczyzna nie był Adamem – i jedna kobieta nie była Ewą.

– Zagadki – Helena wzruszyła ramionami. – Kim oni byli? Małżeństwem?

– Matką i Synem – odrzekł Alban.

– Dwoje bogów?

– Jest tylko jeden Bóg, pani. Matka była kobietą, ale, jak sama powiedziała: „wszystkie narody będą mnie nazywać błogosławioną". Ponieważ dała życie – ludzkie życie – Bogu.

– To szaleństwo – stwierdziła Helena – ale piękne, jak poemat.

Stary człowiek mówił dalej, jak gdyby jej nie słyszał.

– To była największa rzecz, jaka kiedykolwiek się zdarzyła... znacznie większa niż samo Stworzenie – rzekł marzycielskim głosem. – Nigdy nie przestanie nas zadziwiać – to pieśń nad pieśniami – nie Salomona, lecz samego Boga. Dał człowiekowi wolną wolę, a przez to wolność wyboru – człowiek nadużył tego daru i upadł – ale Bóg stał się człowiekiem, żeby zmazać ludzką winę i sprawić, byśmy dojrzeli do prawdziwego życia. Uczestniczył w naszym człowieczeństwie, żebyśmy mogli uczestniczyć w Jego Boskości. Stał się człowiekiem z ciała i krwi – i to Jego krew, Jego święta krew została przelana za nas na krzyżu. Czy widziałaś kiedyś ukrzyżowanego człowieka, pani?

– Nie – odrzekła Helena. – Nie człowieka... – Zamknęła oczy.

– Nie ma nic bardziej jałowego od krzyża... – głos Albana przeszedł niemal w szept. – To straszna rzecz, drewno skrzyżowane z drewnem tak, by człowiek skonał w męczarniach. Ale pod dotknięciem Świętej Krwi jałowe drewno stało się Drzewem Życia...

Helena zerwała się z krzesła.

– Kim jesteś? Kto ci powiedział... to wszystko? Na cień mojego ojca, jeśli ze mnie drwisz...

Alban powstrzymał ją władczym gestem szczupłej dłoni.

– Jestem sługą Chrystusa – powiedział. – A Chrystus jest Bogiem. A Bóg jest Miłością. Jak mógłbym z ciebie drwić...

– Miłość – rzekła Helena. – Czy miłość jest twoim bogiem? Cóż, wtedy bym w niego uwierzyła – jak tyle innych głupich kobiet. Teraz... jestem mądrzejsza. Mówisz mi o szczęściu głupców, Albanie. Klątwa wciąż istnieje – twój Chrystus jej nie zdjął, uwierz mi. To, co mu się przytrafiło, zdarza się codziennie.

Po raz pierwszy Alban się uśmiechnął. Wyglądał teraz niewiarygodnie młodo – niemal jak dziecko.

– Masz sporo racji, pani – powiedział. – To się zdarza codziennie, chwała Bogu.

Jego słowa trafiły jednak w próżnię.

– Bóg miłości – rzekła drwiąco Helena. – On nie potrafi zdejmować klątw. On sam jest klątwą. Czyni z nas głupców i ślepców... szaleńców, dopóki rzeczywistość nie spojrzy nam w twarz jak Gorgona i nie obróci nas w kamień. Gdzie on był, ten twój bóg, kiedy zabito moją miłość? Gdzie był, kiedy mój syn stał się bękartem? Co zrobiliśmy – mój syn i ja – że to musiało nas spotkać?

Alban też wstał.

– Raduj się – powiedział – bo cierpienie zbliża cię do Boga. Podnieś swoje cierpienie w dłoniach i poświęć je jak żywą rzecz, jaką jest – nieskalaną ofiarę, jeśli twoja miłość była prawdziwa, to znaczy – niesamolubna. Jeżeli młot uderza teraz w twoją duszę, to znaczy, że jest ona ze szczerego złota.

Jej twarz pozostała jednak mroczna, a w oczach nie było życia.

– Twoje przesłanie nie jest dla mnie, Albanusie.

– Nie? – jego głos znów brzmiał bardzo łagodnie. – Dlaczego nie?

– Ponieważ nie mam już celu w życiu.

– A co było twoim celem?

– Miłość... i władza – odrzekła szorstko. – I nie odpowiem już na więcej pytań.

– Zatem to przesłanie jest dla ciebie – powiedział ze spokojem Alban. – I nie mogłaś usłyszeć go wcześniej –

bo do niego nie dojrzałaś. Możesz budować swój świat na fundamencie iluzji – iluzji, że obowiązkiem Boga jest uszczęśliwianie nas w dokładnie taki sposób, jaki nas zadowala; prosiłaś Go, by się dostosował do twoich wymagań, podporządkował swoją mądrość twojej.

– Nie wiem, czemu jeszcze tego słucham – wycedziła Helena przez zęby.

– Ponieważ jesteś dość dorosła, by znieść prawdę – padła spokojna odpowiedź. – Twój fundament był iluzją, dlatego się zawalił, kiedy stanęłaś wobec rzeczywistości. Dotąd kochałaś samolubnie – przez wzgląd na samą siebie i oczekując nagrody. Władzę też kochałaś przez wzgląd na siebie. Dopiero teraz nie oczekujesz niczego – teraz, kiedy straciłaś wszystko, zyskasz miłość... i władzę. Oddaj – a będziesz miała więcej, niż kiedykolwiek ci się śniło. Nie zatrzymuj niczego dla siebie, a będziesz bogata. To jest przesłanie. Niech pokój Naszego Pana będzie z tobą.

Kiedy opadła za nim zasłona, Helena odwróciła się do Hilarego. Otworzyła usta, by przemówić, ale kiedy na niego spojrzała, słowa nie napłynęły i nawet myśli skryły się w cieniu. Bo w twarzy Hilarego czy wokół niej zobaczyła coś, czego nie umiała nazwać w ludzkim języku. Nie był to jej wyraz ani spojrzenie; nie była to radość ani blask, ale widziała to, a widząc, wiedziała, że i on, i Alban umrą.

W małym domku w Verulam dni upływały bardzo spokojnie. Dla poczciwych obywateli miasta „wdowa Zenia" wróciła z podróży. Prawdopodobnie bała się rzymskiego najazdu, co wcale nie było takie dziwne – przynajmniej nie w tych pierwszych dniach, kiedy nikt naprawdę nie wiedział, co się wydarzy. Ale potem wojska cesarskie – prawdziwego cesarza Rzymu, oczywiście, nie tego nieszczęsnego awanturnika – zwyciężyły z łatwością w jednej bitwie. W ciągu paru dni rzymskie hełmy stały się widoczne wszędzie. Zwolennicy Karauzjusza kapitulowali, a nawet porzucali zbroje i odznaki, udając, że zawsze byli tylko spokojnymi obywatelami. Niektórzy karauzjańscy poborcy podatków uciekli z pieniędzmi, ale inni oddali je wraz z księgami rzymskim władzom, jak gdyby była to najbardziej naturalna rzecz na świecie. Nie przeszkadzało im w najmniejszym stopniu, że na monetach widniała głowa Karauzjusza. Przekazanie, albo raczej powrót władzy, odbywało się z łatwością, jaka byłaby nie do pomyślenia za życia Karauzjusza. Małe grupy dzikich Franków walczyły jeszcze przez kilka tygodni, ale nigdzie nie było zorganizowanego oporu. Z pewnością nie wśród Brytów, nawet tych, którzy uznali przewrót Karauzjusza dziesięć lat temu.

W tych okolicznościach było całkowicie naturalne, że wdowa Zenia powróci do życia w Verulam – ona i jej młody syn, którego znów widywano dość często w ogrodzie sąsiada Skapuli – z małą Minerwiną. Może między nimi było coś naprawdę poważnego... Stanowili ładną parę – on wysoki i dumny, o żołnierskiej postawie, ona jak leśna wróżka, drobna i wytworna, ze starej, dobrej rzymskiej krwi – czy mogło istnieć lepsze połączenie?

– Gdyby nie twój list – rzekła Helena – nie przyjęłabym ciebie, Kurio.

Stary legat skinął głową.

– Tak myślałem, pani – na szczęście mogłem napisać ten list. Naprawdę przybywam jako twój stary przyjaciel – nie jako czyjś posłaniec – i chcę, żeby to było zupełnie jasne.

Kłamał, oczywiście, i Helena wiedziała, że kłamie. Ale w jego liście rzucało się w oczy jedno zdanie: „Jako stary przyjaciel czuję, że mam prawo dzielić z tobą przynajmniej część twoich trosk – i twój mężny syn mógłby zyskać, gdyby jego matka uznała za stosowne porozmawiać o swoich planach ze starym oficerem jak ja".

Niewolnik przyniósł trochę wina – teraz spokojnie je sączyli.

Schudła, pomyślał stary legat. Schudła i... tak, postarzała się. Bardzo się postarzała. Księżniczka Teodora spałaby spokojniej, gdyby o tym wiedziała. Ale ja jej tego nie powiem.

Nie będę o nic pytać, myślała Helena. Hilary miał rację – trzeba było przyjąć tego starca ze względu na Konstantyna. Tak czy inaczej, Hilary tylko powiedział głośno to, co ja czułam. Ale nie będę o nic pytać.

Legat zaczął mówić o sytuacji politycznej. Powiedział, że Brytania bardzo szybko wraca do normalności. Nawet Kaledończycy uznali za stosowne wysłać do Eburacum ludzi, by zbadali sytuację. Było sporo planowania – wiele dużych miast należało przeorganizować, zamierzano też zbudować nadbrzeżne fortyfikacje. W Eburacum wrzała praca.

Patrząc na jej kamienną twarz czuł się coraz bardziej nieswojo. Jak wielu starych ludzi miał trudności z przejściem do sedna sprawy – tym większe, że wiedział, iż właśnie tego się od niego oczekuje.

Konstancjusz sprawiał wrażenie bardzo zmęczonego, kiedy widział się z nim w zeszłym tygodniu, w Domus Palatina.

– Postaraj się, Kurio. Jesteś jedynym człowiekiem, którego mogę wysłać z nadzieją, że zostanie wysłuchany.

On też wyglądał znacznie starzej. Ambicja to straszna rzecz. Może i cezar był półbogiem – ale śmiertelnik musi zapłacić wysoką cenę za to, by nim się stać.

– Nastąpiło też wiele zmian wojskowych – powiedział legat. – Armia wkrótce zostanie podzielona między trzech dowódców i działa już nowa nadbrzeżna służba zwalczająca przemytników...

Nagle zrobiło jej się strasznie żal mówiącego bez ładu i składu starego człowieka.

– Wystarczy o Brytanii – powiedziała łagodnie. – Sprawy polityczne i wojskowe przestały mnie interesować. Wspomniałeś jednak w liście o moim synu...

Przełknął ślinę.

– Tak, pani...

– Postarajmy się zrozumieć siebie nawzajem, Kurio. Mój syn jest w takim wieku, że sam podejmuje decyzje. Jednego nigdy nie zrobi... nie przyjmie protekcji... cezara. Jeśli więc masz coś takiego na myśli, możesz od razu o tym zapomnieć.

– Oczywiście, wiem o tym – zapewnił pospiesznie Kurio. – Tak jak powiedziałem wcześniej, przybywam tu całkowicie z własnej woli. Ale nie jest chyba twoim zamiarem trzymanie młodzieńca tej rangi i urodzenia tu w Verulam...

– Konstantyn nie ma żadnej rangi – przerwała mu kwaśnym głosem Helena.

– A powinien – odparł śmiało legat. – A co więcej, może ją mieć. To nie ma nic wspólnego z... cezarem. Cezar nie jest imperatorem, a Brytania nie jest Imperium.

Tak to się przedstawia, pani. Czemu nie pozwolisz mu wstąpić do armii na Wschodzie? Tam zawsze jest miejsce dla młodych oficerów. Mam teraz paru dobrych przyjaciół na dworze cesarza Galeriusza, którzy byliby zachwyceni, dając mu na początek mniejsze dowództwo – sądzę, że byłby trybunem. Umieszczenie jego imienia na liście jest prostą formalnością. Stacjonowałby w Bitynii, a może w Tracji, a moi przyjaciele czuwaliby nad nim i patrzyli, jakie robi postępy. Co o tym sądzisz?

Zamknęła oczy, by nie zdradzić ich wyrazu. Konstancjusz miał zatem taki plan – wysłać swojego syna na Wschód. Czy naprawdę życzył mu szczerze powodzenia? Czy... czy miał inne powody? Rację stanu, na przykład? Galeriusz był jego odpowiednikiem na Wschodzie, a dwaj imperatorzy, Maksymian i Dioklecjan, starzeli się. Krążyły nawet plotki, że zamierzają abdykować, a wtedy dwaj cezarowie zajęliby ich miejsce właściwie automatycznie. Kiedy to się stanie – jeżeli się stanie – a Konstantyn będzie na Wschodzie, w służbie Galeriusza, jaka byłaby jego pozycja? Może zakładnika? Tak, prawdopodobnie zakładnika. Konstancjusz na pewno rozumiał to równie dobrze jak ona. Czy chciał, żeby jego syn stał się zakładnikiem? Tamta kobieta dała mu już dzieci – czy próbował usunąć Konstantyna z drogi?

Po tym, co jej zrobił, było to całkiem możliwe. Nie! Nie! To nie było możliwe. Nie myślała tak jak on, lecz własną nienawiścią. A to była dla Konstantyna jedyna droga wyjścia. Nie chciałby i nie mógł służyć tu, w Brytanii, albo w Galii, która również była pod panowaniem Konstancjusza. Dla Konstantyna pozostawał albo Wschód, albo nic. Tu marnował tylko czas, biegając za drobną córką Skapuli.

Była miłą dziewczyną, ale jej syn nie powinien się wiązać tak wcześnie. Lepiej, żeby najpierw odnalazł swoją drogę.

Dla niej samej oznaczało to oczywiście zupełną samotność. W tej myśli tkwiła dziwnie przyjemna gorycz. Najpierw odszedł jej ojciec... potem Konstancjusz... teraz Konstantyn. Została pozbawiona wszystkiego, co nadawało jej życiu wartość. Co powiedział ten Albanus? „Teraz, kiedy straciłaś wszystko, zyskasz miłość... i władzę." Co za bzdury! Miłość... władza... te rzeczy przeminęły na zawsze. Był jednak jeden obraz, który ją prześladował... od dnia, w którym go ujrzała... obraz jej samej, Konstantyna i Hilarego, Fawoniusza i Rufusa, porwanych przez strumień uchodźców, kiedy opuszczali willę tuż przed przyjazdem Konstancjusza i tamtej kobiety. Stłoczona, spocona, kotłująca się masa nieszczęśników, blokujących drogi, uciekających przed realnym lub wyimaginowanym zagrożeniem, z pustymi oczami, spiętych, ogarniętych paniką. Taki był los tych, którzy się poddali i uciekli.

Przypomniała sobie, jak nagle poczuła, że sama jest jedną z nich, ona i jej syn... że oni też utracili wszystko i stali się niczym, że wszyscy ci biedacy byli niczym innym tylko symbolami jej samej i Konstantyna.

Dla niej nie miało to znaczenia. Ale Konstantyn...

Ona mogła siedzieć dalej w Verulam, prowadzić dom i rozmyślać. Starzała się i była tego świadoma.

Ale Konstantyn miał prawo do życia.

– Zapytam go – powiedziała po długim milczeniu.

Legat zamrugał oczami. Czekał cierpliwie – zdawało mu się, że usnęła, myśląc nad odpowiedzią.

– On powinien zdecydować – ciągnęła. – Jest pełnoletni – i ma własną wolę.

– Jest synem swojej matki – odrzekł Kurio i już w chwili, w której wypowiadał te słowa, czuł, że popełnia niebezpieczny błąd.

Nie darowała mu tego.

– Tak, teraz jest tylko tym, Kurio. Od niego zależy, czy to zmieni.

– Nie chciałem...

– Wiem. – Przywróciła mu spokój ducha bladym uśmiechem. – Zawołamy go teraz, dobrze? Zobaczysz, Kurio, że on też się zmienił. Jest bardzo... męski.

Wysłała niewolnika, by go poszukał. Minął prawie kwadrans, nim Konstantyn wszedł, wysoki, atletycznie zbudowany i z posępnym wyrazem twarzy.

– Chciałaś mnie zobaczyć, matko...

– Mamy gościa, Konstantynie.

Młodzieniec skłonił głowę.

– Znam legata Kurio – powiedział krótko.

Stary żołnierz poczuł, że nauczenie tego dobrze urodzonego młodzieńca reguł gry będzie pewnym wyzwaniem. Cóż, na Wschodzie mają paru dowódców, którzy wiedzą, jak z takimi postępować, a sam Galeriusz nie jest człowiekiem, który znosiłby głupie zachowanie. Widział, nie bez satysfakcji, że Helena również nie jest zachwycona nieuprzejmością swego syna i postanowił jej pozostawić rozpoczęcie rozmowy.

– Konstantynie, nasz stary przyjaciel Kurio był na tyle uprzejmy, by zainteresować się twoją przyszłością.

Młodzieniec nie zmienił wyrazu twarzy – tak, jakby matka powiedziała mu, że Kurio przyjechał po to, by zobaczyć, jaka pogodę mają w Verulam.

– Proponuje – ciągnęła Helena – byś wstąpił do armii na Wschodzie...

– Regularny legion albo nic – odpowiedział z miejsca Konstantyn. – Nie będę służył w żadnych wojskach pomocniczych. Jest osiemnaście legionów pod wodzą cezara Galeriusza...

– Dziewiętnaście – poprawił Kurio.

– Osiemnaście, panie – nie ustępował młody człowiek.

– Pierwszy, trzeci, siódmy, jedenasty...

– Pięć miesięcy temu utworzono nowy legion pod dowództwem Marka Licyniusza – odburknął Kurio. – Czasami my żołnierze mamy pełniejsze informacje od cywili.

Konstantyn przygryzł wargę.

– Przepraszam, panie.

Kurio mówił dalej:

– Brakuje młodych oficerów, jak sądzę. I przypadkiem dość dobrze znam Licyniusza. To mój stary przyjaciel.

Konstantyn ciężko oddychał, ale nie potrafił wydobyć z siebie słowa.

Kurio widział wyraz oczu Heleny i postanowił przyjść upartemu młodzieńcowi z pomocą.

– Czy mam napisać list do Licyniusza i polecić ciebie na stanowisko trybuna? – zapytał jakby od niechcenia. – Nie szkodzi, że twojego imienia nie ma jeszcze na liście – z łatwością tego dopilnuję.

– Jesteś... bardzo miły... panie. – Tych kilka słów zdawało się kosztować młodzieńca sporo wysiłku.

– A zatem w porządku – odrzekł stary legat, skrywając uczucie ulgi. – Napiszę do Licyniusza jutro – stacjonuje w Bitynii. I sądzę, że nie musisz czekać na odpowiedź tutaj w Brytanii, jeśli nie chcesz. Na twoim miejscu pojechałbym od razu do Bizancjum – w przyszłym tygodniu lub jeszcze następnym – i tam czekał na odpowiedź Licyniusza. Jest mało prawdopodobne, że mi odmówi.

Tylko Helena dostrzegła krótki moment zawahania, nim młody człowiek odpowiedział:

– Pojadę do Bizancjum za kilka tygodni, panie.

– Wspaniale! Wspaniale! – Kurio wstał. – Zostawię was teraz – powiedział łagodnie. – Zostanę w Verulam do jutra. Potem muszę wracać do Eburacum.

Na dźwięk słowa Eburacum matka i syn zesztywnieli, a Kurio zrozumiał, że popełnił błąd. Eburacum oznaczało Domus Palatina, a Domus Palatina oznaczało cezara Konstancjusza.

– Jestem wciąż w czynnej służbie – wyjaśnił spokojnie – chociaż mam niewiele do powiedzenia. W rzeczy samej, sądzę, że moje dni w Brytanii są policzone.

– Czy mogę zapytać o twoje plany na przyszłość? – powiedziała Helena z chłodną uprzejmością.

Stary człowiek uśmiechnął się smutno.

– Plany na przyszłość? Dobiegam siedemdziesiątki, pani, i przez ostatnie trzydzieści lat byłem legatem. Moje plany na przyszłość to sadzenie kapusty w małej posiadłości na wzgórzach sabińskich.

– Twoje nieszczęście, że jesteś uczciwym człowiekiem – rzekła Helena. – A dla uczciwego człowieka godność legata jest najwyższym szczeblem w karierze.

To były straszne słowa – nawet Konstantyn rzucił niespokojne spojrzenie na Kuriona. Ale stary legat tylko zasalutował w milczeniu i wyszedł.

Matka i syn zostali sami.

– On przyszedł od... niego – wyszeptał młodzieniec.

– On jest żołnierzem i musi wypełniać rozkazy – odrzekła Helena. – Ty też niedługo staniesz się żołnierzem, prawda?

– Tak, matko... ale nie...

– Wiem. Będziesz podwładnym cezara Galeriusza.

Galeriusz także opuścił swoją prawowitą małżonkę, by zostać cesarzem Wschodu. Wszyscy mężczyźni byli tacy sami. Tylko ojciec by tak nie postąpił... i Hilary... i tamten Albanus. Jaki był klucz do zrozumienia takich ludzi? Co zrobiłby Konstantyn, gdyby...

– Matko...

– Tak, Konstantynie?

– Jest coś, o czym nie wiesz, matko... i muszę ci powiedzieć o tym teraz...

Serce zabiło jej tak szybko, że się odwróciła, jak gdyby mógł to zobaczyć...

– Co takiego, Konstantynie?

– Ja... nie mogę odejść... tak po prostu.

Posłała mu mężny uśmiech.

– Musisz myśleć o swojej przyszłości, synu. To będzie...

Będzie ciężko bez niego – był ostatnią, najcenniejszą nicią wiążącą ją z życiem. Ale nie dokończyła zdania. Widziała jego twarz i wiedziała, że nie myśli o niej.

Drobne zmarszczki w kącikach jej ust pogłębiły się, nadając jej wygląd starej kobiety. Oczywiście, że nie myślał o niej.

– Myślę o swojej przyszłości, matko – odrzekł posępnie Konstantyn. – Chcę zabrać ze sobą Minerwinę – jako moją żonę.

Podniósł wzrok i zobaczyła na jego twarzy wyraz takiej determinacji, że lekko zadrżała.

– Kocham ją – powiedział syn Konstancjusza. – Nie utrudniaj nam tego, matko, dobrze?

– Nie – odrzekła bezdźwięcznym głosem Helena. – Oczywiście, że nie. Czemu jej do mnie nie przyprowadzisz?

Jego młoda, wyrazista twarz rozpromieniła się.

– Wiedziałem, że zrozumiesz, matko. To cudowna dziewczyna. Przyprowadziłem ją... czeka na dworze. Czy mam ją wezwać?

– Tak – odrzekła Helena z uśmiechem. – Wprowadź ją.

Wybiegł. Poczuła, że kurczowo ściska krzesło. Minerwina... Skapula... pochodziła z dobrej rzymskiej rodziny. Gdyby Konstantyn był synem Kuriona, byłby to dla niego optymalny wybór. Młody żonaty trybun, życie w garnizonie, stopniowy awans. Przy odrobinie szczęścia dostałby legion, za dziesięć lub dwanaście lat, został legatem. I pozostałby nim przez resztę swego życia. Dla uczciwego człowieka godność legata jest najwyższym szczeblem w karierze. Czyż sama tego nie powiedziała przed minutą?

Parsknęła śmiechem. To był koniec aspiracji, raz na zawsze. I dobrze! Tak było lepiej. Ten jeden raz ojciec się pomylił. Konstancjusz poślubił królewską krew Brytanii i nie okazała się wystarczająco dobra. Konstantyn zadowolił się wątłym dziewczątkiem. Co powiedziałby Konstancjusz, gdyby to słyszał? Może byłby zadowolony. Na pewno ona byłaby zadowolona – tamta kobieta. To by ją upewniło, że nic nie zagraża jej potomstwu ze strony pierwszego małżeństwa jej męża.

Konstantyn wrócił, z dziewczyną. Filigranowa. Ładne ruchy. Wdzięczny chód. Sposób, w jaki się ukłoniła, też był pełen wdzięku.

Nigdy wcześniej nie spotkała się z nią twarzą w twarz... w rzeczy samej, starannie tego unikała. Nie chciała aprobować tego... postępowania. Raz czy dwa zbeształa chłopca – Skapulowie byli zbyt dobrą rodziną, by flirtować z ich córką, ale nie dość dobrą, by wiązać się z nimi przez małżeństwo. Chłopiec jednak nie przestał się z nią spotykać.

A teraz ta kruszyna poślubi go i wyjedzie z nim na Wschód, by tam dzielić jego życie. Będzie miała na niego wpływ – tak, jak ma go teraz. To z nią będzie rozmawiał o swoich planach i z nią dzielił swoje radości i troski.

Teraz była tutaj. Trzeba na nią spojrzeć. Co wyraża jej twarz, co mówią oczy?

Helena spojrzała. W twarzy dziewczyny nie było triumfu – ani strachu. Stała sama, smukła, jasna i posłuszna w pełen godności sposób. Jej oczy odpowiadały na pytania starej kobiety, ale nie tylko – same też zadawały pytania. I nie prosiły o zgodę ani o ocenę – ani ich nie odrzucały. Mówiły własnym językiem – tęsknie i z pewnością siebie, która nie miała nic wspólnego z zarozumiałością. To właśnie ta pewność poruszyła Helenę bardziej niż cokolwiek innego. Dziewczyna nie miała jej siły – ani umysłu, ani ciała. A jednak miała w sobie tę pewność, wierzyła, że może przejść przez ogień i wodę, i nad chmurami, tak samo, jak po bezpiecznej ziemi. Wierzyła w to wszystko, bo chciała dawać i żyć przez dawanie.

Helena otworzyła ramiona, a dziewczyna od razu odpowiedziała na jej miłość. Była na nią gotowa, przyjęła ją zupełnie naturalnie. Miała delikatne, jedwabiste włosy.

Helena czuła bicie jej serca. Spojrzała nad jej głową na swojego syna. Konstantyn uśmiechał się szeroko i trochę głupkowato – odczuwał wielką ulgę. Matka wyraźnie ją polubiła, a jednak patrzyła teraz na niego w taki sposób... jak gdyby chciała go o coś zapytać. Nie, raczej jak gdyby skrzywdził Minerwinę, a ona robiła mu z tego powodu wyrzuty. Ale mężczyzna nigdy nie zrozumie, co naprawdę dzieje się w głowach kobiet.

KSIĘGA
CZWARTA
A.D. 303–306

Rozdział siedemnasty

Główna sala Domus Palatina była wypełniona przez barwne zgromadzenie – ponad trzystu oficerów, legatów, trybunów i setników pierwszej rangi, wszyscy urzędnicy dworu cezara i kancelarii, wszyscy kierujący administracją.

Wyczuwało się sporo nerwowego napięcia, ponieważ nikt nie wiedział, dlaczego zebranie zostało zwołane. Było oczywiste, że stało się coś ważnego, i krążyły pogłoski, że rano przybył specjalny cesarski wysłannik. Jednak nikt prócz samego cesarza nie znał żadnego szczegółu tej misji – oczywiście prócz jego sekretarza, Strabona, który zajmował się całą tajną pocztą między Eburacum a główną kwaterą cesarstwa. A Strabo był opłacany – bardzo dobrze opłacany – za milczenie.

Gdyby nie przybycie wysłannika, istniała możliwość, że księżniczka Teodora powiła kolejne dziecko. Była w tym dobra – w ciągu ośmiu lat małżeństwa pojawiło się ich na świecie już pięcioro. Ale teraz wieści były raczej polityczne. Mało prawdopodobne, że militarne – wojna perska została wygrana w ubiegłym roku i zarówno Dioklecjan jak i jego cezar Galeriusz spoczywali teraz na laurach w Nikomedii. A poza sporadycznymi incydentami na granicach, pokój panował także w zachodniej części imperium. Maksymian był na inspekcji w Afryce.

Tym razem nawet najtęższe umysły były w kropce; większość zebranych przeczuwała tylko z dużą dozą pewności, że nie zapowiada się to na dobrą nowinę. Dwór cezara był prowincjonalny, ale wciąż był dworem, a dworzanie są obdarzeni szczególnym instynktem wyczuwania wieści. W powietrzu wisiało niebezpieczeństwo.

Coś z natury tego niebezpieczeństwa stało się jasne zaraz po wejściu cezara. Towarzyszyli mu tylko Strabo i... Wellejusz, protonotariusz kierujący wydziałem prawnym, wysoki, chudy mężczyzna z łysą głową i profilem sępa. Czyżby nowe prawo?

Konstancjusz, blady i siwowłosy, przyjął pozdrowienie zebranych i usiadł. Jego tron był szerokim krzesłem z kości słoniowej, ze złotymi ornamentami. Reszta zebranych stała.

– Moi przyjaciele – zaczął cezar. – Dziś rano otrzymałem nowy edykt od naszego Boskiego Cesarza Dioklecjana, kontrasygnowany przez mojego wschodniego współrządcę, cezara Galeriusza. Protonotariusz Wellejusz zamierza teraz was z nim zapoznać.

Stary Wellejusz odchrząknął i zaczął odczytywać dokument, który sprawiał wrażenie bardzo długiego.

Samo wyliczenie tytułów cesarza zajęło trochę czasu – ale już w chwilę później cel edyktu stał się zupełnie jasny. Cesarz stwierdził, że nikczemne i zdradzieckie działania pewnej religijnej sekty, której bezbożność jest powszechnie znana i powoduje poważne wstrząsy we wszystkich częściach Imperium, stała się nie do zniesienia. Zwołał więc radę, złożoną z najdostojniejszych cywilnych i wojskowych urzędników państwa, a wnioski ze wspomnianej rady stały się podstawą dla niniejszego edyktu, który ma niezwłocznie wejść w życie we wszystkich prowincjach Imperium.

Stronnicy odnośnej sekty, nazywający siebie chrześcijanami od imienia swego założyciela, żydowskiego przestępcy, który został stracony za chwalebnego panowania cesarza Tyberiusza, próbowali utworzyć państwo w państwie. Nie uznawali rzymskich bogów i instytucji, odmówili oddawania czci Geniuszowi Cesarza i próbowali założyć coś w rodzaju własnej republiki, rządzonej przez ich przywódców, którym, jak twierdzili, są winni bezwzględne posłuszeństwo. Owi przywódcy, albo biskupi, jak ich nazywają, ustanowili własne prawa i mianowali swoich urzędników. Gromadzili dobra wspólnoty i używali ich do propagowania swojej doktryny. Należy stłumić ten ruch, zanim nie osłabią armii lub nie stworzą własnej siły militarnej.

Napięcie wśród zebranych teraz wyraźnie zelżało.

Większość z nich wiedziała, że edykt ich nie dotyczy, choć znali przynajmniej parę osób będących chrześcijanami.

Protonotariusz czytał dalej monotonnym głosem.

Dlatego Boski Cesarz postanowił podjąć surowe kroki przeciw tej sekcie i wydał następujące rozkazy: biskupi i prezbiterzy sekty muszą oddać urzędnikom wszystkie księgi i pisma, jakie znajdują się w ich posiadaniu. Urzędnicy pod groźbą kary śmierci mają spalić wspomniane księgi i pisma na publicznym rynku i w ich obecności. Wszelka własność kościoła chrześcijańskiego ma zostać skonfiskowana i sprzedana, a dochód przekazany do cesarskiego skarbca.

Osoby trwające w wierze i działalności sekty zostaną pozbawione prawa do sprawowania urzędu i zatrudnienia na państwowej posadzie; niewolnicy należący do chrześcijańskiej wspólnoty nie zostaną wyzwoleni; żaden chrześcijanin nie może iść do sądu, najwyżej jako oskarżony. I wszystkie kościoły sekty zostaną zburzone do fundamentów.

– Wydano w pałacu w Nikomedii – czytał Wellejusz. – W dniu święta Terminaliów w roku tysiąc pięćdziesiątym szóstym od założenia Rzymu.

Nastąpiła długa cisza.

Cezar wstał.

– Wysłuchaliście woli naszego Boskiego Cesarza – powiedział sucho. – Moja kancelaria sporządzi niezbędne rozkazy dla magistratów w Brytanii. Zanim nie będą gotowe, macie się powstrzymać od podejmowania działań na własną rękę. Mam nadzieję, że to oczywiste! Jest również oczywiste, że wykonanie cesarskich rozkazów musi się rozpocząć w moim własnym domu i administracji. Dotąd nie zwracałem uwagi na wierzenia religijne innych. Wygląda na to, że od dziś będę musiał. Wiem, że część z was jest zwolennikami wiary chrześcijańskiej. To musi być ciężki cios. Daję wam dwa dni na podjęcie decyzji, czy chcecie pozostać chrześcijanami, czy porzucić to niebezpieczne wyznanie. Chcę, żebyście się zebrali tutaj wszyscy pojutrze, o tej samej godzinie. Zostanie wzniesiony ołtarz ku czci Geniusza Cesarza i poproszę wszystkich obecnych o zapalenie kadzidła na jego cześć. Przyjaciele – wasz los jest w waszych rękach. To wszystko. – Kiwnął głową i opuścił salę.

Zebrani zaczęli się powoli rozchodzić. Prawie nikt się nie odzywał, ale na niektórych twarzach widniał smutek, niepokój, a nawet rozpacz. Inni się uśmiechali. Pojutrze zwolni się kilka ważnych stanowisk.

Cezar Konstancjusz wrócił do swojego gabinetu.
– Gdzie są tajne akta, Wellejuszu?

– Tutaj, cezarze.

Konstancjusz wertował je przez chwilę. Przy imionach osiemdziesięciu dwóch osób z jego domu i administracji widniał mały krzyżyk.

W czterdzieści osiem godzin później wszyscy zebrali się ponownie. Wielka sala wyglądała inaczej. Zbudowano ołtarz, nie dalej niż pięć kroków od hebanowego tronu cezara, i ukoronowano marmurowe popiersie cesarza. Rzeźba szczególnie mu nie schlebiała – rysy Dioklecjana pozostały pospolite, choć artysta starał się je uszlachetnić. Miał starannie ufryzowaną brodę – ale wyglądała, jakby pierwszy raz w życiu był u fryzjera.

Przed popiersiem, pośrodku ołtarza, stał mały trójnóg i naczynie z kadzidłem.

Cezar powiedział tylko kilka słów. Potem podszedł do ołtarza i wrzucił kilka ziaren kadzidła do trójnogu. Pasma dymu owionęły niewzruszoną twarz Boskiego Cesarza.

Wellejusz i Strabo poszli za przykładem cezara, po czym wrócili na swoje miejsca przy hebanowym tronie. Następnych w kolejności było sześciu gwardzistów stojących za tronem. Kiedy i oni wrócili na swoje miejsca, cezar znów przemówił:

– Niech wystąpią ci wszyscy spośród was, którzy wyznają wiarę chrześcijańską.

Zapadła grobowa cisza. Potem z tłumu zaczęła wychodzić grupa mężczyzn, powoli, jak obce ciała usunięte ze zdrowego organizmu: dwóch, trzech, dziesięciu... piętnastu... dwudziestu...

– Stańcie po tamtej stronie – rozkazał Konstancjusz. Jego twarz nie wyrażała żadnych uczuć, była niewzruszona jak popiersie na ołtarzu. Oficerowie różnych stopni, urzędnicy, wyzwoleńcy, niewolnicy domowi – po raz pierwszy w życiu stworzyli jedną grupę w domu cezara.

...trzydziestu... czterdziestu... pięćdziesięciu.

Zebrani patrzyli na nich z dziwną mieszaniną zgrozy i podziwu. Nikt jednak nie wypowiedział nawet słowa.

...sześćdziesięciu... sześćdziesięciu trzech... sześćdziesięciu czterech.

Konstancjusz zmarszczył brwi.

– Zapisz ich imiona – powiedział, a Strabo wykonał polecenie. Kiedy skończył, podał listę swemu panu, który porównał ją z inną.

– Brakuje osiemnastu imion – rzekł spokojnie. – Trybun Kwintus Sarto, setnicy Marek Niger, Lucjusz Pallio, Gnejusz Kalwiusz...

Kolejno odczytywał imiona. Tylko Strabo i protonotariusz Wellejusz wiedzieli, że jedno opuścił.

– Ci, których wyczytałem, utworzą drugą grupę – rozkazał cezar. – Obie grupy zaczekają, aż reszta zebranych odda cześć Geniuszowi Cesarza. Wellejuszu – notuj wszystkich, którzy to zrobią. Kontynuować.

Przez dłuższy czas spokojnie obserwował, jak mężczyźni jeden po drugim rzucają ziarna kadzidła do trójnogu. Dym zgęstniał.

Na koniec zostały tylko dwie oddzielone grupy.

Trybun Sarto wystąpił naprzód.

– Tak, trybunie?

– Chcemy oświadczyć, że porzuciliśmy wiarę sprzeczną z bezpieczeństwem i dobrobytem państwa, cezarze – oznajmił bezdźwięcznym głosem. – Jesteśmy gotowi złożyć ofiarę Boskiemu Cesarzowi.

Konstancjusz pokiwał głową.

– Więc to uczyńcie – rzekł krótko.

Ręka Sartona drżała, kiedy wrzucał kadzidło do trójnogu. Niektórzy rzucali spojrzenia z ukosa, ale nikt się nie odezwał.

Niger, Pallio, Kalwiusz i pozostali poszli za przykładem Sartona.

– Teraz grupa chrześcijan – zarządził cezar. – Trybun Flawiusz Rutilus złoży ofiarę.

Oficer wystąpił z grupy.

– Nie mogę tego zrobić, cezarze – powiedział. Zasalutował sztywno i cofnął się.

– Trybun Kajusz Windeks – rzekł nieporuszony cezar.

– Pozwolę sobie odmówić, cezarze – odparł grzecznie Windeks.

– Primipilar Marek Pryskus.

Był ogromnym mężczyzną, lecz miał zaskakująco łagodny głos.

– Mogę umrzeć za cesarza, ale nie będę go czcił, cezarze.

– Aquilifer Tytus Balbus.

Legionista sprawnie przyjął postawę zasadniczą.

– Napisano: „Oddajcie co cesarskie, cesarzowi, a co boskie, Bogu”.

Konstancjusz, który nie znał tej sentencji, czekał. Kiedy mężczyzna się nie poruszył, wywołał następne imię.

Po oficerach przyszła kolej na urzędników. Mieli w sobie mniej wojskowej sztywności, ale nie mniejszą determinację.

Stary, gruby Gubates, zarządca *hortii*, ogrodów pałacowych, płakał jak dziecko. Nie mógł wydobyć z siebie słowa, lecz energicznie potrząsnął głową. Miał na utrzymaniu chorą żonę i czworo dzieci.

Tuskus, starszy kelner, zawahał się. Był dobrym starszym kelnerem, a dojście do tego stanowiska zajęło mu dwadzieścia lat. Kiedy odczytano jego imię, zaszlochał i postąpił parę chwiejnych kroków w stronę ołtarza.

W tej samej chwili otworzyły się drzwi na końcu sali i wszedł legat Kurio. Wszystkie oczy zwróciły się na niego. Wiedzieli, że przez ostatnie dwa tygodnie był chory i leżał w łóżku. Nadal był chory.

Podszedł do tronu cezara, zasalutował, odwrócił się i... przyłączył do grupy chrześcijan. Zajął miejsce opuszczone przez Tuskusa.

Starszy kelner to zobaczył. Wydał ochrypły okrzyk, jak ranne zwierzę, odwrócił się i dołączył z powrotem do grupy. Kurio uśmiechnął się do niego i uścisnął mu dłoń.

Potem nikt się już nie wahał. Mężczyźni jeden za drugim wypowiadali słowa odmowy.

Na koniec zapadła cisza.

Cezar wstał.

– Dziękuję, przyjaciele – rzekł spokojnie. – To był naprawdę dobry sprawdzian lojalności. – Przez jego bladą twarz przemknął błysk rozbawienia. – Nie muszę mówić, że wszyscy, którzy nie należą do żadnej z tych dwóch grup, pozostaną na swoich stanowiskach. Zawsze wyznawali rzymskich bogów i Geniusz Cesarza – i robią to nadal.

Umilkł. Zebrani wyczuwali wielką wewnętrzną siłę tego mężczyzny w krótkim purpurowym płaszczu, jak i moc jego urzędu.

– Cesarz – podjął powoli Konstancjusz – na pewno chce wiedzieć, czy może polegać na wierności swoich poddanych. Taki naprawdę jest sens jego edyktu – i taki był sens tej ceremonii. A ja nie mogę wierzyć w lojalność tych, którzy są gotowi porzucić swoją wiarę, jeśli zagraża ich stanowiskom – i dlatego grupę wokół trybuna Sarto zwalniam niniejszym z mojej służby.

Przez salę przeszedł szmer. Trybun Sarto upadł na kolana i ukrył twarz w dłoniach. Zebrani wokół niego mężczyźni wyglądali jak rażeni piorunem.

– Ale ci ludzie – ciągnął cezar tym samym beznamiętnym tonem – udowodnili, że potrafią się oprzeć wszelkim naciskom, jeżeli stawką jest ich wiara. Tacy ludzie nie muszą składać ofiary Geniuszowi Cesarza – ich zwyczajowa przysięga na wierność, a nawet ich słowo, są dla mnie wystarczające. Oni pozostaną na swoich stanowiskach. Oficerów przeniosę do swojej gwardii przybocznej. Wiem, że przy nich moje życie jest równie bezpieczne jak honor cesarza. Ogłaszam koniec zebrania.

– Niech żyje cezar! – ryknął trybun Rutilus. Niemal wszyscy zebrani przyłączyli się do tego wybuchu entuzjazmu. Większość czuła, że to była dobra rozgrywka, że cesarz zagrał w sprytną grę i okazał sprawiedliwość.

Konstancjusz podniósł rękę. Kiedy ucichli, powiedział z bladym uśmiechem:

– Gdyby któryś z was nie zgadzał się z moim werdyktem i czuł się zmuszony napisać o tym do cesarza: jego adresem pozostaje pałac cesarski w Nikomedii. Napisałem mu wczoraj o swojej decyzji i posłaniec jest już w drodze.

Jego słowa zostały przyjęte ze śmiechem, w którym brzmiał szacunek. Konstancjusz skinął głową.

– Legacie Kurio!

Legat wyswobodził dłoń z uścisku Tuskusa – starszy kelner, cały we łzach, próbował ją ucałować – i wystąpił naprzód.

– Słucham, cezarze?

– Chodź ze mną, przyjacielu. Do mojego gabinetu. Wiesz, że nie powinieneś był wstawać... nie czujesz się jeszcze dobrze. Ten sprawdzian nie uwzględniał ciebie...

W gabinecie Konstancjusz odprawił Wellejusza i Strabona przyjaznym skinieniem głowy i wskazał Kurionowi miejsce na najwygodniejszym krześle.

– To było wspaniałe, cezarze – rzekł z powagą stary legat.

Konstancjusz roześmiał się.

– Też mi się podobało. Spróbuj tego wina – jest dobre: massyk prawie tak stary jak ty. Potrzebujesz tego. Cóż, przyjacielu, kiedy imperatorzy pogrążają się w szaleństwie, przynajmniej cezar musi zachować zimną krew.

Kurio obrzucił go badawczym spojrzeniem.

– Więc nie zgadzasz się z tym edyktem?

– To chyba oczywiste, Kurio. A jednak będę musiał go wykonać.

– Też tak sądzę – odparł znużonym głosem stary legat.

– Tak. Pewnie mogę go trochę nagiąć, jeśli chodzi o stanowiska dla mojej służby – mogę nawet wskazać swoje sympatie. Ale nic więcej i nawet to może być za wiele. Na szczęście mój czcigodny teść nie przywiązuje wielkiej wagi do wierzeń innych ludzi, a ja jestem bardziej jego cezarem niż Dioklecjana. A droga stąd do Nikomedii jest długa. Jednak rozkaz to rozkaz.

Kurio pokiwał głową.

– Obawiam się, że my dwaj zbyt długo byliśmy żołnierzami, cezarze.

Konstancjusz przymknął oczy.

– Ale nie jesteśmy zbyt starzy, by zmienić poglądy – powiedział, trochę poirytowany łagodną wymówką starszego mężczyzny. – Wiedziałem, oczywiście, że skłaniasz się ku chrześcijanom – ale co cię u licha podkusiło, by do nich przystąpić? Człowiek, którego przodkowie walczyli pod Zamą, Gergowią i Farsalos. Jakiś Kurio szturmował Jerozolimę, jeśli dobrze pamiętam...

– To prawda – potwierdził legat. – Tylko nie rozumiem, czemu to miałoby mnie powstrzymać od przyjęcia prawdy, kiedy ją poznałem.

Konstancjusz poruszył się na krześle.

– Prawda... prawda... jakbyście mieli szczególne prawo do prawdy. Rozmawiałem kiedyś z tymi... z ludźmi twojej nowej wiary, Kurio. Z tego, co zrozumiałem, to dość szlachetna filozofia, ale...

– To nie jest filozofia – zaoponował legat. – To jest zbiór faktów. Kiedy sobie to uświadomisz, musisz zgodnie z tym postępować. Ja tak zrobiłem.

– Zbiór faktów – powtórzył Konstancjusz. – Muszę powiedzieć, że wydało mi się to dość szokujące. Dopóki mówią: „jak chcecie, żeby ludzie wam czynili, podobnie wy im czyńcie", mogę to przyjąć; to mniej więcej rdzeń każdej przyzwoitej filozofii moralnej. Nawet kiedy mówią, że jest tylko jeden bóg, można się z nimi zgodzić – my mamy zbyt wielu bogów i zbyt mało prawdziwie wierzących. Może byłoby lepiej, gdyby było inaczej, choć tylko jeden to zbyt drastyczne ograniczenie, jak na mój gust. Nie potrafię sobie wyobrazić jednego boga, ponieważ nie wierzę, że Dobro i Zło mają to samo źródło.

– Jest na to doskonałe wyjaśnienie...

– Nie wątpię, nie wątpię – przerwał mu Konstancjusz. – Nie wchodźmy za bardzo w szczegóły. Są jednak dwa punkty, co do których nie mogę się z nimi zgodzić – i, szczerze mówiąc, nie rozumiem, jak ty możesz. To jest – wybacz mi – szalona wiara w boga, który stał się człowiekiem, dokonał wielu cudów, a na koniec nawet wstał z grobu. Sądzę, że w to wierzą prości ludzie z twojej... sekty, tak jak są prości ludzie, którzy wierzą, że Jowisz zmieniał się w byka albo złoty deszcz. Ty w to nie wierzysz, prawda, Kurio?

– Wierzę – odparł stary legat – i dobrze wiem, co sobie teraz myślisz. Myślisz sobie, że stary Kurio jest już naprawdę bardzo stary i nie potrafi racjonalnie myśleć. Na twoim miejscu pewnie uważałbym tak samo.

– Zadziwiasz mnie – rzekł Konstancjusz.

– W rzeczywistości – ciągnął Kurio – po prostu kieruję się w tej kwestii logiką. Tak, logiką. Jeżeli Bóg jest Bogiem, może czynić cuda. Jeżeli stworzył prawa natury, może je zawiesić.

– Ale po co?

– To już zupełnie inna historia, cezarze, i nie ma nic wspólnego z faktami. Jestem praktycznym starym człowiekiem – nie mam skłonności do spekulacji, a już najmniej do spekulacji odnośnie intencji i planów Istoty nieskończenie ode mnie wyższej. Interesują mnie tylko fakty.

Konstantyn zaczął bębnić palcami po stole z cytrusowego drewna, przy którym siedział. Drażniło go trochę, że ten drogi, wierzący w cuda starzec, robi mu dialektyczne wymówki.

– Ty sam nie widziałeś tych cudów – powiedział.

– Nie walczyłem też pod Farsalos ani nie najechałem na Jerozolimę w czasach Tytusa – wzruszył ramionami Kurio. – Ale czy to oznacza, że jestem naiwny wierząc w najazd na Jerozolimę?

– Ale, człowieku... to są fakty historyczne...

– Wiem. Właśnie o to chodzi. Tak samo cuda Chrystusa. Fakty historyczne. Zrelacjonowane przez naocznych świadków. Nie widzę powodu, dla którego miałbym wierzyć Józefowi Flawiuszowi, kiedy pisze o zburzeniu Jerozolimy, a nie wierzyć apostołowi Janowi, kiedy pisze o cudach Chrystusa. Nie mam najmniejszego powodu, by wątpić w prawdomówność któregokolwiek z tych autorów.

– Jesteś najbardziej irytującym logikiem! – wykrzyknął Konstancjusz. – Na pewno każdy może się dziś przekonać o tym, że Jerozolima została zburzona – są tam wciąż ruiny, choć część miasta została odbudowana. Możesz tam pojechać i zobaczyć to na własne oczy. Twoja analogia jest nonsensowna, przyjacielu.

– Jerozolima jest daleko – odrzekł z uśmiechem stary legat. – Gdybyśmy obaj próbowali przedstawić swoje sprawy przed sądem, ty byłbyś w znacznie gorszej sytuacji niż ja.

– Co masz na myśli?

– Cóż, ty byś powiedział: pojedź ze mną do Jerozolimy, dwa, trzy miesiące podróży morzem, i popatrz na ruiny. Ja z drugiej strony bym powiedział: zostań tutaj w Eburacum. Może twoje ruiny wciąż tam są... ale cuda Chrystusa są na pewno... a one nie są ruinami. Widziałeś starego Gubatesa, jak trwał przy swojej wierze w Chrystusa, chociaż wiedział – a przynajmniej był przekonany – że straci pracę. Ma w domu chorą żonę i nie wiem ile dzieciaków. Może zachować pracę, rzucając tylko parę ziaren kadzidła do starego trójnogu. I tego nie robi. Woli stracić pracę. Przyjacielu, ty możesz mi udowodnić, że Jerozolima leży w gruzach... ale ja ci udowodniłem, że cuda Chrystusa są żywe.

Oczy Konstancjusza zwęziły się.

– No dobrze – powiedział. – Może i czynił cuda. Może twój apostoł Jan jest równie wiarygodnym świadkiem jak Józef Flawiusz. Ale ja widziałem w swoim życiu wiele sprytnych sztuczek – czarodziejów i żonglerów, którzy robili najbardziej zadziwiające rzeczy. Widziałem jednego w Mediolanie, kilka lat temu... może twój Chrystus był czarodziejem... magikiem... nie wiem. Czemu miałby być bogiem?

– Bo On tak powiedział – odparł spokojnie Kurio.

Konstancjusz spojrzał na niego z najwyższym zdumieniem. Potem zaczął się śmiać.

– „Bo on tak powiedział." Cudowne. Mówię, że jestem bogiem. To znaczy, że jestem bogiem. A ty nazywasz to logiką!

– To bardzo dobra logika – uśmiechnął się stary legat. – Przeanalizuj to sobie sam, cezarze. Kiedy człowiek mówi, że jest Bogiem – ile logicznych możliwości to zawiera?

– Jedną. Jest szaleńcem.

– Nie zgadzam się. Istnieje także możliwość, że jest przestępcą – łajdakiem próbującym oszukać prostych ludzi.

– Prawdziwe i logiczne – zgodził się Konstancjusz.

– I trzecia możliwość – ciągnął Kurio – że mówi prawdę. Może fantastyczna, może najmniej prawdopodobna z wszystkich trzech – ale z punktu widzenia logiki jest to możliwość.

– Sam przyznałeś, że teoretyczna – uśmiechnął się Konstancjusz.

– Dlatego mamy trzy możliwości – pokiwał głową Kurio – a nie tylko jedną. Zadałem sobie trud przestudiowania życia tego człowieka, którego Żydzi nazywali Jeszuą albo Jezusem. Analizowałem to, co On powiedział. Przyjacielu, jeżeli to jest szaleństwo, nie chciałbym być nazywany normalnym! Niektóre z Jego słów mają taką głębię, że czułem się tak, jak tamtego dnia, kiedy po raz pierwszy zobaczyłem Alpy – wiesz, co mam na myśli. Inne są po prostu rzeczowe – dobre i uczciwe, a ty czujesz, że powinny były zostać wreszcie wypowiedziane. Nie, odrzuciłem tę możliwość. Kimkolwiek był ten Jezus, nie był szaleńcem.

– No i?

– Musiałem więc przyjrzeć się drugiej możliwości. Przestępca, próbujący omamić innych. Ale w takim wypadku musi być motyw. Nikt nie jest przestępcą tak po prostu. Co Jezus chciał przez to zdobyć? Pieniądze? Pogardzał nimi. Przez całe życie żył jak biedak. Kobiety? Nigdy nie dotknął kobiety. Władzę?

– Najprawdopodobniej.

– Niemożliwe. Proponowano Mu ją – Żydzi chcieli Go uczynić swoim królem. Byli gotowi, tysiące z nich, pójść za nim do walki. Odmówił. Powiedział, że Jego królestwo nie jest z tego świata. Znasz jakiś inny motyw? Ja nie. Dlatego nie był ani szaleńcem, ani przestępcą. Pozostaje zatem tylko trzecia i ostatnia możliwość – był tym, Kim mówił, że jest.

– Mądry stary logik – uśmiechnął się Konstancjusz. – Wszystko sobie przemyślałeś. Ale ja widzę czwartą możliwość.

Kurio oparł się na krześle.

– Masz umysł znacznie lepszy od mojego – powiedział. – Jestem bardzo ciekawy. Co to jest?

– Czwarta możliwość – rzekł powoli Konstancjusz – jest taka, że twój Jezus nigdy nie powiedział, że jest Bogiem! Powiedziało to tylko paru jego zwolenników. Widziałem, co się dzieje z wieściami przechodzącymi z ust do ust. Mówię tu i teraz, że przeprowadziłem pobór i mam pod swoim dowództwem trzy legiony. Jutro powiedzą w Galii, że mam pięć, w Iliricum, że dziesięć, a kiedy wiadomość dotrze do Nikomedii, będę miał dwadzieścia pięć nowych legionów, a to oznacza, że zamierzam podbić całe Imperium. Na pewno sam wiesz, co może zrobić plotka.

– Plotki to nie fakty – odrzekł uparty stary legat. – Nalegam, żebyśmy zajęli się faktami. A fakt jest taki, że ten Jezus został skazany na śmierć, ponieważ twierdził, że jest Bogiem. Został skazany za bluźnierstwo. Następny fakt jest taki, że Jego pierwsi uczniowie, Jego apostołowie, zostali skazani na śmierć, ponieważ twierdzili, że On był Bogiem i że sam to powiedział. Pisma, które każą ci spalić, zawierają kopie listów kilku pierwszych uczniów Jezusa i opis jego życia pióra czterech różnych autorów. Jeden z nich był uczniem samego Jezusa, inny uczniem ucznia, lekarzem z zawodu – miał na imię Łukasz. Teraz, kiedy ludzie umierają za ich wiarę, mogą być w błędzie, ale nie ma wątpliwości, że w to wierzą! I to rozstrzyga twoją czwartą możliwość.

Konstancjusz nie odpowiedział. Nie interesowała go specjalnie logika starego Kurio, ale był pod wielkim wrażeniem, że oficer w randze legata mógł się stać zdeklarowanym zwolennikiem tej dziwnej sekty. Wiele innych sekt przybywało ze Wschodu – ludzie na Zachodzie nie mieli dość wyobraźni, by sami coś podobnego wymyślić – a Rzym wchłaniał jedną po drugiej. Był kult Izydy, Mitry, nawet żydowskiego Boga, który nie miał żadnych posągów i którego imię nie mogło być wymawiane – ale wszystko to zaistniało w Rzymie jako przejściowa moda. Żaden rzymski legat ani trybun nie poświęciłby swego stopnia lub stanowiska dla Izydy czy Mitry. To było zupełnie co innego.

Może... może cesarz miał rację i to naprawdę było niebezpieczne?

Odchrząknął.

– Powiedziałem, że są dwa punkty, w których nie zgadzam się z twoją religią. Przedyskutowaliśmy tylko pierwszy.

– A jaki jest drugi?

– Kiedy chrześcijanie odmawiają złożenia ofiary Geniuszowi Cesarza – cóż, mogę to zrozumieć. Nawet Dioklecjan wie doskonale, że jest tylko człowiekiem. Przynajmniej mam taką nadzieję. To jest... powiedzmy, pewien upór, pewna przesada ze strony twoich... współwyznawców – w końcu wrzucenie odrobiny kadzidła do trójnogu nie czyni wielkiej szkody. Ale zostawmy to. Kiedy jednak chrześcijanie odmawiają służenia w armii... kiedy setnik Marcellus rzuca broń i oznajmia, że będzie służył tylko Chrystusowi, królowi królów; kiedy rekrut Maksymilian odmawia zaciągu i złożenia przysięgi na wierność...

– Nie zrobił tego.

– Znasz tę sprawę?

– Znam obie sprawy, cezarze. Marcellus i Maksymilian odmówili tylko tego, czego ja też dzisiaj odmówiłem. Odmówili popełnienia bluźnierstwa przez oddanie cesarzowi czci należnej tylko Bogu. Uwierz mi, można być chrześcijaninem i żołnierzem. Chrystus nie znosił przemocy, to prawda. Ale nigdy nie potępił żołnierskiego rzemiosła. Wypowiedział słowa najwyższej pochwały dla rzymskiego oficera – dowódcy naszego małego fortu w Kafarnaum. Nie, On nienawidził hipokryzji, zatwardziałości serca i występku. A nauczał o miłości i sprawiedliwości.

– Sprawiedliwość... – Konstancjusz poprawił się na krześle. – Z wszystkich bogiń Olimpu jej najtrudniej jest służyć. Nie podoba mi się ten edykt, Kurio. Wydam rozkazy, by łagodnie zająć się tą sprawą. To czysty nonsens burzyć doskonałe budynki. Nie wierzę też w palenie ksiąg i pism. Sprawiedliwość jest chłodna, z samej swojej natury. Nie ma nic wspólnego z paleniem.

– Jest jeszcze inna sprawiedliwość...

– Wiem. Nie mów tego. Nie wszystko, co zrobiłem w życiu, było sprawiedliwe. Nie przypominaj mi o tym. Nigdy ci wystarczająco nie podziękowałem za to, co zrobiłeś dla mnie pięć lat temu... w Verulam.

– Nie musisz mi dziękować – odparł z powagą Kurio. – Zrobiłem to dla niej – nie dla ciebie.

Konstancjusz roześmiał się z pewnym zakłopotaniem.

– Nikt nie mógłby cię nazwać hipokrytą, Kurionie.

– Mam nadzieję. I mam nadzieję, że twoje życzenie, by zająć się łagodnie tym okropnym edyktem, zostanie spełnione. Ale czy tak będzie? Mali przywódcy mają wspaniałą okazję, by popisać się władzą. Widzisz, ten edykt jest niesprawiedliwy – a ja się bardzo obawiam, że żadna łagodność nie może obrócić niesprawiedliwość w sprawiedliwość.

– Powinieneś się modlić do swojego Jezusa – powiedział Konstancjusz ze swoim bladym uśmiechem.

– Będę – odrzekł stary legat.

Rozdział osiemnasty

Lekki galijski wóz pędził drogą do Verulam.

Helena zbudziła się i lekko zadrżała. Robiło się chłodniej – liście w lesie ojca zmieniły barwę na brązową i wiele z nich pokrywało jego ulubiony kamień, pod którym zgodnie ze swoim życzeniem został pochowany. Spędziła tam cały dzień, zupełnie sama, tak jak to robiła co roku.

Był ostatnim królem Trynobantów, dla niej bardziej ojcem niż królem. Nie potrzebował następcy – wojownicze niegdyś plemię uspokoiło się, a rzymska administracja nie była taka zła. Może sama nazwa Trynobantów niedługo zniknie – ale król Coel nie miał zostać zapomniany. Długie procesje odbywały pielgrzymki do jego grobu. Wielu mówiło, że wciąż czuwa z daleka nad losami kraju, a niektórzy nawet się do niego modlili, jak do opiekuńczego ducha tej krainy. Miasto Camulodunum powiększyło się i obejmowało teraz starą siedzibę rzymskiego obozu wojskowego – Coel Castra. Mówiono, że tak powinno się nazywać całe miasto.

Może kiedyś tak się stanie. Ważniejsze było jednak, że pamięć króla Coela trwała w sercach ludzi.

Helena nieraz myślała o tym, by zostawić mały dom w Verulam i wrócić do Camulodunum. W lesie ojca czuła spokój – a z Verulam wiązały się tylko bolesne wspomnienia. Ale wtedy musiałaby wrócić do swojego imienia i pozycji, a tego nie chciała robić. Poza tym Hilary był szczęśliwy w Verulam, gdzie mieszkał jego Albanus. Gdyby tylko zachowywał większą ostrożność w tej swojej działalności chrześcijańskiej. Kiedy osiem miesięcy temu wyszedł edykt cesarza, dokonano wielu aresztowań, a rząd skonfiskował kilka domów, w których chrześcijanie spotykali się i odprawiali religijne ceremonie. Teraz trochę się to uspokoiło, ale mogło znów wybuchnąć w każdej chwili – kiedy działo się źle, chrześcijanie byli dla miejskich władz wymarzonym kozłem ofiarnym.

Najgorsze było chyba to, że chrześcijanie zostali praktycznie wyjęci spod prawa – mogli być oskarżeni, ale sami nie mogli oskarżać. Co oczywiście oznaczało, że byli oszukiwani i łamano ich prawa. Nawet jeśli byli ludźmi zabobonnymi, nietolerancyjnymi wobec innych wyznań i złymi obywatelami, takie traktowanie, masowe i bez rozróżnienia, było złe i niesprawiedliwe.

Tamta kobieta nie mogła mieć dobrego wpływu na... na cezara, skoro takie rzeczy były możliwe pod jego panowaniem. W zeszłym miesiącu dała mu następną córkę. Miał z nią teraz sześcioro dzieci. Trzech synów i trzy córki. Zadbał o to, by Rzym nie pozostał bez władcy...

Niech więc rządzą. Jakie miało znaczenie, kto pisał niesprawiedliwe edykty albo wprowadzał je w życie. Wydawało się, że samo słowo „rządy" zawierało w sobie niesprawiedliwość. Nie było podobne do Konstancjusza – nie, zupełnie do niego niepodobne – by skazywać niewinnych ludzi na cierpienie... za nic. A on nie wierzył, że chrześcijanie są niebezpieczni. Może nie wiedział, jak jego sankcje zostaną wprowadzone w życie. Żaden władca nie może być tego pewny, jeżeli nie ma idealnych poddanych. A gdyby wszyscy żyli zgodnie z zasadami i standardami Hilarego...

Wóz skręcił nieco z drogi, a ona wychyliła się przez okno, by zobaczyć, co się stało.

– Tam coś się pali, pani – powiedział woźnica. – Może pojedźmy inną drogą.

„Tam" oznaczało pierwsze domy Verulam. Nad jednym z nich Helena zobaczyła gęsty całun dymu.

– Dobrze, jedźmy inną drogą.

W pół godziny później dojechali do domu. Fawoniusz przybiegł z ogrodu, wycierając wielkie dłonie w tunikę, a jego twarz promieniała.

– Wszystko w porządku, Fawoniuszu?

– Wszystko w porządku, pani.

– Jakiś list od mojego syna?

– Nie, pani.

Skinęła głową jemu i Rufusowi, który powitał ją w drzwiach bezzębnym uśmiechem, i zaczęła wchodzić po schodach.

Nie ma listu. Od ostatniego listu Konstantyna upłynęło pięć miesięcy. Minerwina pisała częściej niż jej mąż, ale teraz znów była w ciąży – może tym razem będzie córka. Jej pierwsze dziecko miało już prawie pięć lat – mały Kryspus.

Szkoda, że nie mogła mieć go tutaj.

Nie ma listu. Oczywiście, mógł być na perskiej granicy, gdzie żołnierze nie mieli czasu na pisanie listów. Albo był na jednym z tych długich polowań w górach Kapadocji.

A jednak mógłby pisać trochę częściej. Nie lubił pisać. Interesowała go tylko żołnierka, a i to bardziej na polu bitwy niż w szkołach wojskowych.

Jego listy były pełne szacunku, ale... zupełnie pozbawione polotu. Okrągłe zdania, truizmy, suche relacje z dokonań.

Ale mimo wszystko powinien pisać częściej. Fawoniusz też za nim tęsknił – usychał z tęsknoty, biedny stary.

O, wreszcie pojawił się Hilary. Tak się ucieszyła na jego widok, że prawie zapomniała, jak się na niego gniewała, że z nią nie pojechał. Po raz pierwszy pozwolił jej jechać samej do Coel Castra i grobu ojca. „Nie mogę, pani – i proszę, nie pytaj mnie, dlaczego". Nie pytała – i tak było to dla niej oczywiste. Coraz bardziej się angażował w życie chrześcijańskiej wspólnoty. Któregoś dnia powinna o tym porozmawiać z Albanusem.

Wtedy zobaczyła, że jego tunika jest podarta w paru miejscach i pokryta brudem.

– Co robiłeś, Hilary?

– Pomagałem gasić pożar, pani.

– Przy Porta Londinia?

– Tak, pani. Palił się tam dom.

– Widziałam. Co ty masz z tym wspólnego?

Unikał jej wzroku.

– To jest... był... dom spotkań, pani. Więc go spalili.

– A... władze?

– Pomagały, pani.

– Gasić?

– Palić, pani.

Tupnęła nogą.

– Naprawdę, już gorzej być nie może. Władze zachowują się jak motłoch, a ty oczywiście musisz się do tego mieszać.

– Nie do motłochu, pani – odrzekł Hilary z uśmiechem.

Też musiała się uśmiechnąć i to ją zdenerwowało.

– Życzę sobie, żebyś zaprzestał tej... działalności, Hilary. To niebezpieczne. Nic dobrego z tego nie wyniknie.
– Poczuła, jak niestosowne są jej słowa i to rozdrażniło ją jeszcze bardziej. – Można w coś wierzyć i uważać to za święte, ale nie trzeba tego rozgłaszać całemu światu. Nie trzeba uczestniczyć w tajnych zebraniach. Nie trzeba się przemykać jak ścigany przestępca...

– Dobrze wiesz, pani – odparł Hilary – kto tu jest przestępcą.

– Tak, tak, wiem – ale nie znoszę cię oglądać w takim stanie. Masz krew na ręce! Daj, opatrzę...

– To drobnostka – zaoponował gwałtownie Hilary. – Małe zadrapanie. Proszę, nie martw się o mnie, pani. Zapewniam cię, że to nic takiego. Dopiero wszedłem, inaczej byś mnie nie zobaczyła w takim stanie. Pójdę się teraz umyć, jeśli pozwolisz.

Niemal uciekł. Było w nim coś... coś dziewiczo czystego. Dziwny człowiek. Dziwna wiara. Ale przynajmniej wierzył w to, w co wierzył, i zgodnie z tym żył. Szkoda, że było tam tyle niewolników i kobiet – słabych ludzi potrzebujących wsparcia niewidzialnej istoty; ludzi, których życie było znojem, smutkiem i rozczarowaniem, i którzy aż nazbyt chętnie wierzyli w obietnicę lepszego życia po śmierci. Czepiali się tej iluzji z taką wytrwałością...

Ale Hilary nie był ani kobietą, ani niewolnikiem – i jeszcze ten Albanus, miły, podobny do ptaka, prosty człowiek. Przez siedem lat służył w rzymskiej armii, zanim zajął się snycerką – skąd u takiego człowieka dar wymowy i maniery, jak gdyby w jego żyłach płynęła królewska krew?

Po raz setny przyłapała się na tym, że myśli o Albanusie wbrew swojej woli. Tkwił w jej umyśle, jak gdyby miał do tego prawo... jak gdyby wysłał jej list, na który nie odpowiedziała. Był jak niewypełniony obowiązek, męczące zobowiązanie. Odwróciła się energicznie i skierowała do swego starego miejsca przy oknie.

Kiedy Hilary wrócił, zastał ją siedzącą do niego plecami i wyglądającą na ulicę. Wiedział, że znów wróciła do przeszłości – miejsce przy oknie było jak magiczny krąg, wewnątrz którego czuła się bezpiecznie.

– Pani...

Nie było odpowiedzi.

– Pani, służę ci już szesnaście lat...

Jej ciało zesztywniało. Kiedyś myślała, że straciła wszystko. Teraz wiedziała, że to nieprawda – bo miała stracić jeszcze więcej. Hilary zamierzał ją opuścić. Już ją opuścił. Znów wyczuła w pokoju obecność cieni, ciemnych i śmiertelnych – jak tamtego dnia, kiedy przyszedł ją odwiedzić Albanus.

– Pani, nadszedł czas, by wreszcie ci powiedzieć, co król, twój ojciec, zachował w najskrytszych zakamarkach swoich myśli.

– Mój ojciec? Co masz na myśli? – Nie odwróciła się.

– Opowieść o żywym drzewie, pani. Opowieść o Drzewie Życia.

Żywe drzewo. Drzewo jest święte. Drzewo jest klęską i triumfem człowieka. Zabija go i zbawia. Świat, jaki znamy, został zbudowany na drzewie, na Yggdrasilu, świętym drzewie, drzewie życia. To wszystko jest w przesłaniu – przesłaniu, którego nikt nie rozumie. Drzewo życia.

A potem ojciec zasnął. To była opowieść bez początku i bez końca. Prześladowała go przez całe życie. Była jego ostatnią myślą. „Ty i Konstantyn – razem znajdziecie Drzewo Życia; tak, samo żywe drzewo...”

– Nigdy nie powiedział ci końca tej historii – rzekł Hilary. – Nie mógł. Nie wiedział tego, co ja wiem – teraz.

– A co wiesz?

– Opowieść o żywym drzewie jest stara jak ludzkość, pani. Król Coel znał legendy opowiadane na Północy. Słyszał o egipskim drzewie życia, ale nie wiedział – choć widział to na swój sposób – tego, co chcę powiedzieć ci teraz.

– Kto ci o tym powiedział?

– Albanus, pani. A usłyszał to wiele lat temu, w Syrii, kiedy służył w armii.

Albanus. Znowu Albanus. Zawsze Albanus.

– Dobrze... powiedz mi.

– Tak oto mówi legenda, pani. Kiedy pierwszy mężczyzna i pierwsza kobieta, Adam i Ewa, stracili raj – którzy Grecy nazywali Złotym Wiekiem – żyli na wygnaniu. Nadszedł dzień, w którym Adam miał umrzeć. Kiedy leżał na łożu śmierci, Bóg wysłał na ziemię skrzydlatego posłańca – wielkiego i potężnego ducha, którego imię brzmiało Michał. A Michał ukazał się Setowi, synowi Adama, i dał mu małe ziarenko – nasienie drzewa. Kiedy Adam umarł, Set zasadził święte ziarno w ustach swego ojca. I na grobie Adama wyrosło drzewo. Tysiące lat później drzewo to stanęło na dziedzińcu królewskiego pałacu – pałacu króla Salomona, mądrego władcy Izraela. Chociaż był mądry, nic nie wiedział o pochodzeniu drzewa. Do dnia, w którym odwiedziła go królowa Saby z Południa. A ona znała to drzewo i jego tajemnicę, bo Set był jej przodkiem i przekazał ją swojemu synowi, a ten swojemu synowi i tak przechodziła z pokolenia na pokolenie. I królowa Saby powiedziała królowi, że to drzewo jest święte, ponieważ umrze na nim Zbawiciel Świata. Król kazał ściąć drzewo, porąbać je, a drewno zakopać głęboko w ziemi, w pobliżu Świątyni. Wykopany dół napełniono wodą i tam przez wiele pokoleń obmywano ofiarne zwierzęta. Ale w wyznaczonym czasie woda wyschła i znów odnaleziono drewno.

– W wyznaczonym czasie?

– W czasie, w którym złożono największą ze wszystkich ofiar. Tę, której wszystkie ofiary były symbolem.

Helena nagle sobie przypomniała.

„Nie ma nic bardziej jałowego od krzyża – powiedział Albanus. – Ale pod dotknięciem Świętej Krwi jałowe drewno stało się Drzewem Życia..."

– Hilary... czy ty wierzysz w tę historię?

– Wierzę w jej sens, tak. Wierzę, że nie jest przypadkiem, iż wszystkie ludy na świecie słyszały o drzewie życia. Wierzę, że istnieje powód, dla którego wszystkie ludy mają legendę o złotym wieku, który przeminął, ponieważ zrobiliśmy coś złego. Wierzę, że był taki złoty wiek i że my zrobiliśmy coś złego; że od tamtej pory szept przechodził z ust do ust, z pokolenia na pokolenie, iż któregoś dnia świat zostanie zbawiony poprzez drzewo życia. Każde pokolenie, każda rasa i każdy naród coś do tego dodały albo coś pominęły i stąd mamy niezliczone opowieści – o jesionie świata wspierającym ziemię, o magicznym kluczu, o zabitym Ozyrysie i uśmierconym Attysie – a wszystkie wskazywały na przyszły krzyż. Twój ojciec znał większość tych opowieści – prócz tej jednej, którą ci właśnie opowiedziałem. Byłby nią zachwycony!

– Na pewno – zgodziła się Helena.

– Król Coel Mądry był prorokiem... – głos Hilarego brzmiał teraz tak miękko jak głos kobiety – często mówił o mającym się pojawić drzewie życia...

– Ale... nie wierzysz chyba, że już się pojawiło? Twój Chrystus umarł na krzyżu trzysta lat temu.

– Tak, pani. I od tamtego dnia Jego nauka rozprzestrzenia się z kraju na kraj i z pokolenia na pokolenie. Powiedziano jednak, że obejmie świat rzymski dopiero wtedy, kiedy Krzyż zostanie odnaleziony. Ponieważ zniknął – i nikt nie wie, gdzie jest.

Jej serce zaczęło mocno bić – nagle i bez widocznego powodu; słyszała je jak donośny gong, wybijający płomienne wezwanie; coraz głośniej i głośniej, aż nie było już nic oprócz tego bicia, wypełniającego pokój i świat. Sama była tylko tym biciem i prócz niego nie było na świecie nic...

Skończyło się, zanim w pełni sobie to uświadomiła – jak rydwan przejeżdżający tak szybko, że ledwo zdążą mignąć grzywy, ogony i koła, nim znikną w chmurze pyłu.

Tamtego popołudnia Hilary powiedział jej, że został chrześcijańskim kapłanem. Teraz nie było to dla niej szokiem – skinęła tylko głową. Od razu zrozumiała, dlaczego nie pojechał z nią, jak przez wszystkie poprzednie lata, na grób jej ojca. Zrobił coś większego – dziełem swego życia uczynił służbę Drzewu Życia. I poruszył ją sposób, w jaki jej o tym powiedział – nieśmiało i z wahaniem, jak gdyby nie chciał sprawić jej przykrości. I, co było dość dziwne, nie sprawił.

Zapytała teraz, jak to się stało, a on powiedział jej o biskupie Ozjuszu, który kilka dni temu przejeżdżał przez Verulam i go wyświęcił. Była to mała uroczysta ceremonia, zakończona słowami: „kładę na ciebie ręce", odprawiona w nocy, w domu, który widziała potem w ogniu.

– Tamten dom miał być moim kościołem – powiedział Hilary i jego mężna próba, by ukryć żal, sprawiła, że zapomniała o własnych uczuciach.

– Chcesz powiedzieć, że nie macie teraz miejsca, w którym moglibyście się spotykać i odprawiać nabożeństwa?

– Jutro rano spotykamy się w domu Albanusa. Ale to mały dom i nie wystarczy do tego, by spotykać się regularnie – to by szybko wzbudziło podejrzenia. Następnym razem musimy znaleźć inne miejsce.

Podniosła wzrok.

– Ten dom jest do twojej dyspozycji, Hilary – powiedziała i uśmiechnęła się wesoło, widząc delikatny rumieniec na jego policzkach. – Nie jestem chrześcijanką – dodała – i nie sądzę, że kiedykolwiek nią zostanę – ale nie znoszę niesprawiedliwości. Wiesz, oczywiście, co mówią o waszych tajnych spotkaniach – że składacie w ofierze ciało i krew małych dzieci i adorujecie głowę osła. Nic nie wiem o waszych ofiarach, ale jeżeli adorujecie głowę osła, robicie dokładnie to, co wszyscy – choć trudno mi zrozumieć, czemu w tej sytuacji odmawiacie oddawania czci Geniuszowi Boskiego Cesarza.

Hilary się roześmiał, ona też i atmosfera w pokoju stała się dziwnie lekka i nierzeczywista.

– Pod jednym względem ta plotka jest prawdziwa – powiedział po chwili Hilary i jego twarz znów spoważniała. – To prawda, że składamy w ofierze ciało i krew niewinnej ofiary.

Pokręciła głową.

– O czym ty mówisz, Hilary?

– Niełatwo to zrozumieć – odpowiedział. – Kiedy Pan i uczniowie zebrali się na ostatni posiłek przed Jego pojmaniem i śmiercią, zamienił chleb i wino w swoje ciało i krew. Smakowały jak chleb i wino – ale to było Jego ciało i krew, bo On tak powiedział. I prosił ich, by czynili podobnie w Jego imię i na Jego pamiątkę.

– Piękna alegoria...

– Nie – odparł Hilary, a w jego głosie pobrzmiewał twardy, metaliczny ton. – To nie jest alegoria. To jest fakt. Rzeczywistość.

– Hilary!

– Czemu cię dziwi, że dzieje się coś nadnaturalnego, kiedy nadnaturalne rzeczy się zdarzają?

– To było trzysta lat temu, Hilary – może wierzysz teraz w coś, w co nie wierzono wtedy?

– Wielki Ireneusz mówi o tym wyraźnie w swojej rozprawie przeciw marcjonitom sto dwadzieścia lat temu, tak samo święty Justyn ponad sto pięćdziesiąt lat temu. Nie zajmujemy się ulotnymi alegoriami i symbolami chrześcijaństwa, pani, tylko twardymi faktami. Także dwieście lat temu biskup Ignacy z Antiochii pisze o „lekarstwie nieśmiertelności, antidotum, dzięki któremu nie umieramy, lecz żyjemy wiecznie w Jezusie Chrystusie".

– Naprawdę stałeś się kapłanem, Hilary.

– Tak, pani – a to oznacza, że moje wargi potrafią przywołać Boga Wszechmogącego na nasz ołtarz. Jak Bóg zstąpił na świat materialny i stał się ciałem, tak materia zamienia się teraz w Boga. A my spożywamy Jego ciało i pijemy Jego krew, abyśmy mogli uczestniczyć w Jego Boskości, tak jak On brał udział w naszym człowieczeństwie.

Piękne szaleństwo, pomyślała. I powiedziała z niespodziewaną determinacją:

– Chcę być obecna na jednej z tych... ofiar. Pójdę z tobą jutro rano.

Niemal natychmiast pożałowała tych słów – ale nie chciała go ranić.

– To niebezpieczne, pani... edykt...

To przypieczętowało jej decyzję.

– O której jutro rano, Hilary?

O świcie.

Cztery małe lampki oliwne świeciły w pokoju pełnym ludzi. Większość z nich już tam była, kiedy Helena weszła z Hilarym i Albanusem, który pozdrowił ich w drzwiach. Zauważyła, że nie wygląda na zaskoczonego jej widokiem, podobnie jak nikt z pozostałych. Była po prostu jeszcze jedną osobą w pomieszczeniu.

Zobaczyła dwie znajome twarze – żonę bogatego kupca z ulicy Złotników oraz właściciela sklepu, w którym kupowała kosmetyki. Większość obecnych należała do biedniejszych klas – ale Verulam nie było przecież bogatym miastem i nawet nie próbowało pozować na eleganckie, jak na przykład Aquae Sulis.

Wszyscy zdawali się mieć coś wspólnego – trudno było to zdefiniować i przejawiało się na różne sposoby, ale mieli to wszyscy. Było to pełne entuzjazmu oczekiwanie, wielka tęsknota – jak gdyby wszyscy spieszyli się do tego miejsca i byli jeszcze trochę zdyszani; a teraz czekali, tak jak poddani czekają u bram pałacu, by usłyszeć, jak ich umiłowany król mówi, że wojna się skończyła – z niecierpliwością, a przy tym z zaskakującą nutą triumfu.

Zafascynowało ją, jak wielki wpływ ma na nich Albanus. Chociaż nie był kapłanem, sprawiał wrażenie naturalnego przywódcy tej małej społeczności. Wszyscy go znali i było to jakby równoznaczne z oczekiwaniem, że nimi pokieruje. Choć byli ciasno stłoczeni, z łatwością przechodził od jednej osoby do drugiej, mając dla każdego parę słów, uśmiech, pokrzepiający gest.

Może jednak Albanus miał jakąś funkcję – to on nakazał ciszę, najpierw podnosząc rękę, a potem czyniąc tajemny znak – najpierw dotykając czoła, potem serca, a na końcu lewego i prawego ramienia. Wspólnota powtórzyła za nim ten gest. Potem stary człowiek pokłonił się Hilaremu i wyjął podniszczony stary zwój, z którego zaczął czytać:

„Jezus, widząc tłumy, wyszedł na górę. A gdy usiadł, przystąpili do Niego Jego uczniowie. Wtedy otworzył swoje usta i nauczał ich tymi słowami. Błogosławieni ubodzy w duchu, albowiem do nich należy królestwo niebieskie. Błogosławieni, którzy się smucą, albowiem oni będą pocieszeni. Błogosławieni cisi, albowiem oni na własność posiądą ziemię. Błogosławieni, którzy łakną i pragną sprawiedliwości, albowiem oni będą nasyceni. Błogosławieni miłosierni, albowiem oni miłosierdzia dostąpią. Błogosławieni czystego serca, albowiem oni Boga oglądać będą. Błogosławieni, którzy wprowadzają pokój, albowiem oni będą nazwani synami Bożymi. Błogosławieni, którzy cierpią prześladowanie dla sprawiedliwości, albowiem do nich należy królestwo niebieskie. Błogosławieni jesteście, gdy ludzie wam urągają i prześladują was, i gdy z mego powodu mówią kłamliwie wszystko złe na was. Cieszcie się i radujcie, albowiem wasza nagroda wielka jest w niebie. Tak bowiem prześladowali proroków, którzy byli przed wami. Wy jesteście solą dla ziemi..."[1].

W tej samej chwili otworzyły się drzwi i w zatłoczonym pokoju zalśnił czerwony płomień pochodni.

– Nie ruszać się! – ryknął czyjś głos. W wejściu błysnęły obnażone miecze. Kilka kobiet krzyknęło.

– Zgasić lampy – zabrzmiał donośnie głos Albanusa. Mężczyźni stojący najbliżej oliwnych lamp od razu go posłuchali. Żołnierze nie zdołali im przeszkodzić – pokój był tak szczelnie wypełniony, że po prostu nie mogli wejść do środka.

Płomień pochodni nie był dość silny, by oświetlić więcej niż pandemonium przerażonych ludzi, zbitych niemal w jedną masę.

Helena nie poruszyła się. Czuła bardziej wściekłość niż strach i wpatrywała się w drzwi, by rozpoznać, czy wśród intruzów jest oficer rangi wyższej niż podoficer, któremu mogłaby powiedzieć, co o tym myśli. Taka napaść na pokojowe zgromadzenie była czymś wysoce oburzającym.

[1] Tłumaczenie według Biblii Tysiąclecia – przyp. tłum.

Tuż przed nią wyłoniła się nagle postać mężczyzny. Poznała Albanusa i usłyszała, jak mówi do Hilarego:

– Uciekaj natychmiast – tędy! Oni chyba nie wiedzą o bocznych drzwiach.

– Nie chcę opuszczać moich...

– Musisz. Nie możemy sobie pozwolić na stratę następnego kapłana. I weź to – szybko.

– Co to jest?

– Przecież wiesz!... Na miłość Pana, spiesz się.

Nie zapomniał jednak o niej.

– Chodź, pani.

Wśliznęli się za zasłonę do wąskiego korytarza. Małe drzwiczki otworzyły się i wyszli na chłodny poranek. Było jeszcze ciemno – widzieli tylko kilka metrów chodnika przed sobą i ponure cienie podmiejskich budynków.

Z wnętrza domu dobiegały gardłowe komendy, głuche odgłosy, a potem jeden przeciągły, pełen udręki krzyk.

– Dokąd idziemy, Hilary?

Nie odpowiedział. Widziała niewyraźnie, że przyciska coś mocno do piersi. To był ten przedmiot, który podał mu Albanus – wyglądał jak duży puchar.

We mgle zobaczyli zbroję żołnierza – nie, dwóch żołnierzy, którzy ich dostrzegli.

Prostacki głos szczeknął jakiś rozkaz, a kiedy przyspieszyli kroku, usłyszeli, jak żołnierze za nimi zrywają się do biegu.

To było jak senny koszmar i tak jak w koszmarze, który często kończył się dla niej podjęciem nagłego, szalonego działania, zrobiła teraz to samo, zwracając się twarzą ku ścigającym.

Hilary też przystanął.

Nadbiegli zdyszani żołnierze.

– Czego chcecie? – zapytała władczym tonem Helena. – Nie macie nic lepszego do roboty, niż ścigać kobietę i jej wyzwoleńca?

– Jesteście chrześcijanami? – zapytał wyższy z żołnierzy z wyraźnym galijskim akcentem.

– Nie bądź śmieszny – warknęła Helena. – Kto jest twoim przełożonym? Dowódcą kohorty, nie manipułu.

Spojrzeli na siebie zbici z tropu.

– Kiedy otrzymam odpowiedź?

– Setnik Marek Terwaks, pani – mruknął żołnierz. – Ale nie ma dziś służby.

– Nie rozmawiam z setnikami, ale zamienię parę słów z jego legatem. A teraz odejdźcie.

– Wracaj lepiej do domu, pani – powiedział żołnierz. – To nie jest dobry czas na wychodzenie – przeczesujemy domy w poszukiwaniu tych chrześcijańskich wichrzycieli.

– Ja właśnie idę do domu – odparła pogardliwym tonem. – Już się na was napatrzyłam. Chodź, Hilary.

Poszli dalej, nie oglądając się za siebie. Cała ulica już się obudziła i nadal trwało coś w rodzaju obławy. Krzyki, przekleństwa, śmiech – jak w zdobywanym mieście. Nie było widać wielu żołnierzy – przeważały męty z najgorszych dzielnic.

Na rogu następnej ulicy zobaczyli kolejne dwa płonące domy.

– Chrześcijańskie? – zapytała krótko Helena. Hilary bez słowa skinął głową. Jego twarz przypominała tragiczną maskę.

– To dzień hańby, Hilary – ale nie dla chrześcijan.

Dochodzili już do końca ulicy, kiedy zastąpił im drogę wielki, zwalisty osobnik o grubych rysach. Trzymał w ręce spory pakunek – prawdopodobnie łup.

– Ej, ty, daj mi to. Co to jest – złoto?

Sięgnął po puchar wolną ręką. Hilary minął go i poszedł dalej. Pewnie pomyślał, że mężczyzna nie będzie próbował go gonić z takim obciążeniem – albo że jest po prostu pijany.

Helena zobaczyła jednak, że upuszcza pakunek, i krzyknęła:

– Uważaj, Hilary!

Powinien był oczywiście rzucić to, co trzymał, i walczyć z tym prostakiem. Napastnik był dużo większy, ale Helena wiedziała, że Hilary jest silny. Z jakiegoś powodu nie rzucił jednak tego, co dał mu Albanus, tylko mocniej przycisnął do piersi, próbując drugą ręką odeprzeć atak. Rozejrzała się w desperacji za najbliższym żołnierzem, ale jedyny, którego zobaczyła, ścigał zajadle piszczącą młodą kobietę. Złapał ją, a Helena szybko się odwróciła. Hilary mocował się z rabusiem – wydawał się mieć przewagę – ale w tej samej chwili zobaczyła błysk sztyletu. Od razu zrozumiała, co musi zrobić – i że jest już na to za późno. Wyciągnęła jednak ostry stylus z tabliczki do pisania, podbiegła do walczących i uderzyła z całej siły. Stylus wbił się na kilka centymetrów w ramię napastnika i w tej samej chwili Hilary upadł na kolana. Rabuś, rycząc z bólu, upuścił sztylet i złapał się za ramię, a kiedy znów podniosła swoją broń, odwrócił się i uciekł.

– Jesteś ranny, Hilary?

Nadal milczał, ale kiedy pomagała mu wstać, zobaczyła w jego oczach taką niewysłowioną wdzięczność, morze wdzięczności, jakiej nigdy dotąd nie widziała. Miała właśnie powtórzyć pytanie, kiedy usłyszała pełne przerażenia krzyki, po których nastąpił głuchy łoskot. Odwróciła się i zobaczyła, że jeden z płonących domów się zawalił.

– Chodź, Hilary – możesz iść?

Musiała go jednak prowadzić i coraz bardziej odczuwała jego ciężar na swoim ramieniu. Zdawało się, że upłynęła wieczność, nim dotarli w okolice domu, a im bardziej się zbliżali, tym większy stawał się ciężar. Nie śmiała go zostawić, by sama pobiec do domu po pomoc. Trzymał się jej jak tonący. Poranna mgła zaczynała się unosić i usłyszała śpiew ptaków. Ulica była pusta i spokojna.

Ostatnie pięćdziesiąt metrów było najtrudniejsze – musiała go prawie nieść. Wydawał się znacznie cięższy, niż można było się spodziewać po mężczyźnie jego postury. Kiedy w końcu dotarli do drzwi, sama była wyczerpana; jej serce waliło jak oszalałe i kręciło jej się w głowie. Zastukała i czekając, aż ktoś otworzy, poczuła na ramieniu coś wilgotnego i lepkiego. Zobaczyła, że cała jej suknia jest pokryta krwią.

Niewolnik, który otworzył drzwi, zawołał Fawoniusza, a ten pojawił się znikąd, kompletnie ubrany. Wziął Hilarego na ręce i zaniósł do jego pokoju. Słońce stało już wysoko i widziała, że jest za późno na pomoc. Nie przestawał krwawić, miał twarz barwy wosku, pozbawioną wyrazu, i prawie zamknięte oczy. Fawoniusz posłał niewolników po najbliższego lekarza. Próbował wyjąć przedmiot z rąk Hilarego, ale okazało się to niemożliwe. Umierający trzymał go z niezwykłą siłą, napinając wszystkie mięśnie i ścięgna – tak jakby resztka tlącego się w nim życia skoncentrowała się w tej ręce, która nie mogła odpocząć.

Fawoniusz rozciął więc jego tunikę, zobaczył ranę w ramieniu i zajął się nią.

Helena stała jak porażona, jej oczy były parą pokornych żebraków, błagających i odtrąconych.

Nie, nie odtrąconych. Powieki Hilarego uniosły się nieznacznie jak zasłony świątyni – zobaczył ją i rozpoznał. Ciało ostatni raz posłuchało jego woli – napięta ręka rozluźniła się i wysunęła do przodu. Zobaczyła, że porusza wargami i uklękła, by znaleźć się bliżej. Usłyszała tylko:

– Ukryj... to...

Był to złoty puchar z pokrywką. Dopiero teraz zobaczyła go wyraźnie i kiedy wyciągnęła rękę, by go wziąć, jego palce rozluźniły chwyt i puchar upadł na jej dłoń.

Hilary nie żył.

Pozostała na kolanach, ze złotym pucharem w dłoniach, patrząc na jego twarz pozbawioną kropli krwi. Na wargach miał cień uśmiechu tak pogodnego, jaki można czasem zobaczyć u szczęśliwego dziecka. Jest taki piękny, pomyślała.

Potem Fawoniusz pomógł jej wstać i zaprowadził ją do jej pokoju. Tam podniosła pokrywkę – w środku był cienki płatek niekwaszonego chleba.

Pomyślała tylko: ojciec dał mi Hilarego... a Hilary dał mi to... opuściła z czcią wieczko i zamknęła puchar na klucz. Nie opuści mnie... nigdy, pomyślała.

Nie mogła płakać.

Rozdział dziewiętnasty

— Pani chce się widzieć z cezarem — zameldował żołnierz Dawus.

Stojący na warcie setnik zmierzył go chłodnym spojrzeniem.

— Zwariowałeś, synu zezowatej dziwki?

— Pani chce się widzieć z cezarem — powtórzył z posępnym uporem żołnierz Dawus.

— Czemu — powiedział setnik na warcie — czemu bogowie tak mnie pokarali. Co takiego uczyniłem, by dowodzić bandą wariatów. Pani chce się widzieć z cezarem! Jak myślisz, co tu jest, pomiocie wielbłądziego łajna? Przybytek rozrywki? Tawerna? To jest Domus Palatina, ty śmierdząca padlino. To jest pałac. Jest lista audiencyjna dla tych, którzy chcą się widzieć z cezarem — jeżeli cezar chce się widzieć z nimi. Lista audiencyjna jest w gestii szambelana, a przed audiencją jeden z jego urzędników schodzi na dół w wyznaczonym czasie. My nie mamy z tym nic wspólnego. Zrozumiałeś? Nie, widzę, że nie. Muszę wyrazić się jaśniej, tak? Powiedz tej dobrej kobiecie, żeby sobie poszła — rozumiesz, co mówię? Powiedz jej, żeby napisała do szambelana cezara albo w imię Jowisza do samego cezara. Podając adres, wiek i sprawę. Odmaszerować!

– Pani chce się widzieć z cezarem – powiedział żołnierz Dawus.

Dopiero teraz setnik podniósł wzrok. Zobaczył niemą rozpacz w oczach żołnierza – i wysoką sylwetkę stojącej tuż za nim kobiety. Zerwał się na nogi.

– Jestem księżniczka Helena – rzekła kobieta lodowatym głosem. – Idź natychmiast i powiadom szambelana, że przyszłam tutaj, by zobaczyć się z cezarem.

– Tak, pani – powiedział setnik, salutując. Za kobietą stał olbrzymi mężczyzna o postawie żołnierza. Teraz postąpił o krok naprzód.

– I przynieś krzesło księżniczce – warknął. – Jeżeli to jest pałac, powinno gdzieś być krzesło.

– Krzesło dla księżniczki – powtórzył setnik Dawusowi. – Przynieś szybko. Weź moje... nie, przynieś z niebieskiej sali, tamte są lepsze.

Dawus pobiegł. Setnik znów zasalutował i odszedł z werwą, która wzbudziła uznanie nawet Fawoniusza. Po chwili Dawus wrócił z krzesłem i postawił je pod ścianą wartowni.

– Ty naprawdę oszalałeś – rzekł Fawoniusz. – Czy to jest pomieszczenie dla księżniczki? Zanieś to do porządnego pokoju.

Wziął krzesło z powrotem do niebieskiej sali, a oni poszli za nim. Był to prywatny gabinet audiencyjny szambelana.

Helena usiadła. Była zmęczona, śmiertelnie zmęczona. Podróż do Eburacum zajęła im trzy dni. Prawie wcale nie spała. Przez cały czas prześladowały ją obrazy... nie, tylko nie to. Nie chciała już oglądać obrazów ze swoich myśli, okrutnych i szczerzących zęby jak żywe zwierzęta. Krew na jej rękach, krew na jej sukni; uśmiech na twarzy Hilarego, łagodny blask pucharu; płomienie palących się domów i krzyk kobiety w śmiertelnym niebezpieczeństwie... nie mogła ich powstrzymać, wracały, jeden za drugim, w długiej, wirującej procesji. Twarz Albanusa, kiedy czytał ze zwoju... Albanus! Ból w jej sercu, kiedy stanęła przed dowódcą wojskowym. Biedny zakłopotany człowieczek – co mógł zrobić innego prócz tego, co mu kazano? To nie on, tymi sprawami zajmują się władze miejskie, może pani porozmawia z nimi? Ale to nie byłoby rozsądne, tylko wzbudziło podejrzenia. Nie, nie może jej radzić, by tam poszła. Kiedyś większość chrześcijan stanowili biedni, prości ludzie, ale ostatnio krążą plotki, że nawet ludzie z klasy wyższej dołączają do sekty i nikt nie jest całkiem poza podejrzeniem. Jego samego nie obchodzi, w co ludzie wierzą, ale co mógł zrobić, rozkaz jest rozkazem! A kiedy władze miejskie poprosiły go o parę oddziałów wojska do tej... roboty, cóż, miał rozkaz je dostarczyć. To było bardzo przykre. Naprawdę bardzo przykre.

Potem radcy miejscy; nie powiedzieli jej z początku, co się stało z Albanusem i ludźmi, którzy byli w jego domu. Zamiast tego zapytali, co według niej tam się odbywało – i może sama też tam była? Nie tamtego dnia, oczywiście, ponieważ wszyscy wtedy obecni zostali aresztowani. A może zna kogoś, kto uniknął aresztowania? Czemu się interesuje tą sprawą? Ci ludzie byli przestępcami i schwytano ich, mówiąc wprost, na gorącym uczynku, w trakcie ich bluźnierczej ceremonii. Z pewnością zależy jej tak samo jak im, by honor i bezpieczeństwo Imperium Rzymskiego nie były zagrożone?

Jej służący został zamordowany? To naprawdę godne ubolewania. Czy może powiedzieć, w jakich okolicznościach to się zdarzyło? Gdzie to się stało? Co robił, kiedy go zaatakowano – i czy ona była z nim? W tych dniach było tyle spraw, że samo ich zbadanie zajmie tygodnie, a może miesiące. Tamtej jednej nocy zginęło ponad dwudziestu ludzi, a ponad pięćdziesięciu zostało rannych. I nie widać końca – ci sekciarze są wyjątkowo zuchwali. Ledwo ich się wygna z jednej nory, zbierają się w następnej. I nigdy nic nie mówią, nawet na torturach niewiele można z nich wyciągnąć. Fanatycy.

Teraz ta banda schwytana w domu Albanusa! Siedemdziesięciu czterech ludzi – i żaden nie powiedział, kto jest ich kapłanem. A tam na pewno był kapłan, oni zawsze się zbierają wokół kapłana, który odprawia te bluźniercze obrzędy.

Tak, oczywiście, niektórzy z nich mogli nie wiedzieć, kto nim jest – chociaż to bardzo mało prawdopodobne. Ale ten Albanus wiedział na pewno. I nie powiedział! Dobrze, niech pozna prawdę – wtrącono ich do więzienia, a Albanus, jako ich przywódca, został stracony dziś po południu. To ją smuci? Czemu miałoby ją smucić? A może sama jest chrześcijanką?

Nie, nie jest chrześcijanką – ale władze miejskie robią wszystko, żeby nią się stała.

Szlachetna dama sobie żartuje, prawda? Może znała Albanusa, kupowała jego drewniane wyroby? Cóż, może ją pocieszy, że umarł śmiercią obywatela rzymskiego; został ścięty, szybka śmierć. Naprawdę miał szczęście. Bo następnej nocy wzburzeni mieszkańcy zaatakowali więzienie; obezwładnili strażników i spalili więzienie z wszystkimi więźniami w środku. Godne ubolewania, na pewno – ale takie rzeczy się zdarzają, kiedy porządne miasto daje schronienie członkom fanatycznej sekty religijnej. To prawda, że wśród więźniów były kobiety i dzieci. Naprawdę, naprawdę godne ubolewania.

Zdumiona twarz Fawoniusza, kiedy wróciła do domu i wydała polecenie, by osiodłać konie. Do Eburacum? Tak, do Eburacum. Nie pytał o nic więcej. Był typem człowieka, który pójdzie na koniec świata, nie zadając pytań.

Ludzie tacy jak on uczynili to Imperium wielkim; ludzie tacy jak władze Verulam doprowadzą je do upadku. A Fawoniusz był jeden na sto tysięcy.

Trzeba powstrzymać te brutalne prześladowania.

Przeżyła jednak moment zawahania – po wydaniu polecenia osiodłania koni. Siedziała sama w pokoju z płaszczem podróżnym w ręce. Wahała się.

Co właściwie zamierza zrobić? Jechać do niego – choć przysięgała, że nigdy więcej na niego nie spojrzy? Co on sobie pomyśli? Może nawet jej nie przyjmie! Bardzo prawdopodobne, że nie przyjmie. A ona... tamta kobieta... była z nim. Może ją wyśmieją, kiedy będzie tam stała, czekając na audiencję.

Ta myśl wzmogła skręcający ją, fizyczny wręcz ból.

Nie potrafiła stawić temu czoła – nie temu.

Nie potrafiła też w pełni zrozumieć, co ją do tego zmuszało. Tyle rzeczy przebiegało jednocześnie przez jej głowę: uśmiech Hilarego, oczywiście, i oczy Albanusa, a jeszcze bardziej jego głos, kiedy odczytywał ze starego zwoju błogosławieństwo za błogosławieństwem; to była niespodziewana, gwałtowna wzgarda dla jej własnej dumy; duma niebycia dumnym, jeżeli coś takiego istniało; naglący, wymagający głos wzywający do działania. A ona oczywiście nie odwoła polecenia. Nigdy nie odwołuje poleceń.

Zarzuciła płaszcz na ramiona i szybko wyszła.

Później, w kołyszącym się, szarpiącym, skrzypiącym wozie wątpliwości powróciły i nie odegnała ich, tylko wpuściła je do swego wnętrza i poszła z nimi spać. Koła się obracały, a ona zbliżała się do Eburacum. A teraz już tam była, w Domus Palatina. A oni powiadomili cezara... Księżniczka Helena chce się z tobą widzieć, cezarze...

Przyjechała zobaczyć się z cezarem, nie z Konstancjuszem.

Pojawił się szambelan, dość młody urzędnik, uprzejmy i bardzo zakłopotany. Czy to naprawdę, czy to naprawdę księżniczka Helena we własnej osobie? Szkoda, że nie wiedzieli, że przyjeżdża, aby się przygotować na odpowiednie przyjęcie. To niewybaczalne, żeby pani o jej pozycji musiała czekać...

– Czy cezar wie, że tu jestem?

Szambelan był zrozpaczony. Godzinę temu przybyli specjalni wysłannicy z Mediolanu, z wieściami najwyższej wagi... sprawy państwowe, oczywiście. Sam nie wie, czego dotyczą. Cezar przyjął ich sam i po pięciu minutach wydał rozkaz, by mu nie przeszkadzać. Gdzie księżniczka się zatrzymała? On się nie odważy na nieposłuszeństwo, ale w pierwszej wolnej chwili, księżniczka może być pewna, w pierwszej wolnej chwili cezar zostanie powiadomiony o jej przybyciu do Eburacum...

– Zatrzymałam się tutaj, w tym pokoju – odpowiedziała Helena. – I pozostanę tu, dopóki nie zobaczę się z cezarem.

Błagalne gesty, niema rozpacz. Czy boska księżniczka naprawdę zrozumiała... wszystko zależy od cezara; może uda się go powiadomić dopiero późnym wieczorem; czemu księżniczka miałaby znosić zbędne niewygody? Jeśli nie wynajęła dotąd żadnego mieszkania, on niezwłocznie zrobi wszystko, by je dla niej znaleźć, i wyśle posłańca, jak tylko cezar będzie wolny...

– Cezar – przerwała mu Helena. – Chcę tylko zobaczyć się z cezarem. I nie ruszę się z tego pokoju, póki się z nim nie zobaczę. Nie znasz mnie, młody człowieku.

Szambelan wyszedł, mamrocząc wylewne przeprosiny.

Helena czekała. Nie mogła teraz zrobić nic, tylko czekać.

Wieści najwyższej wagi... sprawy państwowe. Dworscy urzędnicy zawsze brali wszystko niesłychanie poważnie. Jak by na to nie patrzeć, jedyną sprawą państwową najwyższej wagi była niesprawiedliwość, jakiej się dopuszczono. Nic innego nie miało znaczenia. To ona przynosiła – jak to się nazywało? – wieści najwyższej wagi. Trzeba to powstrzymać. Konstancjusz musi to powstrzymać; cezar musi to powstrzymać. Inaczej nikt nie będzie szczęśliwy od Brytanii do Persji. Bo takie szczęście jest okupione łzami, krwią i rozpaczą.

Czy to był prawdziwy obraz cesarstwa? Powierzchnia z marmuru i triumfu, z męstwa i chwały, bogactwa i władzy – a pod spodem lochy, w których pleni się najgorszy występek?

Przyszły jej skądś na myśl słowa „groby pobielane"; nie pamiętała, gdzie wcześniej je słyszała. Może od Hilarego... on często mówił zadziwiające rzeczy, zaskakująco celne metafory... szkoda, że nigdy ich nie spisał.

Hilary. Hilary. Prawdą było, co powiedział o nim ojciec: żaden król nie dał swemu dziecku lepszego dziedzictwa. Straciła to dziedzictwo, tak jak i wszystko inne.

A teraz była tutaj – i nie miała nawet prawa porozmawiać z własnym mężem. Inna kobieta miała to prawo, wszystkie prawa. I w każdej chwili mogła tu wejść i kazać jej odejść...

Kim jest ta kobieta, która nalega na audiencję u mojego męża, cezara? Tamta brytyjska żona, porzucona wiele lat temu? Czego teraz od niego chce? Pieniędzy? A może dobrej posady dla swojego bękarta? Jej czas przeminął, dawno temu. Wyprowadźcie ją! To bezczelność, że przyszła pod mój dach.

Mogła tak powiedzieć. W każdej chwili mogła wejść i tak powiedzieć. A wystarczyło jedno słowo i natychmiast wypełniono by jej polecenie.

Helena jęknęła. I stanęło jej serce w chwili, gdy otworzyły się drzwi.

Ale do pokoju wszedł mężczyzna, powoli, lekko przygarbiony, starszy mężczyzna. Miał szpakowate i nieuczesane włosy, pooraną zmarszczkami twarz i worki pod oczami. To był Konstancjusz.

Wstała. Przygotowała sobie słowa, jakie miała mu powiedzieć, kiedy tylko pokłoni się cezarowi, przedstawicielowi cesarza. Ale się nie pokłoniła. Zamiast tego powiedziała:

– Wyglądasz na bardzo zmęczonego, Konstancjuszu. Jesteś chory?

– Nie czuję się zbyt dobrze – przyznał. – Jestem trochę przepracowany, to wszystko.

Ona jednak wiedziała, że to nie było wszystko. I wiedziała, że on też wie. Usiadł ostrożnie, jak starzy ludzie.

– Ty też wyglądasz na zmęczoną, Heleno. Co do mnie, to zrozumiałe. W przyszłym miesiącu kończę sześćdziesiąt lat. Ale ty...

– Ja mam pięćdziesiąt pięć – powiedziała z bladym uśmiechem. – Ale na pewno wyglądam gorzej, niż powinnam. Od trzech dni nie zmieniałam sukni. Musiałam natychmiast z tobą porozmawiać. A raczej – musiałam porozmawiać z cezarem.

Znów była zupełnie poważna. Teraz jednak on się uśmiechnął.

– Masz zatem pecha, Heleno. Nie ma już cezara.

Wpatrywała się w niego szeroko otwartymi oczami.

– Co masz na myśli?

– Dioklecjan i Maksymian abdykowali. Galeriusz i ja jesteśmy ich następcami. Przynajmniej obaj tak myślimy.

– Chcesz powiedzieć... że jesteś teraz cesarzem?

– Tak, Heleno. Właśnie piszą proklamację. Oprócz posłańców i Strabona jesteś pierwszą osobą, która się o tym dowiaduje.

Zapatrzył się w przestrzeń. Zobaczyła plamy na jego tunice. Nie dbają o niego należycie, pomyślała. Zaczął też obgryzać paznokcie.

Jej myśli nagle się rozjaśniły.

– Ależ to wspaniała wiadomość! – wykrzyknęła. – To znacznie ułatwia sprawę.

Przymknął oczy.

– Naprawdę? Jaką sprawę?

Odpowiedziała z gestem zniecierpliwienia:

– Tę, z którą do ciebie przyszłam, oczywiście. Jako cezar mógłbyś mieć kłopoty ze strony cesarza. Ale teraz...

– Cesarz może się obawiać większych kłopotów niż cezar – odrzekł spokojnie Konstancjusz.

– Tym, czego cesarz powinien się obawiać najbardziej, jest niesprawiedliwość – powiedziała Helena. – Niesprawiedliwość, jakiej się dopuszczono w jego imię.

Westchnął. Na jego twarzy pojawił się cień zawodu, kiedy mówił:

– A kto dopuścił się niesprawiedliwości względem ciebie, Heleno? Przecież znam odpowiedź. Ja.

Znów gest zniecierpliwienia.

– Jesteś równie głupi jak dawniej, Konstancjuszu. To, co chcę ci powiedzieć, nie ma nic wspólnego z tobą ani ze mną – z tobą ani ze mną osobiście. Myślałam, że to dla ciebie jasne, kiedy powiedziałam, że przyszłam się zobaczyć z cezarem.

– Z czym przyszłaś, Heleno? – zapytał ostrożnie.

– Ten edykt, Konstancjuszu. Ten straszny, kłamliwy, obłudny, zbrodniczy edykt przeciw chrześcijanom.

– Do wczoraj – uśmiechnął się – byłaby to obraza majestatu.

– Nie dbam o to, czym byłaby wczoraj – ani o to, co mówią ludzie. Powinieneś mnie znać od tej strony. Przyjechałam tutaj, ponieważ nie wierzę, że ty będziesz utożsamiał się ze zbrodnią – tak, zbrodnią, Konstancjuszu. Ze zorganizowanym mordowaniem niewinnych ludzi, których jedyną winą jest to, że gromadzą się na modlitwę.

Z jej ust popłynęła opowieść o Hilarym, o Albanusie. Powtórzyła mu, co powiedzieli jej dowódca wojskowy i miejski urzędnik. Opowiedziała mu o ataku na więzienie.

– Widziałam ludzi, których zamordowano w jednym z twoich więzień, Konstancjuszu. Były wśród nich młode kobiety, a nawet dzieci! I Hilary, którego tak lubiłeś, i który był mi taki drogi. I Albanus...

Konstancjusz unikał jej wzroku.

– Hilary – rozumiem. Ale co znaczył dla ciebie ten Albanus? Prosty człowiek, jak mi powiedziałaś, po prostu jeden z tłumu. Jutro o nim zapomną.

– Może zapomną jego imię, Konstancjuszu. Ale nie jego śmierć. Chrześcijanie pamiętają o swoich zmarłych. Nazywają ich „świadkami", ponieważ dają świadectwo wiary, umierając za nią. Nie, nie sądzę, że tak łatwo zapomną o Albanusie.

– Ale co z twoim imieniem, Konstancjuszu? Czy przejdzie do historii jako imię człowieka, który tolerował takie prześladowania? I nie jest to sprawa osobista, chociaż znałam kilku ludzi, których zamordowano. Oni już nie żyją. Nie przyszłam w ich sprawie – oni są już poza zasięgiem ludzkiej niesprawiedliwości. Nie mogłam zapobiec ich śmierci. Nie mam żadnej władzy. Ale czułam, że muszę spróbować zapobiec kolejnym zbrodniom popełnianym w imię cesarza. Odwołaj ten edykt, Konstancjuszu! Jesteś teraz cesarzem – i możesz to zrobić. Odwołaj, albo... albo będę musiała zebrać ludzi, by przeciwstawili się atakom na chrześcijan. Robiłam to już, kiedy Karauzjusz przejął władzę nad Brytanią. Mogę to zrobić jeszcze raz i pewnie z lepszym rezultatem.

– Nic się nie zmieniłaś, Heleno, prawda? – uśmiechnął się Konstancjusz. – Impulsywna jak zawsze. Grozisz mi buntem i rewoltą, tak? – A potem dodał zupełnie poważnym tonem: – Nie stałaś się chrześcijanką – jak Kurio?

– Nie. I nie wiedziałam o Kurio. A jednak się z tego cieszę – on zawsze był człowiekiem o wielkim sercu. Czy zamierzasz skazać go na śmierć?

Konstancjusz potarł podbródek.

– Zastanawiałem się przez pewien czas, co z nim zrobić – odpowiedział powoli. – Jest za stary do czynnej służby i za dobry, by go odesłać do jego małej posiadłości w Italii. Teraz wiem. Mianuję go namiestnikiem Verulam...

Podniosła na niego wzrok pełen radosnego zdumienia.

– Och, Konstancjuszu...

– Ponieważ jest chrześcijaninem, dopilnuje, by moje rozkazy były wykonywane. Wiem, że chrześcijanie szanują władzę.

– Tak... to prawda, ale...

– Ale jakie rozkazy będzie musiał wykonywać – o to chciałaś spytać? Cóż, pierwszym rozkazem jest odwołanie edyktu Dioklecjana.

– Konstancjuszu...

– Na wypadek, gdyby cię to interesowało – cezar przeciągał słowa – właśnie jest kopiowany. Strabo się tym zajmuje – to bardzo pracowity człowiek, ten mój Strabo. Złożymy mu wizytę po kolacji i zobaczymy, jak szybko posuwa się praca.

– Chcesz powiedzieć – już to odwołałeś?

– Tak, to właśnie próbuję ci to powiedzieć – cierpliwie skinął głową. – Moja droga, trudno było mi być sprawiedliwym, kiedy miałem nad sobą starego Dioklecjana – nie mówiąc o moim... o Maksymianie. Nie sądziłaś chyba, że ten idiotyczny edykt mi się podoba? Ale właściwie czemu nie miałabyś tak myśleć! Miałaś do tego pełne prawo. Nie mogę wskrzesić zmarłych, co pewnie potrafiłby ich Jezus. Ale mogę powstrzymać dalsze nonsensy i może są sposoby i środki, by wynagrodzić część krzywd...

Wstała ze łzami w oczach.

– Jestem szczęśliwą kobietą – powiedziała. – Podwójnie szczęśliwą, ponieważ zrobiłeś coś dobrego, nie czekając na mnie. Ja... ja zwątpiłam w ciebie, wiesz, i...

– Nie zamierzasz chyba mnie przepraszać? – zapytał Konstancjusz z dziwnym uśmiechem. – Moja droga, jesteś gorsza od chrześcijan! Oczywiście, że we mnie zwątpiłaś. Ja sam wątpiłem w siebie przez lata. Ale myślę, że teraz już wiem, na czym stoję. Przynajmniej wiem, jaką najgorszą, a jaką najlepszą rzecz w życiu zrobiłem. Nie, nie powiem ci. Powiem ci coś innego – mam dobre wieści o kimś, kogo znasz.

– Więcej dobrych wieści? Przekazałeś mi już wszystkie dobre wieści, jakich pragnęłam. Dostałam to, co chciałam.

– A zatem jesteś złą matką.

– Konstantyn? Odezwał się do ciebie? Ja nie miałam od niego wiadomości od wielu miesięcy...

– Nic dziwnego. Był na granicy. Dobrze walczył i został odznaczony za męstwo. Był pierwszy na murze arabskiej twierdzy – dali mu koronę murów. Teraz wrócił do Nikomedii. Galeriusz chce mianować go legatem.

– Co?! W wieku trzydziestu jeden lat?

– Uważasz, że to źle? – uśmiechnął się niewinnie Konstancjusz. – Jestem skłonny się z tobą zgodzić. Nie zapominaj, że powiedziałem, „Galeriusz chce mianować go legatem". A między nami: nie zrobi tego.

Zagotowała się ze złości.

– A dlaczego nie? Bo jest za młody...

– Och, nie o to chodzi. Mam wobec niego inne plany.

Ściągnęła brwi.

– Nie wiedziałam, że masz jakieś plany wobec Konstantyna. A szczerze mówiąc... nie sądzę...

– Do dziś nie miałem żadnych planów. Ściśle mówiąc, nie miałem planów jeszcze kwadrans temu. Teraz mam.

– Nie rozumiem, Konstancjuszu.

– Dobrze, tupnij nogą – odrzekł wesoło cesarz. – Och, jak za dawnych dobrych czasów. Nie myślałem, że taki będzie mój pierwszy dzień jako cesarza.

– Drwisz ze mnie.

Zmarszczył lekko brwi.

– To ostatnia rzecz, jaką bym zrobił.

– Jeśli sądzisz, że Konstantyn przyjmie od ciebie jakąś łaskę, jesteś w błędzie.

– Cóż, myślę jednak, że przyjmie tron...

– Co... co powiedziałeś?

Ścisnął jej dłonie.

– Heleno, moja droga – dwanaście lat temu zrobiłem rzecz haniebną, najgorszą w moim życiu. Oszalałem z żądzy władzy i tylko władzy. Zawsze byłem ambitny, jak wiesz... Pamiętasz ostatni dzień, ostatnią noc przed moim wyjazdem do Rzymu i Mediolanu?

Wargi jej zbielały.

– Tak, Konstancjuszu...

– Tamtej nocy – nigdy ci o tym nie mówiłem – śniłem, że będę cesarzem. A kiedy się rano obudziłem, pamiętałem każdą scenę z mojego snu tak wyraźnie, jak gdyby była rzeczywistością. Przyjąłem to jako omen i postanowiłem zdążać do tego celu wszelkimi dostępnymi środkami.

Moja wina, pomyślała. Moja wina. To wszystko moja wina.

Uwolnił jej dłonie i wstał.

– W Mediolanie usłyszałem wieści o przewrocie Karauzjusza. Miałem tylko jedną myśl: dostać dowództwo wojsk, by odbić Brytanię. Nie dano jednak dowództwa człowiekowi, który był uważany za najlepszego do tego zadania. Sprawy rozegrały się inaczej na dworze Maksymiana.

Ciało miała jak lód. Nie mogła się poruszyć.

Zaczął się przechadzać po pokoju.

– Kiedy Watyniusz poniósł klęskę, Maksymian posłał po mnie i zaproponował mi to dowództwo, wraz z tytułem cezara – pod warunkiem, że poślubię jego córkę. Spędziłem pięć lat w niepokoju, marnując czas. Pięć lat! Gdybym odmówił, byłbym skończony. Zgodziłem się. Kazali mi przejść przez odrażającą farsę porzucenia w świątyni Jowisza. To wtedy nauczyłem się pogardzać bogami. W świątyni Junony nas połączono, ciebie i mnie. W świątyni Jowisza nas rozdzielili.

Przyspieszył kroku.

– Poślubiłem Teodorę – powiedział niemal ze złością. – I może była to niemal równie ciężka zbrodnia wobec niej, jak wobec ciebie. Bo nie kochałem Teodory. Na szczęście jest... inna niż ty. Jest dobrą kobietą, ale...

– Nie – przerwała mu Helena. – Proszę, nie. Dała ci dzieci...

– O tak. Dała mi sześcioro dzieci. Najstarsze ma jedenaście lat. Najstarszy chłopiec osiem. Mam go mianować cezarem w tym wieku? A poza tym... muszę to powiedzieć, Heleno. To ładne dzieci, dobre dzieci, wszystkie.

Ale... Teodora nie jest Heleną. Nie ma wśród nich władcy, uwierz mi. A Rzym potrzebuje władcy.

Zatrzymał się naprzeciw niej.

– Nauczyłem się kilku rzeczy, Heleno. Nauczyłem się kilku rzeczy o władzy. Widziałem ich wszystkich, mężczyzn, którzy mogą zasiadać na tronach, kiedy byłem w Mediolanie. Galeriusza, Maksencjusza, Licyniusza i wszystkich. Wyliniałe tygrysy, ryczące o władzę, chore z chciwości i ambicji. My, Rzymianie, sami wyhodowaliśmy krwiożercze bestie, by nami rządziły. Czy chcemy mieć kolejne smocze nasienie: następnych Neronów, Kaligulów i Karakallów?

Zestarzałem się, Heleno, i nie mam takiego zdrowia jak przedtem. Teraz jestem odpowiedzialny za zachodnie cesarstwo. Ale jak długo? I kto będzie moim następcą? Dioklecjan i Maksymian znów wprowadzili zasadę adopcji. Zobaczymy, czy nie wyjdzie ona Rzymowi na dobre, jak wcześniej w przypadku Nerwy, Trajana i Antoninów.

Zachichotał.

– To musi być bolesny cios dla Maksymiana – powiedział. – Zawsze uwielbiał władzę – jest jego jedynym bogiem. Ale Dioklecjan był od niego mądrzejszy. Kiedy mianował go na współwładcę, zawarł z nim pakt: gdy jeden z nich abdykuje, drugi zrobi to samo. Biedny stary Maksymian chętnie się wtedy na to zgodził. Po prostu nie wyobrażał sobie, że ktokolwiek mógłby zrzec się tronu, a pakt wydawał się zabezpieczać jego pozycję. Ale Dioklecjan już wtedy wiedział, że kiedyś będzie miał tego wszystkiego dość – nie jest w głębi serca złym człowiekiem, mimo wielu wad, i nie jest tak okrutny jak Galeriusz, prawdziwy ojciec tego podłego edyktu przeciw chrześcijanom. Dioklecjan wiedział, że Maksymian nie może rządzić samodzielnie Imperium, więc związał go ze sobą, dobrze wiedząc, że sam odejdzie za kilka lat. A teraz właśnie to zrobił. Pojechał do Dalmacji, by sadzić w ogrodzie kapustę i udawać prostego rolnika. A raczej, po latach udawania cesarza wraca do swego prawdziwego ja i jest rolnikiem. A Maksymian musiał pójść za jego przykładem, choć ten pomysł wcale mu się nie podoba. To naprawdę świetny żart.

Znów zaczął spacerować tam i z powrotem.

– Teraz zostaliśmy Galeriusz, i ja – powiedział. – A Galeriusz jest młodszy ode mnie – i niebezpieczny. Jeśli nie wybiorę następcy, i to dobrego, on zostanie jedynym władcą Imperium. I będzie złym władcą. Dlatego potrzebuję następcy. Dzieci Teodory są zbyt małe – i nie nadają się do rządzenia. Pozostaje Konstantyn – jak by nie było, mój najstarszy syn.

Znów przed nią przystanął.

– Wiem o nim bardzo mało... jaki jest teraz – powiedział cicho. – Jest dobrym żołnierzem i ma syna na schwał. To wszystko, co wiem. Wszystko... prócz jednego.

Jest twoim synem. Synem najwspanialszej kobiety, jaką w życiu znałem. Gdybym potrzebował dowodu – dałaś mi go dzisiaj...

– Co masz na myśli? – szepnęła bezdźwięcznym głosem Helena.

Parsknął śmiechem.

– Myślisz, że nie wiem, ile cię kosztowało, by tu przyjechać i się ze mną zobaczyć, po wszystkich tych latach? Wydaje mi się, że znam ciebie i twoją dumę! A co więcej, zgadzam się ze wszystkim, co zrobiłaś. Był czas, kiedy chciałem, tak, chciałem, żebyś choć raz zrobiła coś złego. Czułbym się wtedy trochę lepiej z tym, jak ciebie potraktowałem. Ale ty wolałabyś umrzeć z głodu, niż przyjąć coś ode mnie. A dziś przyjechałaś do mnie, żeby prosić, nie o pomoc, nie o przysługę, lecz o sprawiedliwość. I nawet tej sprawiedliwości chciałaś nie dla siebie, lecz dla swoich chrześcijańskich przyjaciół. Cóż, kobieta, która potrafi zrobić coś takiego, jest godna być matką Imperium. I, na wszystkich bogów, jeśli istnieją, będziesz matką Imperium! Zaraz wyślę do Nikomedii człowieka, by sprowadził tu Konstantyna. Chcę mieć go tutaj, przy moim boku. Chcę zobaczyć, jaki jest syn Heleny i Konstancjusza. Galeriuszowi się to oczywiście nie spodoba. Ale nie sądzę, by ośmielił się odmówić. I wiem nawet, kogo wyślę. W drzwiach pokoju widziałem Fawoniusza, prawda? Świetnie – możesz mu dać parę miesięcy wolnego, Heleno? To dobrze.

Podszedł do drzwi i otworzył je.

– Wejdź, stary przyjacielu.

Fawoniusz wszedł, stanął na baczność i zasalutował.

– Poznajesz mnie, Fawoniuszu? – uśmiechnął się Konstancjusz.

– Tak, cesarzu.

– Cesarzu? A skąd wiesz, że nim jestem?

– Podsłuchiwałem przez dziurkę od klucza – padła poważna odpowiedź.

Konstancjusz ryknął śmiechem.

– On też się wiele nie zmienił, prawda, Heleno? Cóż, Fawoniuszu – wysyłam cię w pewnej sprawie. Chcę, byś sprowadził do Brytanii swego dawnego ucznia. Przed wyjazdem dam ci instrukcje – i list. I pamiętaj: nie obchodzi mnie, co słyszysz! Ale bardzo mnie obchodzi, co mówisz. Trzymaj usta zamknięte na kłódkę, rozumiesz? Dobrze. Możesz teraz odejść.

Fawoniusz z wielkim wysiłkiem stłumił żywą radość, która groziła tym, że rozciągnie jego twarz w nieceremonialnym uśmiechu. Znów zasalutował i wymaszerował z pokoju, aż zadrżały krzesła.

– Muszę już iść, Heleno – powiedział łagodnie cesarz. – A ty musisz odpocząć. Powiem Kurionowi, żeby się tobą zajął, kiedy tu jesteś. Wróć wieczorem – chcę, żebyś zobaczyła nowy edykt o chrześcijanach. Co powiedziałaś? Cesarzowa? Teodora jest w Aquae Sulis. Nie znosi

Eburacum. Chcę, żebyś była dziś wieczorem obecna na oficjalnej proklamacji. Nawet jeśli ty chcesz wracać do Verulam...

– Chcę, Konstancjuszu.

– ...nawet wtedy. Chcę, by mój dwór okazał szacunek matce przyszłego cesarza. Do wieczora, Heleno.

Ukłonił się jej z uśmiechem i wyszedł. Jego kroki brzmiały teraz mocniej niż wtedy, gdy wchodził, nie jak chód starego człowieka.

Helena też skierowała się powoli do drzwi.

Ze wszystkich stron nadpłynęły głosy i nie czuła ziemi pod stopami.

„Teraz, kiedy straciłaś wszystko, zyskasz miłość... i władzę. ... Nie zatrzymuj niczego dla siebie, a będziesz bogata" – powiedział Albanus.

„Kochaj go ponad smutek i rozczarowanie. To przyniesie owoce, kiedy nadejdzie czas. Niech miłość będzie silniejsza od dumy – nie zapomnij o tym. Niech miłość będzie silniejsza od dumy, kiedy nadejdzie czas" – rzekł Coel Mądry.

I gdzieś z wysoka, jak dziwna, słodka melodia: „Błogosławieni cisi, albowiem oni na własność posiądą ziemię".

Kiedy mijała Fawoniusza, spojrzał na nią z niemym podziwem.

Nigdy w życiu, nawet w dniach najbardziej promiennej młodości, nie była taka piękna.

Rozdział dwudziesty

Zapach wina i perfum; gwar głosów zagłuszających muzykę graną przez małą, niewidzialną orkiestrę; zaduch namaszczonych olejkami, spoconych, rozgrzanych od wina ludzkich ciał.

Kiedy trybun Konstantyn wszedł do sali bankietowej z grupą młodych oficerów, zaproszonych na cesarską *coenę*, starsi i wyżsi rangą goście zdążyli już skosztować trzydziestu wybornych potraw, którym towarzyszyło trzydzieści różnych gatunków wina.

Spośród hałasu wyłowił głos kobiety:

– Mówię ci, że to robaki – jakiś gatunek robaka wyjada z jego ciała życie; słyszę, że bardzo cierpi w nocy...

– Moja droga, kiedy ma się budowę i siłę Galeriusza...

– Oszalałaś? Kto wymienia imiona...

Robaki. Młodzi oficerowie stanęli w szeregu przed cesarskim stołem i zasalutowali. Potem niewolnicy zaprowadzili ich na miejsca. Nie było indywidualnych powitań. Galeriusz nie znosił zbędnych formalności na swoich bankietach.

Robaki. Wyjadają z niego życie. To była perska sala bankietowa – zaaranżowana w perskim stylu, z trofeami

zdobytymi w ostatnim roku wojny; wartość jej wyposaże-
nia dorównywała dochodom uzyskiwanym z jednej prowincji przez trzydzieści lat. A jednak obfitość jedwabiu
i ozdobnych tkanin, z przewagą barwy krwistoczerwo-
nej i żółtej, przywodziła na myśl nie pomieszczenie, lecz
wnętrze ludzkiego ciała, krew i wnętrzności, w których
roiło się od żarłocznego robactwa obu płci.

Wielki szatan borowik, Galeriusz, w otoczeniu mniej-
szych grzybków. Bardziej wątroba niż serce organizmu,
nabrzmiała i niebezpiecznie żywa.

Niech Styks pochłonie tę kobietę i jej robaki!

Caecuban czy massyk? Caecuban, oczywiście. Ten im-
perialny grzyb miał w piwnicach dobre roczniki. Serca
i języczki słowików i skowronków, zawinięte w cienkie
płatki bekonu i doprawione jakąś nieznaną przyprawą
smakującą jak... jak ambrozja.

To był męski bankiet, ale kobiety go umilały i powta-
rzały sztuczkę z ukrywaniem się pod stołami i wycho-
dzeniem na modłę tancerek: najpierw wystrzelała smukła ręka, dzwoniąc bransoletami, potem urocza młoda
główka z wielkimi oczami i pięknym makijażem, białe
ramiona, młode piersi drżące pod przezroczystym je-
dwabiem, kołyszące się giętkie biodra. Starym ramolom
to się podobało, bardziej niż sam posiłek, bardziej nawet
niż wino. To było naprawdę nieprzyjemne; Galeriuszowi
po prostu nie mieściło się w głowie, że ktoś może wo-

leć własną żonę od tych gotowych miłosnych sztuczek. Zawsze znalazło się kilku mężczyzn, którzy się temu sprzeciwiali, ale wyśmiewano ich jako hipokrytów albo ludzi o szczególnych preferencjach. Najlepiej było starać się traktować taką dziewczynę uprzejmie, a kiedy stawała się coraz bardziej... coraz bardziej zmierzała do rzeczy, wymówić się zmęczeniem, złym samopoczuciem albo czymś podobnym. Wtedy można było pozwolić jej się schować, a samemu wrócić do jedzenia. I należało przy tym uważać, by nie rzucać się za bardzo w oczy.

Następnym daniem był półmisek z pięćdziesięcioma lub sześćdziesięcioma różnymi gatunkami owoców morza. Nie, nie chciał zmieniać wina. Caecuban było w porządku. Gość naprzeciwko, młody syryjski patrycjusz, zaproponował wymianę dziewcząt. Dobrze, wymieńmy się. Syryjczyk, zaskoczony taką hojnością, zmienił swoją propozycję na rzucanie kośćmi o dziewczęta. Miał piękną kość, z indyjskiej kości słoniowej, wysadzaną szmaragdami. Rzucili; Syryjczyk wygrał i, będąc zarówno bardzo uprzejmy jak i bardzo pijany, wybrał własną dziewczynę i dalej ją całował, karmiąc resztkami ze swojego talerza.

Konstantyn próbował zobaczyć, kto siedzi przy cesarskim stole, ale pojawił się rój tancerek z Kadyksu i właśnie wykonywały swoje tańce. Mógł tylko czasem namierzyć wzrokiem Galeriusza – i wysokiego, chudego mężczyznę obok niego. Licyniusz, o którym mówiono,

że jest kandydatem do purpury. W ciągu ostatnich trzystu lat zawsze był ktoś „na liście" – wystarczała do tego
nawet niejasna plotka. W dzisiejszych czasach nie dążyło
się jednak do purpury, raczej do tego, by zostać jednym
z tych, którzy mają prawo ją nosić. Wiele razy przedtem było dwóch cesarzy, ale ilu było teraz? Cóż, Galerius
i Maksymin, kuzyn Galeriusza panoszący się w Egipcie
i Syrii... mówiono też, że cezar Sewerus w Italii domaga
się tytułu cesarza; to już trzech. Licyniusz byłby czwarty,
a ojciec piąty. Albo raczej ojciec był czwarty, a Licyniusz
starał się zostać piątym, choć tylko sam bóg słońca wiedział, czego byłby cesarzem – gdyby mu się udało.

Oczywiście, nie wiedzieli jeszcze o ojcu, ale wkrótce
się dowiedzą, a teraz pewnie i tak to podejrzewają. Czterech cesarzy i potencjalny piąty – żadne imperium długo
tego nie wytrzyma.

Niech szlag trafi tę dziewczynę i jej miłosne zabiegi.
Czy nie możesz się uspokoić, ty mała dziwko. Czekaj,
pokażę ci...

Podciągnął szczupłe ciało na swoje kolana, odwrócił
wśród brzęku bransolet, kolczyków i wszystkiego, położył świeżo napełniony talerz na jej plecach i zaczął jeść.

Fala śmiechu przetoczyła się przez stoły i dotarła do
Galeriusza.

Cesarz sam był w dobrym humorze, zabawiając się
z piętnastoletnią Czerkieską niezwykłej urody. Tłuste

białe palce biegały po całym jej ciele, pieszcząc małe uszy, kształtny nosek i twarde brodawki drobnych piersi. Nie był nią szczególnie zainteresowany, ale dawała mu dobry pretekst, by nie słyszeć tego, czego nie chciał słyszeć – a Licyniusz miał okropny zwyczaj dyskutowania o swoich pomysłach i planach w najmniej odpowiednim czasie.

– Z czego ryczą tamte osły? – zapytał burkliwym tonem.

– Jakiś młody oficer próbuje być zabawny – odrzekł Licyniusz. – Jak mówiłem wcześniej, panie, człowiek z moim doświadczeniem i pozycją nie może w żaden sposób zadowolić się...

– To młody Konstantyn – powiedział Galeriusz. – Używa pośladków dziewczyny jako stołu. Dobry żołnierz z tego młodego Konstantyna. Niech ktoś mu poda puchar mojego wina. Lubię tego młodego drania. Podobny do mnie w młodości. Cholerny młody urwis. Lubię go.

Jest pijany, pomyślał ze złością Licyniusz. Albo pijany, albo udaje – z Galeriuszem nigdy nic nie wiadomo.

Niewolnik podał ciężki puchar Konstantynowi, a ten wstał tak gwałtownie, że dziewczyna na jego kolanach spadła na podłogę.

Nawet tego nie zauważył. Wziął puchar i poszedł prosto do stołu cesarza. Licyniusz, kilku wyższych urzędników, których nie znał, Chanarangesz, nowo mianowany prefekt gwardii, z pochodzenia Pers.

– Zdrowie Augusta cesarza – powiedział i opróżnił puchar jednym długim haustem.

– Dobry chłopak – roześmiał się Galeriusz. – Dobry w walce – dobry w piciu.

Konstantyn podał puchar stojącemu najbliżej niewolnikowi, postąpił o krok i wyprężył się na baczność.

– O co chodzi? – zapytał cesarz, marszcząc lekko brwi.

– Wasza Wysokość, otrzymałem wieści z Brytanii. Mój ojciec podupada na zdrowiu i wyraził życzenie, by mnie zobaczyć, jeżeli Wasza Wysokość pozwoli mi wyjechać.

Galeriusz zacisnął grube wargi. Było zatem prawdą, że Konstancjusz się starzał... jak Dioklecjan... jak Maksymian... żaden z nich nie był ulepiony z naprawdę dobrej gliny... Wyjechać. Młodzieniec chciał wyjechać. Synowska czułość? Może tak, a może nie. Tak czy inaczej, to jeszcze chłopiec. Czemu Liciniusz tak do niego mruga? Co on sobie myśli? Przeszkadzał przez cały wieczór. Przeklęty Liciniusz. Pokażę ci...

– Masz naszą zgodę, młodzieńcze – skinął głową Galeriusz. – Powiedz swemu ojcu, iż mamy nadzieję, że twoja obecność przyspieszy jego powrót do zdrowia. Powiedz, że wiemy, iż jest naszym wiernym sługą...

Bystre spojrzenie małych błyszczących świńskich oczek. Konstantyn nie okazał jednak wzburzenia, więc cesarz mówił dalej:

– ...ale dowiadujemy się z przykrością, że jest zbyt łagodny wobec chrześcijańskiej plagi w jego prowincjach. Łagodność względem tych ludzi jest słabością, a nawet czymś gorszym niż słabość. Nie wydaliśmy edyktu przeciw nim bez powodu.

– Nie, panie – zgodził się Konstantyn. Znał awersję Galeriusza do tej zabobonnej żydowskiej sekty – wiedzieli o tym wszyscy.

– Nie docenia ich – ciągnął cesarz. – Nie zna ich tak jak my. Byliśmy zmuszeni podjąć kroki przeciw ich organizacji – i jaki był efekt? Ci fanatycy spiskowali przeciw naszemu życiu. Musieliśmy opuścić nasz pałac, ten właśnie pałac w dobrym mieście Nikomedii, z powodu pożarów, dwóch w ciągu piętnastu dni po ogłoszeniu edyktu...

Twarz Galeriusza czerwieniała coraz bardziej; na jego czole i policzkach wykwitły sine plamy, a głos stał się piskliwy.

– Widzieliśmy w naszych czasach wiele groźnych szaleństw, ale żadne nie było groźniejsze od szaleństwa chrześcijan. Wielu z nich to adepci mrocznych kultów, czarowników, magików. Można z nimi postępować tylko w jeden sposób – jak najszybciej ich wytępić. Powiedz to ojcu – a w przyszłości oczekujemy od niego lepszych wieści. Chcemy wierzyć w działanie podejmowane przez naszego cezara Konstancjusza – niech się postara, żeby tak było. I nie mamy lepszego sposobu na okazanie mu przyjaznych uczuć niż wysłanie jego syna, by mu o tym powiedział – zamiast wybrać bardziej oficjalną drogę, jak nam radzono.

Jego prawa ręka nagle wystrzeliła i twarz czerkieskiej dziewczyny znalazła się w półmisku sałatki ze śmietaną. Galeriusz ryknął śmiechem, a pozostali posłusznie mu zawtórowali. Zapomniano o Konstancjuszu i chrześcijanach.

Galeriusz, wychowany w koszarach, zawsze lubił niewybredne żarty. Rozbawiło go zmieszanie pięknej dziewczyny.

– Napij się, mój chłopcze – powiedział. – Baw się dobrze – twój cesarz ci każe. – Trzęsąc się ze śmiechu, wylał następną potrawę na głowę nieszczęsnej dziewczyny, po czym kazał ją zabrać.

– Brudna dziewczyna – powiedział. – Trzeba ją umyć... brudna dziewczyna. – Plątał mu się język. Nikt już nie miał wątpliwości, że jest pijany.

Konstantyn pokłonił się głęboko, wrócił na swoje miejsce w drugim końcu pokoju i zaczął tam ostro pić.

– Boski cesarzu...

Galeriusz odwrócił się i zobaczył kredowobiałą twarz Licyniusza.

– Co ci się stało, przyjacielu? Wyglądasz, jakbyś zobaczył ducha.

– Bo zobaczyłem, panie – szepnął Licyniusz. – Zobaczyłem ducha rebelii. Ten młodzieniec jest niebezpieczny, panie.

– Brednie. Pij, człowieku, i przestań się katować ch... chorymi pomysłami. Niebezpieczny! To jeszcze prawie dziecko.

– Ma trzydzieści dwa lata, panie. Ale jeśli mój cesarz mówi, że nie jest niebezpieczny, to nie jest – jeszcze. Jednakże, jeśli młody wąż nie umie jeszcze kąsać, stary to potrafi. Zastanawiam się, jak bardzo chory jest cezar Konstancjusz...

Dolna warga Galeriusza lekko zadrżała.

– Co masz na myśli? Nienawidzę zagadek. Mów wyraźnie, człowieku. Do czego zmierzasz?

– Istnieje coś takiego jak choroba dyplomatyczna, panie... – oczy Licyniusza miały teraz niemal hipnotyzujący wyraz. – Przypuśćmy, że cezar Konstancjusz ma plany bardziej ambitne niż bycie wiernym sługą swojego cesarza – co by wtedy zrobił? Zostawił swego syna na cesarskim dworze? Czy próbował ściągnąć go bezpiecznie do domu – poza zasięgiem zemsty cesarza?

– B-brednie – powtórzył ze znużeniem Galeriusz. Ale jego umysł, choć ospały i zatruty alkoholem, znów zaczął pracować.

Licyniusz zobaczył w jego oczach błysk podejrzliwości i od razu zaatakował.

– Może jego... łagodność wobec chrześcijan nie jest tylko słabością – szepnął. – Może kryje się za tym jakiś zamysł – ci ludzie są dość liczni, jak wiesz, panie. Migrują już do Galii i Brytanii, gdzie czują się bezpieczni przed sprawiedliwymi prawami Waszej Wysokości. Może i młody Konstantyn jest jeszcze prawie dzieckiem, choć nie byłbym tego taki pewny, ale na pewno jest wartościowym zakładnikiem w Nikomedii – i wielką pokusą dla swojego ojca, kiedy znajdzie się w Brytanii.

Galeriusz cmoknął.

– Twoja rada, Licyniuszu?

– Moja rada jest taka, że nie powinien przybyć do Brytanii, panie...

Galeriusz chrząknął. Jego nabiegłe krwią oczy zwróciły się w stronę stołu Konstantyna. Młody trybun leżał na wpół na swojej leżance, a na wpół na podłodze; był zalany w trupa.

Cesarz uśmiechnął się.

– Nie, nie, przyjacielu – bez drastycznych środków. Ty sam jesteś bardzo chętny na zachodnie prowincje, prawda? Nie, nic nie mów. Wiem, że tak jest. Ja też bym był na twoim miejscu. Nie martw się. Twój czas nadejdzie. Dopilnuję, by nadszedł. Jestem twoim przyjacielem, Licyniuszu – b-bardzo dobrym p-przyjacielem. Ale nie zabijemy jeszcze młodego węża. Sam powiedziałeś, że się przyda tutaj, w Nikomedii. Wierzymy, że masz rację. Ale bez drastycznych środków. Chanarangeszu...

Prefekt gwardii zbliżył się.

– Panie?

– Wyślij oficera do trybuna Konstancjusza jutro rano – kiedy się przebudzi z obecnego stanu – by mu powiedział, że zmieniłem zdanie. Zostanie awansowany do rangi legata i obejmie Jedenasty Legion. Bardzo lubimy tego młodzieńca, Chanarangeszu. Nie chcemy się pozbawić jego usług; nie możemy sobie na to pozwolić... właśnie teraz. Zamiast tego wyślemy jego ojcu jednego z naszych najbardziej doświadczonych lekarzy. To mu się b-bardziej przyda, skoro jest chory. Hahaha... co mówisz, Licyniuszu?

– Cesarz jest bardzo mądry – powiedział Licyniusz z bladym uśmiechem.

Dwóch rosłych niewolników pomogło Konstantynowi opuścić pokój. Nie był jedyny – w rzędzie leżanek widniało kilka pustych miejsc.

– Dobre chłopaki – wymamrotał Konstantyn. – Miłe chłopaki... muszę na świeże powietrze... nie, nie chcę tam... chcę na dziedziniec... świeże powietrze. Teraz dobrze... G-gdzie jest mój rydwan?

Pomogli mu wsiąść. Woźnica uśmiechnął się wesoło.

– Nie śmiać się – zganił go pan. – Do... domu, ty synu łotra...

Woźnica wziął wodze, strzelił z bata i odjechał.

Kiedy pałac cesarski znikł z pola widzenia, usłyszał, jak jego pan mówi:

– Daj mi teraz wodze, Fidusie.

Zaskoczony woźnica podniósł wzrok. To był zupełnie inny ton, wyraźny, metaliczny i w najmniejszym stopniu nie pijacki.

Konstantyn zniecierpliwiony wyjął wodze z jego rąk. Cmoknął językiem.

– Bat, Fidusie.

Strzelił z niego nad głowami koni. Koła rydwanu zaturkotały na nocnych ulicach.

W ciągu kwadransa dojechali do małego domku.

– Wyprzęgnij konie, Fidusie, i osiodłaj Boreasza i Zefira.

– Osiodłać je, panie?

– Słyszałeś, co powiedziałem. Rób, co ci każę! Jadę na plażę, by trochę popływać.

– Tak, panie.

Jak szybko zeskoczył i wszedł do domu! A w pałacu trzech ludzi musiało go wsadzać do rydwanu! Popływać w nocy, rzeczywiście. Działo się tu coś dziwnego i może warto byłoby o tym powiedzieć staremu Tetrasowi jutro rano. To mogło go zainteresować, a on płacił srebrem, kiedy coś go interesowało. Fidus skierował się do stajni.

W atrium Konstantyn cicho zagwizdał i podszedł do niego wielki cień.

– Tu jestem, panie.

– Wszystko gotowe, Fawoniuszu?

– Z mojej strony tak, panie.

Konstantyn zachichotał.

– Z mojej już też. Dostałem od Galeriusza pozwolenie na wyjazd. Był trochę pijany – nie za bardzo. Nie tak, jak myślał, że ja jestem. Ale nie na tyle, by nie słuchać starego Licyniusza, który bardzo na coś naciskał. Tak bardzo, że Galeriusz zawołał Chanarangesza i dał mu pewne instrukcje. Gdzie jest mój pas z klejnotami? Wziąłeś moje ubrania podróżne? Dobrze.

Rozebrał się i stanął nagi w pokoju.

Fawoniusz wyjął ubranie podróżne i pomógł mu się ubrać.

– Fidus powie – rzekł spokojnie.

– Na pewno. Ale nie wcześniej niż jutro rano.

Silny jak Milon z Krotonu, pomyślał Fawoniusz. Mięśnie ramion i rąk – doskonałe. Podobnie nogi. I ani grama zbędnego tłuszczu.

Konstantyn był gotowy w niecałe pięć minut: mocne sandały bez ozdób, prosta ciemna tunika, prosty ciemny płaszcz, pas z klejnotami bezpiecznie zawiązany wokół nagiego torsu.

– Twój miecz, panie.

– Dziękuję. Fidus powinien być już gotowy z końmi... tak, słyszę je. Chodźmy.

Woźnica rydwanu prowadził konie. Były to konie bojowe Konstantyna – dał im te same imiona, co ulubionym koniom z dzieciństwa. Hiszpańska rasa, silne i wytrzymałe.

– Dobrze, Fidusie. Nie musisz czekać. Wrócę późnym rankiem. Dobranoc.

– Dobranoc, panie.

Kiedy dom znalazł się poza zasięgiem ich wzroku, przeszli w galop.

– Błąd – mruknął Fawoniusz. – Powinienem był o tym pomyśleć.

– O czym?

Ma uszy rysia, pomyślał stary żołnierz.

– Te ubrania – powiedział. – Nie powinniśmy byli, a raczej ty nie powinieneś był przebierać się w strój podróżny. Fidus nie uwierzy w bajeczkę, którą mu opowiedziałeś.

Konstantyn roześmiał się.

– Wcale tego nie oczekuję – powiedział, spinając konia ostrogami. – Nawet chciałem, by pomyślał, że to dziwne. Dlatego powiedziałem mu o tym nocnym pływaniu.

– Nie rozumiem – burknął Fawoniusz.

– Cóż, w nocy nic nie zrobi. Nikt nie posłucha gadania niewolnika, dopóki jego historia się nie potwierdzi.

A potwierdzi się dopiero jutro rano, kiedy nie wrócimy. Wtedy będzie to dość dziwne – zwłaszcza, że mam powody sądzić, iż cesarz zamierza po mnie posłać. A wtedy będą zadawać Fidusowi pytania.

– Właśnie...

– Dobry stary Fawoniuszu – czy nie rozumiesz? I tak będą coś podejrzewać. Przebranie w strój podróżny tylko potwierdzi ich podejrzenia.

– Tak... a do tego będą też wiedzieli, jak jesteśmy ubrani!

Konstantyn roześmiał się.

– Będą myśleli, że wiedzą, jak jesteśmy ubrani. I właśnie tego chcę. Ale my zostawimy nasze konie i ubrania w Bizancjum, w domu mojego przyjaciela, a stamtąd wyruszymy do Adrianopola na innych koniach i w innym ubraniu. Zobaczysz. Wszystko jest przygotowane.

– To łatwe – uśmiechnął się Fawoniusz. – Dopóki ktoś myśli o wszystkim.

– Cóż, właśnie dlatego wysłałem Minerwinę do Bizancjum, z moim synem. Dopilnowała, by wszystko było gotowe na nasz przyjazd, i pojechała do Dyrrachium – na kurację.

– Niech bogowie będą z nią – powiedział Fawoniusz. – Pani Minerwina jest piękną kobietą i wielka damą.

– Szkoda, że musiała wziąć ze sobą Kryspusa – powiedział Konstantyn. – Szkoda, że my nie możemy go zabrać... to oczywiście wykluczone. Ma dopiero osiem lat. Za kilka lat będziesz miał dobrego ucznia, Fawoniuszu!

– Trudno będzie go nauczyć jakichś sztuczek – przy takim ojcu – mruknął stary żołnierz.

Konstantyn roześmiał się.

– Teraz musimy jechać galopem.

Zostawili za sobą miasto i wyjechali na białą drogę, prostą jak miecz, wysadzaną cyprysami i drzewami oliwnymi. Po lewej stronie migotało oświetlone blaskiem księżyca morze.

Godzinę po północy dotarli do małego rybackiego portu. Fawoniusz załomotał w drzwi, wyciągając starego rybaka z łóżka i z domu. Obaj znali jego i łódź; była dość duża dla nich i dla koni na krótką przeprawę przez Bosfor – nie więcej niż pięćdziesiąt stadiów[2]. W najwęższym miejscu byłoby trzydzieści, ale tam zawsze stali celnicy, wypatrując nadpływających statków, a oni nie chcieli być o nic wypytywani.

Kilka złotych monet z sakiewki przy siodle Fawoniusza wystarczyło, by stary rybak zupełnie oprzytomniał, a do tego obudził swoich trzech synów.

– Słuchajcie – powiedział Konstantyn. – Znacie mnie – zapomnijcie po prostu o naszej małej nocnej wyprawie, jak tylko wrócicie do portu. Nikogo nie widzieliście.

---

[2] Osiem kilometrów – przyp. red.

Spaliście przez całą noc – czy to jasne? Dowiem się, czy coś mówiliście czy nie. Każdy z was dostanie jeszcze po sztuce złota, kiedy dopłyniemy na drugi brzeg. I następne dziesięć dla każdego w ciągu roku, jeśli będziecie milczeć. To wszystko. Ruszajmy.

Konie zachowywały się dobrze – stawiały czoła trudniejszym warunkom podczas kampanii perskiej. Fawoniusz nakarmił je suszonymi daktylami, ich ulubionym smakołykiem.

W Bizancjum, w domu wyzwoleńca Perennisa stwierdzili, że Minerwina nie zapomniała niczego z długiej listy rzeczy, której Konstantyn kazał jej się nauczyć na pamięć. Poza tym Perennis otrzymał specjalne instrukcje bezpośrednio od swego poprzedniego pana, samego Konstancjusza.

– Będziesz miał pod swoim dowództwem piętnastu mężczyzn, panie – powiedział stary Perennis. – Nie spodziewaliśmy się ciebie dziś wieczorem, jak wiesz...

– Wiem – musiałem skorzystać z pierwszej sposobności. Sam wcześniej nie wiedziałem. Musiałem uciec od cesarza, bo inaczej mógłby wysłać za mną wojskowy nakaz aresztowania, a to zwykle jest fatalne w skutkach. Nie mogłem tego ryzykować.

– Znam tylko jednego cesarza i ma na imię Konstancjusz – rzekł Perennis, a Konstantyn wiedział, że otrzymał wieści z Brytanii.

– Na razie nikomu o tym nie mów – powiedział. – Kiedy twoi ludzie będą gotowi? Pamiętaj – chcę, żeby trzej byli ubrani jak bogaci kupcy, a reszta jak niewolnicy, i chcę ubrań niewolników dla Fawoniusza i dla mnie.

Fawoniuszowi zaparło dech ze zdziwienia, ale Perennis tylko skinął głową.

– Wiem, panie. A trzej, którzy mają udawać kupców, są starannie wybrani – zupełnie nie przypominają wyglądem ciebie ani szlachetnego setnika. Mamy trzydzieści mułów z towarem. Czy będziesz ich potrzebował przez całą drogę?

– Oczywiście, że nie – podróżowalibyśmy zbyt powoli. Chcę tylko zmylić pościg, jeśli takowy będzie – a myślę, że tak. Odłączymy się od karawany, jak tylko opuścimy Adrianopol, a oni wrócą do ciebie we właściwym czasie.

– Nie do mnie – powiedział błagalnym tonem Perennis. – Ludzie mogliby zacząć gadać. Dam im instrukcje – pójdą do wiejskiego domu mojego przyjaciela. On też robi interesy z kupcami.

– Świetnie. A kiedy twoi ludzie będą gotowi?

Perennis mrugnął okiem.

– Będziecie jechać w karawanie kupieckiej, panie – rzekł z uśmiechem. – To oznacza, że musicie podróżować w dzień. Teraz jest druga w nocy – o świcie będą czekać na ulicy Kotlarzy.

– Świetnie. To nam daje kilka godzin snu. Wystarczy. Dopiero co musiałem wypić sporo caecubana na cesarskim bankiecie.

– Pokażę ci twoje pokoje – i szlachetnego setnika. Pani Minerwina przesyła najserdeczniejsze pozdrowienia, panie. Wyjechała dwa dni temu do Dyrrachium.

– Dziękuję, Perennisie – odrzekł Konstantyn. – Czy mój syn dobrze się zachowywał?

– Jest wiernym odbiciem swego ojca – uśmiechnął się Perennis.

– To oznacza, że wytłukł co najmniej połowę twoich waz. – W śmiechu Konstantyna dźwięczała duma. – Chodźmy, Fawoniuszu – spać. Ostatnie wygodne łóżko, jakie możemy mieć w najbliższych miesiącach. Od jutra rana będziemy niewolnikami.

Rozdział dwudziesty pierwszy

⊕

– I byliśmy niewolnikami – powiedział Fawoniusz, z westchnieniem ulgi mocząc bose stopy w gorącej wodzie. – I uwierz mi, to wcale nie było zabawne. Potrzyj mi plecy, dobrze?

Stary Rufus spełnił prośbę. W jego chudych rękach nie było już wiele siły, ale dawał z siebie wszystko.

– Wczorajszy niewolnik – dziś bierze masaż pierwszej klasy – powiedział. – Zawsze lubiłeś luksusowe życie. Jak ci się podobało bycie niewolnikiem?

– Dobrze być z powrotem w starym Verulam – powiedział Fawoniusz. – Potrzyj trochę mocniej, jeśli możesz. A ja nie byłem niewolnikiem wczoraj. To było wiele tygodni temu. Uważaj na opatrunek na moim ramieniu, ty stary synu liguryjskiego złodzieja bydła...

– Znowu cię tu zranili, na Marsa Mściciela – rzekł Rufus. – Ciekawe, jak to się stało? Znowu krawędź tarczy. Od kiedy ty nie wiesz, jak trzymać tę cholerną tarczę? Chyba się starzejesz.

– Naprawdę się starzeję – mruknął Fawoniusz. – Chociaż nie tak jak ty, z tymi palcami z waty. Dasz mi opowiedzieć tę historię czy nie? Na czym skończyłem? Już wiem – kiedy byliśmy niewolnikami w Bizancjum. Wiesz, podobało mu się to miasto – węszył wokoło przez cały czas i powiedział, że coś z tym zrobi w swoim czasie. Nie podobała mu się konstrukcja murów i powiedział, że dopilnuje, by przemytnicy nie mogli uciekać z rzeczami tak łatwo jak my poprzedniej nocy. Powiedział też – jakoś tak przejmująco, z błyskiem w oczach: „To miasto zbudowano na siedmiu wzgórzach – będzie drugim Rzymem".

– Naprawdę tak powiedział?

– Tak, a potem jakaś stara kobieta wyrzuciła z okna kosz starych ryb – trafiła go w głowę i zapomniał na chwilę o swoich planach. Wymyślił kilka naprawdę dobrych na Wschodzie, Rufusie – może potwierdzić, mówię to za niego. Potem doszliśmy do ulicy Kotlarzy i dołączyliśmy do naszej karawany. Byliśmy niewolnikami kupca wełnianego, dopóki nie opuściliśmy Adrianopolu. Jedliśmy jedzenie, które dostawali niewolnicy. I popijaliśmy je wodą.

– Nie! – wykrzyknął Rufus z niesmakiem.

– I spaliśmy jak niewolnicy – na jukach naszych mułów. I traktowali nas jak niewolników – on się tego domagał. Jeden z tych osłów udających kupców był dla niego uprzejmy na oczach niektórych mieszkańców wsi; w nocy na postoju skopał go tak, iż myślałem, że połamie mu kości. „To cię nauczy być uprzejmym, kiedy mam być przeklętym niewolnikiem", powiedział. Następnego dnia tamten gość się zemścił – dał popis i skopał jego, a on przyjął to jak baranek. Kolejnej nocy zbił go za to. Sprawił mu porządne lanie. „Nie przesadzaj", powiedział. „Mówiłem, że nie możesz traktować mnie uprzejmie, ale nie mówiłem, że możesz mnie kopać." Potem wszystko ułożyło się dobrze.

– Na pewno – odrzekł Rufus.

– W Adrianopolu kazał im kupić parę koni – najlepsze, jakie znajdą – a kiedy zostaliśmy sami na drodze, przebraliśmy się z powrotem w mundury, dosiedliśmy koni i odjechaliśmy. Choć byłoby lepiej, gdybyśmy zatrzymali kilka ich mułów – bogowie, jakie oni mają góry tam w Tracji! A kiedy wjechaliśmy na przełęcz, spojrzałem w dół, w kilometrową przepaść, i zobaczyłem drogę, którą dostaliśmy się na górę, serpentyna za serpentyną, a głęboko w dole coś błyszczało, jak mały wąż pełznący w górę, a ja pokazałem mu to i powiedziałem: „To oni – uciekajmy".

– A zatem was ścigali?

– Tak! Jeśli wtedy nie mieliśmy pewności, zyskaliśmy ją następnego dnia, kiedy mój koń złamał nogę. Kazał mi wsiąść na swojego konia – nie było innego w promieniu kilometrów. Jak wiesz, jestem dość ciężki, a on ma sześć stóp[3] wzrostu, więc nie posuwaliśmy się zbyt szybko. Ale czy on by mnie zostawił?

[3] Ponad sto osiemdziesiąt centymetrów – przyp. red.

– Nie on – odrzekł Rufus.

– Człowieku, pomyśl chwilę, zanim palniesz coś takiego. On jest panem, prawda? Zmierza po tytuł cezara, prawda? Któregoś dnia zostanie cesarzem. A kim ja jestem? Starym psem wojny, który nie ma w perspektywie nic prócz dwóch metrów pod brunatną ziemią – i pucharu wina od ciebie, jeśli chcesz, bym opowiadał dalej.

– Przyniosę ci – uśmiechnął się Rufus.

– To samo co przedtem – falerneńskie. Tak, to zacna amfora. Dobry z ciebie chłopak, Rufusie. Cóż, po pół godzinie jego koń uznał, że ma dosyć i padł, dokładnie tak. Wtedy on powiedział: „Schowaj się ze mną za ten krzak i zaczekajmy". „Po co?" – zapytałem. „Dogonią nas, a wtedy dobranoc. Jest ich co najmniej trzydziestu, a nas tylko dwóch."

„Nic na to nie poradzimy – powiedział. – Poza tym chcę sprawdzić, czy oni naprawdę nas ścigają. Nie wiemy tego na pewno, prawda? Muszą być całkiem bystrzy, skoro tak szybko nas znaleźli. I tak czy inaczej, oni mają konie – a my potrzebujemy koni".

– Jak ci się to podoba? Chciał, żebyśmy pojechali dalej na ich koniach! No i pojawili się po godzinie. Czterdziestu sześciu mężczyzn pod dowództwem młodego trybuna.

– Kiedy zobaczyli naszego martwego konia na środku drogi, zatrzymali się, a trybun i paru innych zsiedli z koni, by się rozejrzeć, rozumiesz? A trybun powiedział: „To ten drugi – nie mogą być daleko. Coś zostawili w torbach podróżnych...".

– Rzeczywiście – to były złote monety, dwie pełne garście. On je tak zostawił. Wiedział, że przyciągną ich uwagę.

– Więc podeszliśmy, szybko jak błyskawica, wskoczyliśmy na najbliższe konie i odjechaliśmy galopem, zanim zdążyli kichnąć. To było łatwe. Gonili nas jak zaraza, ale, na brodę Jowisza, on umie jeździć konno! Mało nie spadłem z konia, tak się śmiałem.

Dasz mi następny puchar tego czegoś, Rufusie? No już, nie bądź skąpy. Przysięgam, że nie usłyszysz takiej opowieści codziennie. Teraz lepiej.

Cóż, wtedy już wiedzieliśmy, rozumiesz? Od tamtej chwili trwał jeden wielki pościg. A teraz powiem, po co nam było złoto i pas z klejnotami, który miałem na sobie przez całą drogę do Brytanii. Gdziekolwiek zajechaliśmy, kupowaliśmy najlepsze konie albo przynajmniej bardzo dobre i zabijaliśmy te, których właściciele nie chcieli nam sprzedać, ponieważ liczyło się tylko to, by powstrzymać pościg. Gdziekolwiek byliśmy, zostawialiśmy za sobą szlak martwych koni i garść złota dla właścicieli. On zawsze na to nalegał.

Miejsca, w których spaliśmy – stare gospodarstwa, głębokie lasy, wiejskie gospody – jedna noc wśród strug deszczu, grzmotów i błyskawic, tylko z naszymi derkami nad głową, a następna w Dacji, niedaleko Nikopolis, w stodole, kiedy gospodarz z czterema niewolnikami próbował zabrać nam złoto. Obudziłem się, kiedy jeden z nich siedział na mnie, trzymając w ręce nóż.

– Uderzyłeś go kolanem – stwierdził Rufus z zainteresowaniem znawcy.

– Właśnie – tak jak w Hippo, pamiętasz, kiedy ten wielki Murzyn próbował na mnie sztuczek z nożem? To było z Dwunastym Legionem, prawda? Musieliśmy...

– Mniejsza o Dwunasty, Hippo i Murzyna. Co się zdarzyło w stodole?

– Cóż, zrobiłem tę sztuczkę z kolanem i Konstantyn natychmiast się obudził. Próbowali zabrać mu miecz, ale on był dla nich za szybki, a wtedy ja wyciągnąłem swój i świe-tnie się za-ba-wi-liś-my. Zostawiliśmy ich związanych jak drób. Zostało im też niewiele zębów. On jest cholernie dobry w bójkach – a mnie znasz, prawda, Rufusie?

– Znam cię – potwierdził Rufus. – Wyjmij z wody te wielkie stopy. Już dość długo je moczyłeś.

– Nie podobało mu się w Dacji. Pełno Germanów i Sarmatów. Nie lubi ani jednych, ani drugich, i trudno mieć mu to za złe. Są bandą bezbożnych barbarzyńców i tyle. Powiedział, że potrzebujemy tam więcej fortyfikacji i trzeba odbudować stare. Naszkicował ich plan w jedną noc, kiedy nie mógł spać. Martwił się tymi Germanami. „Jest ich zbyt wielu – powiedział. – Mnożą się jak króliki. Trzeba wziąć ich najlepszych ludzi do naszej służby i wysłać na Wschód przeciw Persom. Tyberiusz miał rację” – powiedział. – „Zawsze tnij diament diamentem. Persów też jest zbyt wielu”.

W Panonii nie podobały mu się lasy. „Tu jest lepsza rasa – powiedział – ale jest ich za mało – a dlaczego? Ponieważ cały ten kraj jest jednym wielkim lasem. Będziemy musieli go wyciąć i przekształcić tę prowincję w rolniczą. Muszę tego dopilnować”. I miał plan, jak doprowadzić wody tamtejszego jeziora – nazywają je Pelso – do Dunaju.

– Żadnych więcej walk? – zapytał Rufus, którego zaczynały nudzić imperialne plany Konstantyna.

– Mnóstwo. Mieliśmy do wyboru albo przejechać prosto przez Noricum i Alpy do Galii, albo dostać się do Galii przez Italię. On zdecydował się na Italię, gdzie są znacznie lepsze drogi. Nie chciał tracić czasu. Ale w Italii stary Sewerus próbował nas przechytrzyć. Właśnie otrzymał nowy tytuł i był dumny jak paw, nazywając siebie cesarzem. Wiedział jednak, że oberwałby od Galeriusza, gdyby nas przepuścił, więc bardzo starał się nas zatrzymać. Teraz zabijaliśmy więc italskie konie zamiast panońskich, dackich czy trackich. Zebraliśmy całą szajkę bandytów w Istrii, gdzie znajdzie się dwóch za pół denara, i utorowaliśmy sobie drogę. Tuż przed wjazdem do Galii musieliśmy walczyć z naszymi pomocnikami – jeden z nich zauważył pas z klejnotami i od razu powiedział pozostałym. Musieliśmy zabić trzech i przegonić resztę. Stąd to na ramieniu. Ty nie masz tarczy, kiedy jesz śniadanie, prawda, Rufusie?

– W Galii wszystko było już śmiesznie łatwe. Nasz cesarz, ten cesarz o to zadbał. Świeże konie na każdym postoju, żadnych płatności czy skarg. Przecięliśmy Galię jak nożem – w Gesoriacum czekał na nas statek, dopłynęliśmy do Anderidy, dalej konno do Londinium, a stamtąd tutaj i to by było na tyle. Ale, Rufusie, nigdy nie zrobiłem takiej trasy...

Żaden z dwóch starych żołnierzy nie zauważył wysokiej kobiety w długiej, szarej sukni, która stanęła w drzwiach. Następne słowa Fawoniusza sprawiły, że znieruchomiała.

– Przemierzyliśmy całą cholerną Europę – rzekł Fawoniusz. – Jechaliśmy przez Bitynię, Trację, Dację, Panonię, Noricum, Italię, Galię i Brytanię. Przejechaliśmy całe to cholerne Imperium, naprawdę. Ścigał nas krwiożerczy stary cesarz, a drugi na nas czekał. Raz byliśmy w siodle przez trzydzieści dwie godziny bez przerwy – na nogi Marsa, Rufusie, nie ma dwóch innych mężczyzn w Imperium, którzy mogliby dokonać tego, co my. A teraz spać! Zamierzam spać przez trzydzieści dwie godziny, dokładnie tyle. To łatwe. I...

– Fawoniuszu – powiedziała Helena, a obaj mężczyźni wstali i spojrzeli na nią jak dzieci przyłapane w kuchni na wykradaniu słodkich orzeszków.

– Fawoniuszu, mój syn chce natychmiast jechać dalej do Eburacum. Chce, żebyś był jak najszybciej gotowy.

– Tak, pani – rzekł Fawoniusz z kamiennym wyrazem twarzy.

Posłała mu blady uśmiech.

– Przepraszam, Fawoniuszu – wiem, jaki musisz być zmęczony – ale już siodłają konie.

– Konie – powiedział Fawoniusz, kiedy zamknęły się za nią drzwi. – Mam ich już dosyć. Wygląda na to, że za mało ich zabiliśmy. On musi zajeździć jeszcze kilka na śmierć, prawda? Byliśmy tu przez dwie godziny – miał dwie godziny dla matki i już wyjeżdża. Chciałbym wiedzieć, z czego ten człowiek jest ulepiony?

– To nieludzko trudne dla ciebie – pokiwał głową Rufus. – Dla niego dobrze, bo ma połowę twoich lat i...

– Co chcesz przez to powiedzieć? Myślisz, że jestem starym ramolem jak ty? Podaj mi sandały do jazdy i tunikę. Muszę być gotowy, prawda? Auć, moje stopy. Konie. Szkoda, że nie zabiliśmy wszystkich. Ale to by też nie pomogło. On przebiegłby całą drogę na własnych nogach – i ja też bym musiał. Pomóż mi włożyć zbroję. Co mówisz? Oczywiście, że włożę zbroję. Jedziemy do cesarza. Chcesz, żebym mu się pokazał jak jakiś cholerny cywil?

Na górze, w atrium, Konstantyn ucałował matkę.

– Poślę po ciebie, jeśli będzie się działo coś złego. Obiecuję. Ale nie sądzę, by tak było. Sama wiesz, że on ma kondycję niedźwiedzia. Teraz lepiej sprawdzę, co tam robią z końmi.

Kiwnięcie, kiedy wychodził z pokoju, tak bardzo przypominało ruch głowy jego ojca, że się lekko uśmiechnęła. Była jednak wciąż jakby w dziwnym transie, który ją ogarnął, kiedy usłyszała słowa Fawoniusza, a w tle zmęczony starczy głos króla Coela Mądrego – nie wtedy, gdy widziała go po raz ostatni, na ulubionym kamieniu w pobliżu Coel Castra, ale wiele lat wcześniej, kiedy stał przy jej łożu, patrząc na nowo narodzone dziecko. „Będzie czynił tak, jak jego ojciec, choć z czasem go przewyższy. Posiądzie kraj, po którym jeździ..."

„Posiądzie kraj, po którym jeździ..." „Przemierzyliśmy całą cholerną Europę..." Tak, będzie cesarzem... i w nim spełnią się wszystkie jej marzenia.

Zadrżała. Jak on urósł, urósł w każdym znaczeniu. Teraz był mężczyzną – mężczyzną, którego szanował Fawoniusz, ten sam Fawoniusz, który uczył go używać miecza i tarczy. I była w nim ambicja i energia, które zdawały się pomniejszać wszystko, co kiedykolwiek czuła. Była w nim wielkość – ale brakowało ciepła. Prawie nie wspominał swojej żony – powiedział tylko, że z drugiej ciąży urodziła martwe dziecko, a teraz odbywa kurację w Dyrrachium. Zdawała się go obchodzić tylko ze względu na jego syna. „Będzie radością dla swojej matki i śmiercią dla swego syna" – co to mogło znaczyć? A jednak wydawało się, że ojciec ma rację we wszystkich innych częściach swego proroctwa.

Fawoniusz, w pełni uzbrojony, minął ją z krzywym uśmiechem i zasalutował.

Uśmiechnęła się do niego.

– Brakowało mi ciebie – powiedziała. – Wracaj szybko. – Uśmiech Fawoniusza pojaśniał, a jej słowa dodały mu sił, właśnie tak, jak chciała.

Podeszła powoli do drzwi wejściowych. Właśnie wsiedli na konie.

– Masz moją obietnicę, matko – powiedział, machając jej na pożegnanie. Potem odjechali – w przyszłość.

Nagle zrozumiała, co musi zrobić.

– Idź po Rufusa – powiedziała do najbliższego niewolnika. A kiedy starzec się pojawił, rzekła: – Rufusie, potrzebuję galijskiego wozu. Jadę do Eburacum – natychmiast!

Rozdział dwudziesty drugi

– Trybun Konstantyn – oznajmił uroczystym głosem szambelan.

Konstancjusz usłyszał energiczne kroki, zanim zobaczył wysoką, smukłą żołnierską sylwetkę maszerującą przez wielką salę, najpierw trochę zamazaną, potem wyraźniejszą i coraz bardziej podobną do trybuna Konstancjusza sprzed trzydziestu lat.

Cesarz siedział na łóżku, podpierając chude nogi kilkoma poduszkami. Miał za sobą złą noc – kolejny atak serca, trzeci w ciągu ostatnich czterech tygodni, bardzo go osłabił. Tak często przedtem obawiał się, że nie zobaczy już swojego syna – a nigdy bardziej, niż ostatniej nocy. Rano, po śniadaniu złożonym z chleba, wina i odrobiny owsianki poczuł, że może jeszcze pożyje parę dni – i właśnie wtedy zaanonsowano przybycie Konstantyna, a on kazał natychmiast go wprowadzić.

Młody trybun zatrzymał się w zwyczajowej odległości trzech kroków i zasalutował.

– Trybun Konstantyn na rozkazy Waszej Wysokości.

Imperator przyjął to ze znużoną powagą.

To ja, pomyślał ojciec.

On umiera, pomyślał syn. Stary, umierający człowiek. Szambelan wycofał się na palcach.

Osiemnaście lat, pomyślał ojciec. Był wtedy dzieckiem. Zrobili z niego żołnierza – to wszystko, co mogli. Kim jeszcze jest?... I nienawidził siebie za to, że nie potrafi znaleźć pomostu między własną duszą a duszą tego młodego człowieka.

Nienawidziłem go przez wszystkie te lata, pomyślał syn. Powinienem nienawidzić go teraz – ale już nie ma czego.

Synu, synu, synu, pomyślał ojciec, czy zostanie ci oszczędzone to, co nie było oszczędzone mnie?

Przez długi czas żaden z nich nie wypowiedział słowa ani nie wykonał żadnego gestu.

Potem oczy młodego człowieka rozszerzyły się; cesarz podnosił się z ogromnym wysiłkiem z poduszek, schylając przed nim głowę, łysiejącą głowę barwy starego pergaminu, pokrytą w połowie wilgotnymi kosmykami siwych włosów.

W Konstantynie coś pękło. Podbiegł do łóżka i upadł na kolana. Poczuł na głowie dotknięcie chudych palców.

– Wstań, synu – powiedział Konstancjusz drżącym głosem. – Nie pozwól, by uczucia z przeszłości sprawiały ci ból. Ja je wywołałem – są moje.

Konstantyn posłuchał.

– Zrobiłeś, co było trzeba – dla Rzymu.

Cesarz zmarszczył brwi.

– Motywy są zawsze podejrzane – powiedział z goryczą. – Człowiek rzadko jest czarny albo biały – kolorem większości czynów jest szary. Szare czyny pozostawiają szare myśli, a szare myśli stają się żywymi zwierzętami, kiedy zbliża się śmierć.

Powstrzymał gestem protest syna, nim ten zdążył go wyrazić.

– Jakkolwiek dobre mogło to być dla Rzymu, Konstantynie – nadal było złe. A ja nie mogę tego naprawić – nie ma pomostu między przeszłością a przyszłością. Możemy coś zrobić – ale nie możemy tego odwrócić. Żaden czyn nie może być unieważniony. Niesprawiedliwość nigdy nie stanie się sprawiedliwością. Cokolwiek mogę zrobić teraz – zawiodłem ciebie. A niesprawiedliwość jest przerażająco płodna, synu – ma wiele dzieci.

Osunął się nieco i zamknął na moment oczy.

Konstantyn zastanawiał się, czy nie powinien zawołać lekarza, którego widział czekającego w przedpokoju.

Cesarz, jak gdyby czytał w jego myślach, wykonał drobny gest zniecierpliwienia.

– Chcę zostać z tobą sam – powiedział. – Mam do ciebie wiele pytań... Podaj mi ten puchar... tak... przytrzymaj... wino jest najlepszym lekarstwem, choć Chryzafios tak nie uważa. Jest osłem. Bycie lekarzem oznacza staczanie bitew, które ostatecznie muszą zostać przegrane. O, już mi lepiej. Odstaw go. A teraz do rzeczy: czy Galeriusz pozwolił ci wyjechać, czy uciekłeś? Złóż mi raport, trybunie Konstantynie.

Kiedy powóz zajechał na dziedziniec Domus Palatina i zatrzymał się przed głównym portalem, czekała już na niego chmara niewolników, a urzędnicy podbiegli z pochodniami.

Helena ledwo zdążyła postawić stopę na stałym gruncie, kiedy w drzwiach ukazał się Konstantyn.

– Matko! Jak ci się udało tak szybko...

– Zdążyłam?

– Tak, matko, tak. Ale jak to zrobiłaś? Człowiek, którego po ciebie posłałem, wyjechał stąd zaledwie cztery godziny temu...

– Spotkaliśmy go po drodze – a raczej przemknął koło nas tak szybko, że zaczęłam podejrzewać, dokąd tak się spieszy. To był specjalny cesarski wysłannik. Jak się czuje mój... jak się czuje cesarz?

– Zdążyłaś, matko – to wszystko, co mogę powiedzieć. On słabnie. Jeszcze nie wiem...

– Czułam to. Chodźmy, do niego. To znaczy... jeśli cesarzowa...

– Cesarzowa Teodora – powiedział twardym tonem młodzieniec – nie została wezwana do Domus Palatina. Wciąż jest w Aquae Sulis z dziećmi. Wezwę ją – później.

Przez krotki moment Helena zawahała się. Potem weszła cicho, a Konstantyn za nią.

Wewnątrz pałacu sporo oficerów wyższej rangi czekało w małych grupkach wraz z urzędnikami dworskimi.

Długa srebrna laska szambelana zastukała o podłogę, kiedy pokazał się Konstantyn. Wszyscy spojrzeli na matkę i syna, ukłonili się lub oddali honory.

Poszli szerokimi schodami, korytarzami, gdzie wszyscy chodzili na palcach.

Pośród dworzan nie było tajemnicą, że pierwsza żona cesarza odzyskała sporą część wpływu na męża. Sześć miesięcy temu przewodniczyła cesarskiemu bankietowi, a Konstancjusz traktował ją bardziej jak królową rządzącą mocarstwem niż byłą żonę, opuszczoną podczas oficjalnej ceremonii w świątyni Jowisza. Niektórzy mówili nawet, że łagodność Konstancjusza wobec sekty chrześcijan i odwołanie edyktu Dioklecjana były skutkiem jej wpływu – tym bardziej zrozumiałego, że religia chrześcijańska nie uznawała rozwodu. To oczywiste, że księżniczka Helena sprzyjała chrześcijanom – według nich była jedyną legalną żoną cesarza!

Teraz ten wpływ umocnił młody mężczyzna, który swym wyglądem dawał do zrozumienia, że lepiej nie lekceważyć jego obecności – młody mężczyzna, który spędził kilka godzin sam na sam z umierającym cesarzem i tak się składało, że był jego pierworodnym synem.

Wymieniano między sobą wymowne spojrzenia; wszyscy wiedzieli, że cesarz surowo zabronił powiadomić cesarzową w Aquae Sulis i młodsze dzieci, które były razem z nią.

Helena czuła, jak przepływają przez nią falami myśli, pragnienia i uczucia, pełne nadziei i zwątpienia, podziwu i szyderstwa, proste i przebiegłe, kiedy szła u boku syna do drzwi apartamentu cesarza. W małym przedpokoju stało jeszcze więcej dworzan, a grupa lekarzy prowadzących szeptem konsultacje rozproszyła się pośród niezgrabnych ukłonów.

Potem Konstantyn powiedział:

– Chciał się zobaczyć z tobą sam – jak tylko przyjedziesz. Zaczekam tutaj.

Schyliła głowę i weszła do słabo oświetlonego pokoju, pozbawionego mebli z wyjątkiem wielkiego złotego łóżka. Opadła za nią zasłona.

Chryzafios, główny lekarz, w chwili jej przybycia znikł z pokoju jak cień śmierci.

Usiadła w milczeniu w nogach łóżka.

Tak, on umierał. Twarz, zawsze blada, teraz miała barwę bardzo starej kości słoniowej. Zamknięte oczy okolone było fioletowymi sińcami.

Jednak, jakby jej obecność dodała mu sił, poruszył się i nie otwierając oczu, wyszeptał jej imię.

– Jestem tutaj, mój drogi – odpowiedziała cicho.

Przez pomarszczoną twarz przemknął uśmiech.

Wargi, pozbawione kropli krwi, zaczęły się poruszać. Czytała z nich – bo nie wydawały żadnego dźwięku:

– Wiem... że mnie... nie zawiodłaś.

Zaczęła pulsować w nim siła. Otworzył oczy i powiedział zupełnie wyraźnie:

– Daj mi wina.

I podała mu wino w małej czarce, którą napełniła ze złotej karafki stojącej na niskim stoliku z drzewa cytrusowego – tuż obok łóżka.

Przełknął parę kropel, potem więcej.

– ...usiąść – powiedział.

Pomogła mu się podnieść do pozycji siedzącej. Sam dotyk jej palców dodał jego ciału siły. Powiedział prawie normalnym głosem:

– Dostałem... raport... od Konstantyna. Dobry raport... widział... dużo... oczami... przywódcy. Mam też... raport Fawoniusza. Jestem... bardzo... zadowolony.

– Jest bardzo młody – powiedziała wbrew własnej woli. – I jest... twardy. Będzie bardzo cierpiał – jeżeli się nie zmieni.

Znów cień uśmiechu.

– Będziesz z nim – powiedział cesarz. – Będziesz... nad nim... czuwać. Jest... bezpieczny. Pamiętasz... tamtej ostatniej nocy... przed moim wyjazdem... do Italii? Mój sen... o cesarstwie.

– Pamiętam...

– Nie byłem... cesarzem... długo, prawda? Jak w tej księdze... Żydów... ich Mojżesz... zobaczył ziemię... ale nie mógł... wejść. Konstantyn... wejdzie. Pamiętasz... co powiedział twój ojciec? „Przewyższy... swego ojca"... i tak... będzie... Odchodzę, Heleno... Zawołaj go...

Wstała bez słowa, by spełnić jego prośbę.

W minutę później Konstantyn stanął obok niej, wysoki i milczący.

Cesarz skinął głową w jego stronę.

– Będziesz rządził – powiedział. – Powierzam ci... los moich... młodszych... dzieci. Będę cię... błogosławił... za wszystko... co zrobisz... dla nich... i cesarzowej. Jesteś za nich... odpowiedzialny.

Konstantyn, bardzo blady, skłonił się głęboko.

– Więcej... wina – szepnął Konstancjusz. Helena podała mu czarkę i nie drżały jej palce. W sercu miała niewinną dumę panny młodej. Znów była jego żoną, nie, nigdy nie przestała nią być. On rozumiał jej wewnętrzny lęk i uśmierzył go, powierzając jej syna ze szlachetną godnością opiekuna.

– Dosyć – rzekł Konstantyn. – Wezwij... oficerów.

Kiedy młody mężczyzna opuścił pokój, cesarz powiedział:

– Zrobię więcej... dla ciebie. – W jej oczach zalśniły łzy, a on lekko się uśmiechnął. Ale było już słychać szczękanie zbroi i ludzie spod znaku Marsa zaczęli wypełniać pokój.

Legaci i prefekci dwunastu legionów ustawili się półkolem wokół łoża cesarza.

Zapanowała całkowita cisza, kiedy do nich przemówił.

– Przyjaciele... opuszczam was. Jest moim życzeniem... i pewnie waszym... by najlepszymi żołnierzami... Rzymu... nie rządził... obcy... narzucony wam... przez władcę... Azji. Zobaczycie, że mój syn Konstantyn jest wart nie tylko swego ojca... ale i matki, Flawii Julii... Heleny... Augusty.

Głęboki pomruk aprobaty wielu głosów ostatni raz dodał umierającemu siły.

– Zostawiam wam... syna... jako mego następcę w cesarstwie. Z pomocą... bóstwa... otrze łzy... chrześcijan... i pomści tyranię... jakiej doświadczyli.

Helena upadła na kolana, kryjąc twarz w dłoniach. Nie zapomniał... to miał na myśli, kiedy powiedział, że zrobi dla niej więcej – to był ten pożegnalny prezent. Podniosła głowę i obdarzyła męża spojrzeniem pełnym niewysłowionej miłości.

Ostatnim wysiłkiem Konstancjusz powiedział:

– Ponad wszystko... pokładam... nadzieję w... szczęściu.

Przez jego twarz przebiegł nagły skurcz, a ciało pod cienką narzutą lekko zadrżało. Było po wszystkim, nim przyszedł Chryzafios – lekarz mógł tylko zamknąć cesarzowi oczy.

Helena pozostała na kolanach. Konstantyn stał za nią, zwrócony plecami do zebranych. Nikt się nie poruszył. Potem przeszłość stała się przyszłością. Powoli, bardzo powoli, młody mężczyzna odwrócił się, najpierw twarzą, potem resztą silnego ciała do stojących za nim ludzi.

Spojrzał na nich, na każdego po kolei, jak gdyby ważył siłę i odwagę swoich dowódców, a w jego oczach migotała szara stal i przedsmak triumfu.

KSIĘGA
PIĄTA
A.D. 312

Rozdział dwudziesty trzeci

– Może to nie takie ważne – powiedział legionista Krokus – ale czy ktoś może mi powiedzieć, o co toczy się ta wojna?

Bemboryks oczywiście odpowiedział pierwszy.

– Młody cesarz zawsze musi prowadzić wojnę. To oczywiste dla każdego prócz zakutej alemańskiej pały.

Krokus uśmiechnął się, spoglądając na małego Celta z wysokości swoich prawie dwóch metrów.

– Wojna jest oczywista dla każdego – tam, skąd pochodzę.

– Więc na co narzekasz?

– Nie narzekam. Wstąpiłem do tej armii, bo chcę trochę powalczyć.

– To źle – odparł Bemboryks. – Powszechnie wiadomo, że wy Germanie nie potraficie czuć się dobrze, jeśli z kimś nie walczycie. Nie jesteście szczęśliwi, dopóki ktoś wam nie rozłupie czaszki wraz z zawartością.

– Mały człowiek jest w złym humorze? Pewnie zmęczony? Mam cię ponieść trochę na rękach, dziecko? To piękny kraj.

– Okropny kraj – mruknął Bemboryks. – Spójrz na te cholerne góry – jak wrzody. Zobaczyłbyś mój kraj:

wszystko piękne i gładkie jak skóra kobiety. I maszerujesz z łatwością, zamiast tracić oddech na ciągłą wspinaczkę.

Umilkli, kiedy minął ich setnik Aper. Aper był wścibski i znany z tego, że karał ludzi tylko za to, że rozmawiali podczas marszu – co było śmieszne. Każdy rozmawiał, jeśli starczało mu oddechu. Oczywiście nie wtedy, kiedy byli zbyt blisko wroga. Wiedzieli jednak, że teraz nie są. Ani teraz, ani pewnie jeszcze przez wiele następnych dni.

Hełm Apera zniknął w oddali, po czym pojawił się znowu na końcu kohorty idącej na przedzie. Może chciał porozmawiać z primipilarem, który szedł z pierwszą kohortą, jakieś półtora kilometra przed nimi i co najmniej trzysta metrów wyżej – mniej więcej tyle, ile oni byli dalej i wyżej niż trzecia kohorta. Dalej szły czwarta, piąta i szósta, a potem pierwsza kohorta Ósmego Legionu. Nikt w Dwudziestym Pierwszym nie wiedział, kto idzie za Ósmym – może galijska jazda albo wojska z Brytanii. W armii były dziesiątki tysięcy żołnierzy z Brytanii.

Największy smok, jakiego kiedykolwiek widział świat, torował sobie drogę, pełznąc przez las. Wielkie partie jego kończyn znikały pomiędzy skupiskami sosen i jodeł, ciemnozielonych o tej porze roku.

– Nienawidzę ich – powiedział Bemboryks. – Zieleń, zieleń, zawsze zieleń. Nigdy nie wiesz, czy jest lato, czy zima – jak niektóre kobiety, które tak mocno malują swoje twarze, że nigdy nie widać zmian.

– Wam, galijskim wieprzom, wszystko się kojarzy z kobietami – mruknął Krokus. – To jest czysty las – nie ma nieporządku.

– Nie ma nieporządku? Pośliznąłem się cztery razy, odkąd minął nas Aper. Pełno tego przeklętego igliwia na ziemi. Kraj, w którym drzewa nie mają nawet liści! Myślę, że Aper rzucił jakiś urok – wcześniej nie pośliznąłem się ani razu.

Płowowłosy Germanin poprawił swój tobół i starł kilka kropel potu z nosa i czoła.

– A ja nadal chciałbym wiedzieć, o co toczy się ta wojna – powiedział.

– Przecież ci mówiłem, głupcze – młodzi cesarze zawsze muszą prowadzić wojnę.

– Dlaczego?

– Dlaczego! Ponieważ nie są dość starzy i mądrzy, by się cieszyć spokojnym życiem. Właśnie dlatego. Muszą gdzieś wyruszyć i zdobyć laury. Właśnie dlatego.

Krokus zastanawiał się nad tym, co usłyszał.

– Więc jeśli ludzie chcą pokoju, powinni wybrać starego cesarza – powiedział z powagą.

Bemboryks zachichotał.

– Nie. Nie. To by wcale nie pomogło – ponieważ stary cesarz musiałby od razu iść na wojnę, żeby udowodnić, że jest jeszcze dość młody.

Krokus potrząsnął głową. Nigdy dobrze nie wiedział, jak rozumieć uwagi Bemboryksa. Celt zawsze mówił coś, co z daleka wyglądało na prawdę, a z bliska już nie.

Tym razem jednak nadeszła pomoc.

– Myślę, że nie masz racji – powiedział legionista Witus, wysoki, szczupły mężczyzna z głęboko osadzonymi oczami. – Młody Konstantyn nie jest taki, jak mówisz. Całkiem dobrze utrzymywał pokój przez te pięć lat.

– Co? Przecież walczyliśmy na Północy...

– To było odparcie ataku rozbójników – Franków. To nie wojna.

– Nie wojna – zaśmiał się Bemboryks. – Mam piękne cięcie od miecza na lewym barku – a ty miałeś kłopot z raną od siekiery. Co to według ciebie było – zabawa? Dobrze, to była zabawa. Trochę się zabawiliśmy. Ale teraz jest wojna, prawda?

– Coś w tym rodzaju – odrzekł Witus. – Wojna domowa. Jeszcze jedna. To nie jest nic prawdziwego. Chyba że ukażą się znaki.

– Znaki? – zapytał Krokus. – Jakie znaki?

– Nie słuchaj go – mruknął Bemboryks. – Jest trochę dziwny. Ciągle tylko o tym mówi – o znakach.

– Kiedy ukażą się znaki – ciągnął niezrażony Witus – kiedy słońce i księżyc pokażą swoje znaki, by wszyscy mogli je zobaczyć, wtedy nadejdzie nowy czas. A zacznie się od wojny.

– Chrześcijańskie brednie – warknął Celt. – Przyprawiacie mnie o mdłości – zawsze pełno sekretów i tajemnic, za którymi nic się nie kryje. Nigdy nie widziałem tak przesądnych ludzi. Do czego wy się modlicie? Słyszałem, że do głowy osła.

– A ja wciąż nie wiem, o co toczy się ta wojna – powtórzył z uporem Krokus. – Przeciw komu walczymy? – to właśnie chciałbym wiedzieć.

– Nazywa się Maksencjusz – wyjaśnił Bemboryks. – Cesarz Maksencjusz. Jest w Italii. W Rzymie. Tam właśnie idziemy.

– Cesarz Maksencjusz? – Krokus podrapał się w głowę. – Myślałem, że my jesteśmy armią cesarza.

– Jesteśmy, ty bawole. Cesarza Konstantyna. Na Esusa i Teutatesa, ludziom powinno się zabronić być aż tak głupimi.

– Dwaj cesarze? Jak mogą być dwaj cesarze?

Bemboryks ryknął śmiechem.

– Dwaj! Jest ich sześciu! Sześciu albo siedmiu. Zaczekaj – powiem ci. Jest Konstantyn, rządzi Galią, Brytanią i Hiszpanią, rozumiesz? Potem Licyniusz, który rządzi gdzieś na Wschodzie, w Tracji i Ilirii czy jakoś tak. Potem Galeriusz jeszcze dalej na Wschodzie, w Kapadocji i Syrii. I powiem ci, że też jest kimś. Cztery lata temu zrobił straszny raban z powodu Maksencjusza i Maksymiana, którzy zabili cesarza Sewerusa w Italii, a on dotarł tam ze sporą armią i wydał bitwę – ale to też nie była prawdziwa wojna, prawda, Witusie? Nie było żadnych znaków. Cóż, tak czy inaczej, Maksencjusz i Maksymian pokonali go i wrócił tam, skąd przyszedł.

– Maksymian? – zdziwił się Krokus. – Kto to jest? Kolejny cesarz?

– Tak... nie... tak. Już nie żyje. Kiedyś był cesarzem. Potem abdykował. Potem pomógł swemu synowi Maksencjuszowi stać się cesarzem na jego miejsce. Potem do niego dołączył. Potem znów chciał sam zostać cesarzem, ale syn mu nie pozwolił.

– To źle – zawyrokował Krokus. – Ojciec idzie przed synem.

– W twoim ojczystym lesie może tak. Cóż, Maksencjuszowi to się nie spodobało i tak stary Maksymian przeszedł do Galii i nawet przez jakiś czas był z nami. I wziął ze sobą najmłodszą córkę. Nie widziałeś piękniejszej kobiety – nawet ja nie, a widziałem ich sporo, uwierz mi! Więc nasz cesarz Konstantyn ją poślubił. I teraz jest cesarzową. Cesarzową Faustą. Dała mu dwoje dzieci, a trzecie jest w drodze. Nie żartuję – wiem.

– Cesarz Konstantyn – powiedział Krokus – cesarz Maksencjusz – to dwóch... – zaczął liczyć na palcach. – Cesarz Ga... Ga...

– Galeriusz – to trzech, Licyniusz – czterech, Maksymin jest piąty...

– Przecież powiedziałeś, że nie żyje.

– Maksymian, nie Maksymin. Maksymin rządzi Egiptem i Afryką.

– Maks... Maks... Maks... – powiedział Krokus, potrząsając głową. – Nigdy się nie połapię, który jest który. To problem z wami Rzymianami – jesteście wszyscy tacy skomp... skomp...

– Skomplikowani – podpowiedział Witus. – Ułatwię ci to, Krokusie. Przyjaciel Bemboryks nie jest tak dobrze poinformowany, jak mu się wydaje. Cesarz Galeriusz też już nie żyje. Zmarł w maju.

– Skąd wiesz? – zapytał rozdrażniony Bemboryks. – Nic o tym nie słyszałem. Na co umarł?

– Robaki. Larwy. Jakaś diabelska choroba. Miał straszną śmierć. Bóg go pokarał za krzywdę, jaką nam wyrządził.

– Cóż, wszyscy kiedyś musimy umrzeć.

– Więc teraz jest znacznie prościej – ciągnął Witus. – Jest tylko czterech cesarzy: Licyniusz i Maksymin na Wschodzie. Maksencjusz w Italii. I nasz Konstantyn. A kłopot w tym, że Maksencjusz nie był zadowolony z tego podziału. Zawsze mówił, że jest jedynym prawdziwym cesarzem. Dotąd Konstantyn nic z tym nie robił. Ale kiedy Maksencjusz zaczął grupować swoją armię przy naszych granicach, zrobiło się groźnie. Musieliśmy więc iść – i jesteśmy tutaj.

– Skąd wiesz, że to prawda? – zapytał zapalczywie Bemboryks. – Słyszałem wcześniej podobne historie. Mówisz, że ktoś inny zamierza prowadzić z tobą wojnę, więc musisz ruszyć pierwszy, zadać pierwszy cios i zranić go, zanim on zrani ciebie. Skąd wiesz, że to prawda?

– Nie wiem – odparł ze spokojem Witus. – Ale widziałem Konstantyna i nie jest taki zły. To porządny człowiek, więc mu wierzę. Czemu bym nie miał?

– Ja nie wierzę nikomu – powiedział Bemboryks. – Czasami nawet sobie.

– Też bym nie wierzył – gdybym był tobą – rzekł przyjaźnie Witus. – Ale zdradzę ci inny powód, dla którego wierzę Konstantynowi. Dlatego, że Maksencjusz kłamie.

– W jakiej sprawie?

– Mówi, że chce na nas pomścić śmierć swojego ojca, a to kłamstwo.

– Cóż, Konstantyn zabił przecież starego Maksymiana, prawda?

– Tak, Bemboryksie, zrobił to. Nie wiadomo jednak, czy jest z tego zadowolony.

– Zabił własnego teścia? – zapytał Krokus i rozdziawił usta.

Witus ze smutkiem pokręcił głową.

– Ambicja – to było to. Nie ambicja Konstantyna, lecz Maksymiana. Najpierw rezygnuje. Potem umieszcza na tronie swojego syna. Potem chce, żeby syn abdykował na jego rzecz. Więc syn go wypędza. Potem idzie do Konstantyna i zostaje jego teściem. A kiedy Konstantyn jest zajęty walką z Frankami, co robi? Rozsiewa plotki, że Konstantyn poległ w bitwie i sam przywdziewa purpurę. Nie można tego robić przez cały czas, prawda? Stary Maks – po prostu nie umiał żyć bez purpurowego płaszcza. Musiał go mieć. Zauważ, że wcale nie jest pewne, czy Konstantyn kazał go zabić, czy też zabił go sam. Nie wiem. Nie było mnie przy tym. Mówią jednak, że kazał go zabić i tamten pewnie sobie na to zasłużył. Nie chciałbym osądzać. Wiem jednak na pewno, że Maksencjusz jest ostatnim człowiekiem, który by mścił swego ojca! Sam wygnał go z Italii. O co teraz chodzi?

Z daleka dobiegł dźwięk trąbki. Potem następny, bliżej.

Szorstkie głosy wykrzykiwały rozkazy.

Swobodna kolumna zaczęła zwierać szyki. Wielkie ciało smoka stało się cieńsze, a jego łuski lśniły w wieczornym słońcu.

– Ktoś nadjeżdża – szepnął niepoprawny Bemboryks.

– To wóz – zaprzężony w muły. Cztery muły. Nie, więcej. Sześć. Osiem.

– Cisza w szeregu! – ryknął setnik Aper, pojawiając się znikąd. – Hełmy – w górę! – Nosili je luźno, na zapinkach, zwisające z karku.

– Sa-lut!

Stukające kopyta mułów. Cztery muły – potem wóz. Potem następne cztery muły, ciężko objuczone. Kto mógł być w wozie? Na pewno nie cesarz – wiedzieli, że jest daleko w przedzie z Trzydziestym Legionem.

– Na Odyna! To kobieta! – Krokus nie mógł powstrzymać okrzyku.

Na szczęście dla niego w tym samym momencie Aper odwrócił się do niego plecami, a wóz zaskrzypiał.

W środku siedziała wysoka, siwowłosa kobieta, sama.

– Niech spoczną w marszu, setniku – powiedziała z uśmiechem, któremu nie mógł się oprzeć nawet Aper. Dość bezceremonialnie rozciągnął usta w czymś, co przypominało przyjazny uśmiech.

– Tak, pani – powiedział, po czym odwrócił się i ryknął: – Hełmy – w dół! Wszyscy – spocznij!

Wóz potoczył się dalej. Za czterema mułami z bagażem jechał potężny oficer, którego zbroja i mundur wzbudziły wielkie zainteresowanie.

– Wiem, co to jest – szepnął jeden ze starszych setników. – To zbroja regularnej armii sprzed dwudziestu pięciu lat. Odznaka afrykańska, odznaka syryjska – na bogów, ten człowiek to żywy pomnik historii.

– Nie uwierzycie – powiedział Bemboryks. – Czy wiecie, kto to był?

– Tak – odrzekł Witus.

– Nie – odparł Krokus.

– To była matka cesarza – wyjaśnił Bemboryks. – Na Eponę, co starsza dama robi tutaj, w środku kampanii? Myślałem, że rozstała się z synem jakiś czas temu...

– Dlaczego? – zapytał Krokus.

– Ponieważ poślubił księżniczkę Faustę. Wcześniej był żonaty z inną dziewczyną, zapomniałem jej imienia. Starszej pani to się nie spodobało. Jej przytrafiło się to samo w młodości. Wiedziała więc, jakie to uczucie. Nie było jej na weselu.

– Przestań paplać – przerwał mu Witus i mały Celt, podnosząc wzrok, zobaczył łzy w jego oczach.

– Co ci się stało, Witusie? Co cię ugryzło?

Ale Witus się rozpromienił.

– Widzieliście jej twarz? – powiedział cicho. – Widzieliście jej uśmiech? „Niech spoczną w marszu" – słyszeliście to? Widzieliście kiedyś taką twarz, taki uśmiech, taki ton głosu? Co za kobieta...

– Ale ona jest stara... – Bemboryks był szczerze zdumiony. – Co ty wygadujesz, zabobonny stary ośle? A, już wiem, oczywiście, że o to chodzi. Ona jest twojej wiary, prawda?

Witus skinął głową.

– Tak mówią. Nie mam pewności. A przynajmniej dotąd nie miałem. Teraz już wiem.

– Skąd wiesz? – spytał zaczepnym tonem Bemboryks.

– Jest chrześcijanką – widziałem to – odrzekł Witus.

– Czy oni noszą specjalne ubrania albo odznaki? – zapytał Krokus.

– Mówią, że ona wszędzie wozi ze sobą złoty kielich – szepnął Witus. – A w kielichu jest Chleb Życia. I gdziekolwiek się pojawi, to miejsce staje się błogosławione.

Bemboryks z rozpaczą wzniósł oczy do nieba.

– Na Teutatesa! – powiedział. – Witusie, idziesz złą drogą. Ze wszystkich śmiesznych historii...

Potem umilkli. Droga stawała się coraz bardziej stroma. Las otworzył się przed nimi w chwili, gdy słońce zachodziło za błyszczącymi szczytami Alp. Przez moment widzieli dolinę głęboko w dole – potem droga wprowadziła ich do nowego świata, świata nagich skał. Znacznie się teraz ochłodziło. Monotonny marsz tysięcy stóp utrzymywał rytm, ale dźwięk się zmienił; był teraz twardszy, ostrzejszy.

Z oddali dobiegło przeciągłe: „Staaać", a po nim *staccato* szybko następujących po sobie komend. Wielki smok przystanął, jego łuski lśniły w ostatnich czerwonawych promieniach odchodzącego dnia.

– Nie wolno rozpalać ognisk.

Zaczęli oczywiście narzekać. Nie tylko dlatego, że nie mogli ugotować porządnego posiłku. Było coś jeszcze, coś dziwnie przytłaczającego w tym mrocznym, kamienistym krajobrazie. Podnosiła się cienka mgła. I było zimno. Owinęli drżące ramiona płaszczami. Usiedli i zaczęli przeżuwać suchy chleb, garść oliwek z równin, kawałek twardego sera. Służący chodzili od jednego do drugiego żołnierza, napełniając ich puchary winem zmieszanym z wodą. Gdzieś niżej jakiś manipuł zaczął śpiewać jedną ze starych, sprośnych obozowych pieśni. Nie śpiewali jednak długo.

Przerwali dość nagle. Prawdopodobnie któryś z oficerów im kazał. Choć wydawało się to dziwne, cisza przyniosła niemal ulgę. To nie było dobre miejsce na śpiewanie.

– Nie podoba mi się tutaj – odezwał się niespodziewanie Krokus.

Bemboryks roześmiał się.

– Chyba nikomu – odrzekł. – Zimna skała pod plecami i żadnej ciepłej strawy w żołądku. Żadnej kobiety w promieniu wielu mil – nie licząc starej Heleny.

– Zamilcz – powiedział Witus.

– Wy, chrześcijanie, trzymacie się razem, prawda? – rzekł Bemboryks. – Czemu nie pójdziesz i nie doniesiesz na mnie, że nie szanuję Jej Majestatu, cesarzowej matki?

– Bo jesteś głupcem – odparł pogodnie Witus. – A głupcy inaczej nie potrafią.

– To bezbożne miejsce – rzekł Krokus. – Nie podoba mi się.

– Nie ma czegoś takiego jak bezbożne miejsce na ziemi – odpowiedział Witus. – Bóg jest wszędzie.

To zaciekawiło Germanina.

– Czy w to wierzą chrześcijanie? Jaki jest ten wasz bóg?

– On jest Bogiem – wyjaśnił Witus. – Jest jeden, ale w trzech osobach.

– Jak to możliwe? – zapytał Krokus, w skupieniu marszcząc brwi.

– Nie wiem – przyznał Witus. – Sądzę, że nikt nie wie.

– Więc dlaczego w to wierzysz? – roześmiał się Bemboryks.

– Właśnie dlatego – odrzekł z powagą Witus. – Wierzę, bo nie wiem. Gdybym wiedział, nie musiałbym wierzyć, prawda?

– Jesteś szalony – westchnął Bemboryks.

– A On stał się człowiekiem – ciągnął Witus. – Prowadził normalne ludzkie życie.

– Dlaczego? – zapytał Krokus. – Czy chciał wiedzieć, jak to jest?

– Nie jestem pewny – odrzekł z powątpiewaniem Witus. – A jednak coś w tym może być. Zrobił to, bo chciał nas sprowadzić na właściwą drogę, rozumiecie? Ponieważ pobłądziliśmy, wszyscy. Musiał umrzeć, żeby nas nawrócić. I umarł za nas, jak baranek złożony w ofierze.

– Tam, skąd pochodzę, robimy tak z naszymi wrogami – pokiwał głową Krokus. – Wydaje się to bardziej rozsądne.

– Poczciwy stary Krokus... – Bemboryks wesoło zatarł ręce.

– Chrześcijanie nie zabijają swoich wrogów – wyjaśnił Witus. – W rzeczy samej, nie powinniśmy mieć wrogów. Musimy starać się ich kochać.

– Kochać? – Krokus wytrzeszczył oczy. – Swoich wrogów?

– To nie jest łatwe – przyznał Witus. – Nieraz musiałem się bardzo starać. To nie jest łatwe.

– To niemożliwe – wzruszył ramionami Bemboryks. – To przeciwne ludzkiej naturze!

– A nawet jeśli tak? – zapytał Witus. – Czy ludzka natura jest na tyle dobra, że mamy ją traktować jako miernik wartości? Właśnie po to przyszedł Chrystus – by ulepszyć ludzką naturę; by zmienić ludzką naturę.

– Będzie musiał bardzo dużo zmienić – mruknął Krokus – jeżeli mamy kochać swoich wrogów. Myślę, że zostanę przy Odynie. On nie jest taki trudny.

Grupa ożywionych żołnierzy schodziła ze skał. Tłoczyli się wokół jednego człowieka, który niósł coś, co wyglądało jak okrągła czapka.

– Co to za poruszenie? – zapytał Bemboryks. – Co ty tam niesiesz? Hełm?

– Tak, ale spójrz tylko! Widziałeś kiedyś podobny?

– Nie widzę za wiele w tych cholernych ciemnościach. Co to jest – miedź? Śmieszny kształt.

– Tak... pokazałem go staremu Kalpurniuszowi, pri-
mipilarowi Ósmego. Wiesz, co powiedział? „Poszukaj
cesarza i mu pokaż. To hełm punicki... ma pięćset lat".
Prawdopodobnie go ode mnie odkupi.

– Pięćset lat? Żartujesz. Albo stary Kalpurniusz.

– Mam sądzić, że wysyła mnie z nim do cesarza, bo
myśli, że to żart? Dostałby chyba od niego za swoje, gdyby tak było, co? To jest hełm punicki, skoro stary Kalpurniusz tak mówi.

Poszli dalej i wkrótce znikli w ciemności i mgle.

– To nie jest wykluczone – rzekł z namysłem Witus.
– To jest droga, którą Hannibal też przeszedł przez Alpy
ze swoją punicką armią. To mogło być spokojnie pięćset
lat temu. Stracił wielu ludzi, przechodząc przez góry.

– Punijczycy? – zapytał Krokus. – Kim oni byli? Plemieniem galijskim?

– Też coś – głos Bemboryksa był pełen pogardy. – Punijczycy byli Afrykanami, prawda, Witusie?

– Zgadza się. Hannibal przybył, by podbić Rzym, tak
jak my teraz. Miał dużą armię i wiele słoni.

– Słoni? – zapytał Krokus, znowu marszcząc brwi. –
Co to są słonie?

– Zwierzęta – wyjaśnił Bemboryks. – Wielkie zwierzęta.

– Tak wielkie jak konie?

– Dużo większe, głupku.

– Tak wielkie jak bawoły? Nie mogą być tak wielkie jak bawoły.

– Nie mogą? Słoń jest trzy razy większy od bawołu, ty germański durniu. Same uszy są mniej więcej takiej wielkości, jak ty!

Krokus potrząsnął głową.

– No mówię ci! – krzyknął Bemboryks. – A jego nogi są grubsze niż całe twoje ciało. A nos jest dłuższy niż twoje ciało...

– Posłuchaj, Bemboryksie...

– Dużo dłuższy niż twoje ciało! I używa nosa jak ręki, rozumiesz? Wyciąga go i bierze nim rzeczy – ciężkie rzeczy – i podnosi. I bierze jedzenie nosem i wkłada do pyska.

– Posłuchaj – powiedział Krokus, a w jego głosie po raz pierwszy zabrzmiał gniew. – Uwierzę, że istnieje jeden bóg w trzech osobach, uwierzę, że stał się człowiekiem i może nawet w to, że ludzie mogą kochać swoich wrogów. Ale nie uwierzę, że istnieje takie zwierzę!

– Ale ja je widziałem! – wrzasnął Bemboryks, podnosząc ręce i energicznie nimi potrząsając. – Widziałem kilka na własne oczy!

– Więc jesteś wariatem – powiedział Krokus – albo kłamcą. Dobranoc.

Owinął się płaszczem i odwrócił plecami.

Bemboryks wpatrywał się w niego z rozgoryczeniem. Gardłowy, bulgoczący dźwięk sprawił, że zwrócił głowę w stronę Witusa. Zobaczył, że tarza się po posłaniu, skręcając ze śmiechu.

Rozdział dwudziesty czwarty

– Punicki hełm – powiedział Konstantyn. – Czy uważasz za omen, że go znaleźli i przynieśli do mnie? Sądzę jednak, że nie wierzysz w takie rzeczy – a może jednak?

Stał z twarzą zwróconą w stronę wejścia do namiotu, który dla niego rozbili. Był to przepisowy namiot, zwykłe wyposażenie armii. Teraz rozbijali drugi dla jego matki – gdziekolwiek nie stanął, słyszał, jak przy nim pracują.

Nie odpowiedziała, a on jakoś nie śmiał się obejrzeć i spojrzeć tam, gdzie siedziała, na jego własnym polowym krześle, owinięta pledem, w przyćmionym świetle oliwnej lampki oświetlającej jej twarz. Z tego, co zdążył zauważyć od jej przyjazdu, zbytnio się nie zmieniła.

Nagle znów przemówił, szybko, jak gdyby się bał, że ona powie coś pierwsza.

– Cieszę się, że przyjechałaś, matko, naprawdę się cieszę. To oczywiście szaleństwo – nie powinnaś była tego robić. Ale mimo to się cieszę. Tak jak twój ojciec, prawda? Zawsze pojawiasz się w najważniejszych momentach.

Nadal nie było odpowiedzi.

– Zawdzięczam przecież życie temu, że twój ojciec pojawił się, kiedy coś szło nie tak przy moich narodzinach, prawda? Nie zapomnę tej historii do końca życia. I wtedy, kiedy przybyłaś do Domus Palatina w samą porę, kiedy mój ojciec umierał; skąd wiedziałaś, że cię potrzebowałem, matko? Wiedziałaś o tym, prawda? To kolejny dar. Wiesz, niektórzy ludzie się ciebie boją. Ale ja się cieszę, że przyjechałaś. Od dawna chciałem z tobą porozmawiać – o wielu sprawach. Wiem, że ty nie chciałaś – nic nie mów, wiem, że nie chciałaś. Dlatego zaszyłaś się głęboko na wsi. Przez długi czas nawet nie wiedziałem, gdzie jesteś. Nawet teraz nie jestem pewny. Gdzie byłaś, matko?

Musiałem to zrobić, matko. Nic nie mogłem na to poradzić. Wiedziałem, że to cię zrani, bo lubiłaś... Minerwinę. Ja też. Wciąż ją lubię. Ale takie jest życie, matko. Teraz dopiero wiem, jak czuł się ojciec, kiedy musiał zrobić to samo. Cesarz... nie jest wolnym człowiekiem. Musi robić rzeczy... których by nie zrobił... gdyby nim nie był... widzisz, matko, to Imperium jest albo niczym, albo czymś. A jeśli jest czymś, trzeba ponosić dla niego ofiary, nawet... nawet jeśli są przyjemne! Nie mówię tego cynicznie, matko, nienawidzę cyników. Łatwo jest ponosić przykre ofiary, dają w pewnym sensie poczucie wielkości. Tak się czułem, kiedy po raz pierwszy zostałem ranny; nigdy ci o tym nie mówiłem, to było podczas przedostatniej potyczki z Arabami. Ale przyjemna ofiara cuchnie, matko. Czujesz, że ludzie wytykają cię palcami, kiedy nie patrzysz. Rozumiesz, co mam na myśli?

Cisza stawała się coraz bardziej przytłaczająca. Sam szczyt góry, lśniący w blasku gwiazd, nie był bardziej milczący niż ta stara kobieta w namiocie.

– Wiem – powiedział gniewnie. – Nie chodzi tylko o Minerwinę. Również o Maksymiana. Musiał umrzeć, matko – nic nie mogłem na to poradzić. Nie wiem, co ci o tym powiedzieli. Pewnie same najgorsze rzeczy. Czy wiesz, że posunął się do dawania łapówek moim najlepszym oficerom? To on rozsiewał plotki, że nie żyję – nikt nie wprowadził go w błąd. A ja wiedziałem: ten stary człowiek musiał nosić purpurę, choćby nawet miał dla niej zabić własne dziecko. Złamał słowo dane Dioklecjanowi; złamał słowo dane mnie... musiał odejść. Na pewno to rozumiesz, matko...

Odwrócił się wreszcie w jej stronę. Miała zamknięte oczy i przez chwilę wpadł w panikę, że nie żyje. Szok był tak silny, że aż się zachwiał z ulgi, kiedy zobaczył, że oddycha. Ukląkł obok niej. Spała spokojnie jak dziecko. Widział niebieską żyłkę pulsującą na skroni. Jak długo spała? Nie minęło więcej niż pół godziny, nie, na pewno mniej, odkąd Walentynus zaanonsował jej przyjście. Z początku myślał, że to głupi żart. Potem ją wprowadzili – w samym środku narady wojennej. Cóż, nie było wielu rzeczy do omówienia, rutynowe zebranie. Mimo wszystko nie najlepsza sceneria dla sentymentalnego spotkania matki i syna. Zachowali się jednak bardzo dobrze – grzecznie i ze zrozumieniem, a stary Asklepiodot skrócił procedurę, żeby Konstantyn mógł z nią zostać sam. A na sam koniec przynieśli punicki hełm! Wciąż trzymał go w ręce.

Położył go na jednym ze stołów, wciąż założonym mapami i planami. Helena z głębokim westchnieniem otworzyła oczy i zobaczyła klęczącego obok niej syna. Poruszyła się, a on podniósł wzrok i zobaczył jej twarz tuż nad swoją; oczy, które kiedyś oglądały go w kołysce. Minęło tyle czasu, odkąd oficerowie wyszli z namiotu, tyle, zanim wreszcie przemówił i powiedział jej, co czuje – a ona tego nie usłyszała; usnęła. Oskarżony okazał skruchę, a sędzia zasnął, wyczerpany po długiej podróży powozem.

Konstantyn doznał intensywnego uczucia ulgi. Uświadomił sobie nagle, że wszystko, co powiedział, było słabe i nieprzekonywujące. To była prawda, ale żałosna. To była wymówka, cały ciąg wymówek, na które odpowiedzią powinno być potępienie. Uśmiechnął się z ulgą i niespodziewaną radością, widząc uśmiech na twarzy matki.

Objęli się. Ona wciąż używała werbeny jako perfum – na krótką chwilę namiot zmienił się w jej pokój w willi na południu. Służące czesały jej długie, czarne włosy, spryskując je werbeną z delikatnie rzeźbionego bursztynowego flakonika zdobionego złotem.

Miała teraz siwe włosy i zaczynała jej się marszczyć skóra.

– Matko – gdzie byłaś przez cały ten czas?

Wcale nie o to chciał ją spytać. Ale te właśnie słowa wypowiedział.

– Byłam w Camulodunum, przez większość czasu. I w Verulam – miałam tam ważną sprawę.

Uświadomił sobie nagle, że nawet nie zaproponował jej niczego do jedzenia.

– Na pewno jesteś głodna, matko.

– Nie, Konstantynie. Zjadłam kolację w powozie. Fawoniusz o mnie dbał. Niczego mi nie brakowało.

Pokiwał głową.

– No tak – jeśli Fawoniusz o ciebie dbał. A wino? Czy mam...

– Nie, nie. Niczego nie potrzebuję. Chyba byłam trochę zmęczona tuż po przyjeździe. Już mi przeszło. Czuję się dość rześko.

Popatrzył na nią.

– Pięć lat, matko – i to jakich lat...

Zastanawiał się, czy będzie chciała z nim rozmawiać o Minerwinie i o Maksymianie. A jeszcze bardziej, dlaczego przyjechała.

Powiedziała:

– Rozmawiałam z wieloma twoimi poddanymi synu – i wszyscy błogosławili mnie za to, że ciebie urodziłam.

Podniósł wzrok w radosnym zaskoczeniu.

– Matko...

– Rządzisz mądrze i dobrze, synu. A ja dokładam swoje błogosławieństwo.

– Dałaś mi wiele radości, matko – myślałem... bałem się... że... nie pochwalasz...

– Modliłam się za ciebie przez wszystkie te lata, Konstantynie. Mam jednak nadzieję, że nie myślałeś o mnie wyłącznie jako o tej, która nie pochwala. Nie mam prawa cię ganić, bo doceniam całe dobro, jakie czynisz... A wszyscy mówią jednym głosem o twoich rządach w Brytanii i Galii. Czasem chciałam do ciebie napisać – i za każdym razem czułam, że muszę ci to powiedzieć.

– Ale czemu tak długo czekałaś, matko...

– Nigdy nie byłeś sam, Konstantynie. Musiałam czekać, aż będziesz sam.

Fausta, pomyślał Konstantyn. Dziwne, jak ona i matka się nie lubiły; wiedział, że to nie była tylko kwestia zasad. To była naturalna wrogość – jak między ogniem i wodą. A Fausta nigdy nie wybaczyła matce, że wyjechała z Arles na dwa dni przed ślubem.

A matka czekała, aż wyruszy na większą kampanię, by potem do niego dołączyć – powóz, muły, Fawoniusz i wszystko...

Wybuchnął nagle chłopięcym śmiechem.

– Jesteś niesamowita, matko. Nic się nie zmieniłaś, prawda?

Wiedział jednak, że się myli. Zmieniła się. Nie potrafił tego nazwać, ale było w niej było coś, czego nie rozumiał. Może z powodu tej jej dziwnej wiary – tak, pewnie właśnie dlatego.

– Nie jesteś przeciwna tej wojnie, prawda, matko?

Potrząsnęła głową.

– Nie, Konstantynie. Wojna to rzecz straszna – ale Maksencjusz jest złym władcą i zdrajcą. Mimo to bardzo się martwiłam – dopóki nie usłyszałam o Sofronii.

Konstantyn skinął głową. Sofronia, żona prefekta Rzymu, przebiła się sztyletem, by uniknąć gwałtu Maksencjusza.

– Była chrześcijanką, prawda, matko?

– Tak.

– Druga Lukrecja – rzekł Konstantyn. – To dziwne, że chrześcijanie podtrzymują starą tradycję rzymskiej cnoty.

Jej oczy błysnęły.

– Ty jesteś mścicielem – powiedziała. – Bóg będzie z tobą.

– Bóg... – powtórzył Konstantyn. Zaczął spacerować po namiocie, tak jak kiedyś jego ojciec, gdy intensywnie nad czymś rozmyślał. – Bóg... Wiesz, matko, że nigdy nie byłem erudytą. Jedyne, co naprawdę znam, to rzemiosło żołnierskie. Nie byłem też specjalnie religijny. Ale kiedy się wchodzi na szczyt... cóż, trudno uwierzyć, że nie ma nikogo wyżej. Mam dość dobre mniemanie o sobie, ale nie jestem aż taki głupi. Z wszystkich naszych bogów i bogiń tylko Apollo przemówił do mnie jako prawdziwy – bóg słońca. Słońce – to życie, prawda? Bez słońca nic nie urośnie.

– Słońce to część stworzenia, Konstantynie.

On jednak nie słuchał.

– Jest jedna rzecz – powiedział – jedna rzecz, która naprawdę ma dla mnie sens w wierze chrześcijan – że wierzą w jednego boga. Myślę, że coś w tym jest. To ma sens. Powinien być tylko jeden bóg – tak, jak powinien być tylko jeden cesarz.

Uśmiechnęła się lekko, ale nic nie powiedziała.

– Kiedy ojciec mi zostawił... swój ostatni rozkaz – ciągnął Konstantyn – żebym wynagrodził niesprawiedliwość uczynioną chrześcijanom, musiałem w pewnym stopniu wgłębić się w tę sprawę. Wiem zatem trochę o tym, w co wierzą... w co ty wierzysz, matko. Obawiam się jednak, że jedyny bóg to wszystko, co mogę przełknąć. Czy wybaczysz mi szczerość, matko? Niedobrze jest udawać, prawda? Wiem, że byś chciała, abym dzielił twoją wiarę. Ale ja wiem, że nie chcę być hipokrytą. Po prostu nie mogę w to uwierzyć, matko.

Siedziała zupełnie bez ruchu.

– W co nie możesz uwierzyć, synu?

– Och, we wszystko. Na przykład w boga, który stał się człowiekiem; i narodził się z dziewicy, żył wśród ludzi i umarł na krzyżu, żeby zbawić świat. To... trochę za wiele wymagać, bym uwierzył w te... wszystkie rzeczy. Ten Jezus to poruszająca postać. Ale... cała historia jest taka nieprawdopodobna, matko. I to wszystko o raju i wężu, i o nieszczęsnym młodym Żydzie, który był synem boga... nie, matko, nie mogę. To żydowska opowieść – zupełnie nie rzymska. Tak, właśnie tak. Nie ma nic wspólnego z naszym światem.

Przystanął przed swoim biurkiem.

– Rzym zbyt wiele dla mnie znaczy – powiedział. – Wiem, że stworzyliśmy potwory w ciągu naszej tysiącletniej historii. Ale wydaliśmy także najwspanialszych ludzi na ziemi. To nieprawda, że musieliśmy pożyczać i kraść od Greków. Rzym nie jest bezpłodny. Dla mnie Tytus Liwiusz jest równie wielkim historykiem jak Herodot. A Wergiliusz równie wielkim poetą jak Homer. Czytałem wczoraj wieczorem *Eneidę* – śpiewa o armii i o bohaterze. To jest mój świat, matko – nie historia tego biednego Żyda.

Uderzył pięścią w zwoje na biurku i jeden z nich spadł. Schylił się i podniósł go. Uśmiechnął się, by złagodzić przykre wrażenie.

– Nie gniewasz się na mnie, matko, prawda? Wiesz, że zrobię wszystko co w mojej mocy dla twoich chrześcijan – w tym celu nie muszę stać się jednym z nich.

Spojrzała na niego z uwagą.

– Wiem, że zrobisz wszystko, co w twojej mocy – powiedziała – ale nie ma to porównania z tym, co Chrystus może zrobić dla ciebie... i dla Rzymu. – Wstała. – Jestem zmęczona.

– Twój namiot jest już gotowy, matko. Walentynusie!

Adiutant zjawił się na wezwanie.

– Augusta Helena chciałaby odpocząć, Walentynusie.

Krępy oficer z grubym karkiem pokłonił się jej głęboko. Wyznaczył ludzi do niesienia pochodni i parę minut temu wysłał młodszego oficera, by sprawdził namiot. Koce i poduszki, parę stolików i krzeseł, łóżko polowe i lampa oliwna. Oraz kilka amfor wina, chłodzonych śniegiem. Luksus chłodzonego wina łatwo było zapewnić – kilku mężczyzn znalazło śnieg w leżącym nieco wyżej wąwozie.

– Obawiam się, że warunki są dość surowe, pani – powiedział z przepraszającym uśmiechem, kiedy weszli do namiotu.

– Młody człowieku – odrzekła Helena – to jest kampania wojenna, nie bankiet. Skąd wziąłeś te koce i poduszki? Powiedz mi jedno i nie waż się kłamać: czy odebrałam komuś jego koc lub cokolwiek innego?

Walentynus żarliwie zaprotestował. Rzeczy w namiocie pochodzą z zapasów samego cesarza. Nie kłamał – i czułby się bardzo nieswojo, kłamiąc pod spojrzeniem wielkich czarnych oczu, które czytały w myślach. Miał czterdzieści pięć lat, żonę i trzech rosłych synów, ale przy tej niezwykłej kobiecie czuł się jak sześcioletni chłopiec.

– Gdzie są twoje pokojówki? – zapytał Konstantyn, który poszedł z nimi. – Widziałem na zewnątrz wielki cień – Fawoniusz, oczywiście. Ale gdzie są pokojówki?

Spojrzała mu prosto w oczy.

– Czy myślisz, że ciągnęłabym moje dziewczęta w góry i zmusiła do włączenia się do kampanii? To nie dałoby mi spokoju.

– Ale ty sama, matko...

– Mój chłopcze, poskramiałam konie, zanim się urodziłeś. Nie wiem, czy dałabym radę teraz, ale wciąż jestem dość silna, by jechać na mule. I chcę zobaczyć bitwę.

– Chcesz powiedzieć... jechałaś z nami... przez całą drogę?

– Oczywiście – padła zdecydowana odpowiedź.

Konstantyn i Walentynus spojrzeli na siebie.

– Ale, matko... to jest wojna! Co będzie, jeśli...

– Oczywiście, że to wojna. A wydaje ci się, że co myślałam? No, synu: jesteś cesarzem, prawda? A to jest terytorium rzymskie, czyż nie? Co zatem mogłoby powstrzymać matkę cesarza od podróżowania przez rzymskie terytorium? Ja nie sprawię kłopotu, nie martw się o to. A teraz dobranoc.

– Dobranoc, matko – odpowiedział Konstantyn i tym razem nie odważył się spojrzeć na Walentynusa.

Babcia Imperium, pomyślał Walentynus, kiedy wyszli z namiotu. Dobra jak puchar wina przed bitwą.

Zobaczył w wejściu potężnego mężczyznę stojącego na baczność; miał na sobie staromodny mundur.

– Cóż, Fawoniuszu – powiedział cesarz. – Nie sądziłem, że pozwolisz matce na taką szaleńczą wyprawę.

Walentynus zobaczył, że mężczyzna uśmiecha się tak, jak mógłby się uśmiechać Herkules albo któryś z tytanów.

– Nie mogłem jej powstrzymać, panie. Nie sądzę, by ktokolwiek zdołał.

– Masz pewnie mnie na myśli – pokiwał głową Konstantyn. – Dobranoc, Fawoniuszu – uważaj na siebie.

– Dobranoc, panie. Panie!

– Tak, Fawoniuszu?

– Trzecia kohorta Dwudziestego Pierwszego jest źle wyposażona, panie. Co trzeci żołnierz ma zniszczone sandały, co czwarty uszkodzoną zbroję.

– Zanotuj to, Walentynusie – powiedział Konstantyn. – Coś jeszcze, Fawoniuszu?

– Kowal drugiego i trzeciego oddziału jazdy galijskiej nie zna się na swojej robocie, panie. Widziałem jedenastu jeźdźców, którzy zgubili podkowy.

– Zanotuj, Walentynusie. Coś jeszcze?

– Nie, panie.

– To dobrze. Dziękuję, stary przyjacielu. Dobranoc.

– Dobranoc, panie.

Kiedy doszli do cesarskiego namiotu, Konstantyn powiedział:

– Obudź mnie o wpół do czwartej przed świtem, Walentynusie. Przy okazji – prześlij amforę mojego najlepszego wina setnikowi Fawoniuszowi.

– Tak, panie. Nadzwyczajny człowiek. Musi mieć sokole oczy.

– Fawoniusz? On jest prawdziwym żołnierzem, Walentynusie. Jestem dumny, że w dzieciństwie był moim nauczycielem. Dobranoc.

– Dobranoc, panie.

Strażnicy sztywno zasalutowali. W namiocie było teraz bardzo zimno. Kiedy podszedł do biurka, zauważył, nie bez zdziwienia, że wciąż trzyma w ręce zwój – ten, który spadł z biurka. Spojrzał na niego i stwierdził, że nie jest to *Eneida*, lecz zbiór innych poezji, *Bukoliki*. Naprawdę wstyd, że musi je przeczytać po raz pierwszy w życiu w wieku trzydziestu ośmiu lat. Pamiętał jak przez mgłę, że stary Filostrat próbował go zmusić do przeczytania paru tych wierszy, kiedy był chłopcem – ale ogólnie Filostrat skupiał się bardziej na poezji greckiej niż rzymskiej. Co prawda, też z niewielkim powodzeniem.

Cóż, naturalnym było, że stary Filostrat wolał swoich poetów greckich. A jednak w Wergiliuszu było coś, co sprawiało, że wszyscy bledli, kiedy śpiewał o czynach bohatera lub o słodkiej łacińskiej ziemi. Tak, Wergiliusz był duszą Rzymu.

Rozłożył zwój na biurku, a ten musnął starą miedź punickiego hełmu. To była resztka afrykańskiej chwały, martwy kawałek metalu, brzydki i bezużyteczny – wszystko, co pozostało z wielkiej przygody Hannibala. To był dobry symbol, bo nigdy tu nie dotarł – tak jak dowódca jego nieszczęsnego właściciela nigdy nie dotarł do Rzymu. Z kartagińskiej potęgi nie przetrwało nic – ani jednej zwrotki do śpiewania o jej wielkości i upadku. Może to było Przeznaczenie – lodowata bogini, większa nawet niż słońce – że narody żyły tak, jak pojedynczy ludzie, rodziły się, dorastały, starzały i umierały. Tak jak Asyryjczycy... i Babilończycy... tak, i Grecy.

Co czuł wielki Punijczyk, kiedy walczył tutaj, pod ośnieżonymi szczytami Alp, ponury jednooki przeciwnik Rzymu, któremu ojciec kazał przysiąc w wieku dziewięciu lat, że będzie nieprzejednanym wrogiem państwa rzymskiego? Czy przybył, by pomścić los swego ojca? A może czuł, że przyszło mu pomścić wcześniejsze zło – los Dydony, którą Eneasz opuścił, by zostać ojcem... Rzymu. Mieliby sobie coś do powiedzenia, *Eneida* Wergiliusza i ten hełm...

Ale Kartagina umarła, a Rzym wciąż żył. I będzie żył, i może zobaczy jeszcze wspanialszą wielkość niż ta w przeszłości. Nikt nie mógł wierzyć w Rzym bardziej niż Wergiliusz. A czy ktoś nie powiedział, że prawdziwy poeta jest również prawdziwym prorokiem? Nie, matko. Zostawiam ci twojego żydowskiego proroka czy też boga – daj mi Rzym i Wergiliusza.

Wziął zwój i zaczął czytać.

Muzy sycylskie, spróbujmy i wyższe rzeczy opiewać.
Niskie zarośla i mdłe tamaryszki nie wszystkich zachwycą;
Jeśli las opiewamy, niech godny on będzie konsula!
Oto ostatni się czas kumejskiej pieśni pojawił,
Oto na nowo się wieków odradza wielki porządek.[4]

Na nowo się odradza! To nie był zły omen. Może to dziecinne myślenie, ale jednak...

Już Dziewica powraca, powraca królestwo Saturna,
Nowy potomek z niebios wysokich na padół zstępuje.

Jeszcze lepiej! Ale kogo miał na myśli? Augusta? To raczej nie nowy potomek – a co do bycia posłanym z wysokiego nieba...

Ty jedynie dziecięciu, co rodzi się – aby żelazne
Znikło plemię, a złote na całym świecie rozbłysło –
Sprzyjaj, czysta Lucyno; Apollo już, brat twój panuje.

---

[4] Fragmenty Eklogi IV *Bukolik* Wergiliusza w przekładzie Zofii Abramowiczówny – przyp. tłum.

Cesarz przerwał na chwilę i przetarł dłonią czoło. Myśli wzbierały i trzeba było je przegnać. Głupie myśli. Idiotyzmem jest łączenie rzeczy, które nie mają związku. To jest idiotyczne, nawet jeśli ludzkość to praktykuje, nazywając omenem, albo... albo może nawet religią. Niech Wergiliusz da nam własną interpretację Wergiliusza...

Pollio, za twego to dziś konsulatu poczyna się chwała Wieku naszego i wielkie miesiące w bieg swój wstępują.

Pollio – współczesny. Złoty wiek miał się zacząć pod rządami Augusta? Trzysta lat temu albo trochę więcej?

Znikną pod twoją wodzą, jeżeli zostały, występków Naszych ślady, i świat od wiecznej trwogi uwolnią. On zaś żywot od bogów uzyszcze i ród bohaterów Ujrzy pomiędzy niebiany i sam wśród nich się ukaże, W cnoty strojny ojcowskie, w pokoju władnąc nad światem.

Blady jak śmierć, z drżącymi palcami, Konstantyn czytał dalej. A Wergiliusz wyśpiewywał natchniony pean chwały: ziemia wyda owoce jak nigdy przedtem... wszystkie trucizny znikną i

Wąż jadowity zginie

Czytał i czytał, jak spragniony człowiek pije wodę, łapczywie, wielkimi haustami. Wracał ciągle do poprzedniego tekstu, by się upewnić co do jego znaczenia. Przeczytał, że nie wszystko od razu się naprawi w tym złotym wieku. Pozostaną ślady starych występków

I wojny podobne

Jednak szczęście świata było pewne...

Baran na łące odmieni swe runo i już to
Krasą purpury, już to szafranem złocistym zabłyśnie,
Pąs samorzutnie zaś wełnę okryje jagniąt na paszy.
– „Kręćcie się, kręćcie przez takie stulecia!" do wrzecion swych rzekły
Parki, zgodnie w wieczystym porządku boskich przeznaczeń.

A w tym miejscu prometejski poeta padł na kolana i oddał cześć.

Sięgnij-że już po wysokie godności – boć pora nadchodzi –
Bogów najmilsze dziecię, Jowisza wielki potomku.
Patrz na bryłę wszechświata wzruszoną w swoich posadach,
Lądy, morza, otchłanie, bezdenną niebios głębinę,
Patrz, jak wszystko dokoła z przyszłego się wieku raduje.
Obyż mi życia tak długo ostatnie ciągnęły się lata,
Obyż i ducha starczyło – bym zdążył wysłowić twe czyny!

Ani Orfeusz, ani Apollo Linos nie przewyższyliby go w pieśni – nie, nawet sam wielki Pan – a jedyne, o co poeta prosił na końcu ostatniej strofy, to uśmiech „dzieciny", który „uraduje jego matkę".

Konstantyn zaczął gorączkowo czytać poemat jeszcze raz, od początku. To była Ekloga Czwarta. Dziewica – czy to nie Astrea, starożytna bogini sprawiedliwości, która uciekła z ziemi, przerażona bezbożnością ludzi? Ta, o której mówiono, że stała się gwiazdozbiorem Panny? Mówiono tak również o egipskiej Izydzie. Jej potomstwo – potomstwo dziewicy, które narodzi się na ziemi, zmaże winy świata i weźmie udział w życiu bogów – i śmierci węża.

Ale najważniejsze, że Wergiliusz widział to wszystko w bardzo bliskiej przyszłości – że sam miał nadzieję dożyć początku. Jego przyjaciel Pollio miał to zobaczyć...

– Walentynusie!

Adiutant wpadł przestraszony z wyciągniętym mieczem w ręce.

Konstantyn zmusił się do uśmiechu.

– Nie, nie, Walentynusie, nikt nie próbuje mnie zabić. To... coś innego. Chcę, żebyś wezwał do mnie któregoś z moich chrześcijańskich oficerów, obojętne, Tulliusza, czy kogoś innego. Ale musi być chrześcijaninem.

Walentynus uśmiechnął się.

– Sam jestem chrześcijaninem, panie – rzekł. – Czy wystarczę?

– Co – ty też? Nigdy mi o tym nie mówiłeś! Mniejsza z tym – oczywiście, że wystarczysz. Powiedz mi – kiedy ten wasz Chrystus żył i kiedy umarł?

Walentynus ochłonął już z pierwszego szoku.

– Urodził się w roku siedemset pięćdziesiątym trzecim od założenia Miasta, panie. A zmarł w trzydzieści trzy lata później, w roku siedemset osiemdziesiątym szóstym.

– Czyli za panowania Augusta.

– Urodził się za panowania Augusta. Zmarł za czasów Tyberiusza.

– Tak, tak, oczywiście. Ale powiedz mi, Walentynusie – czy wiesz, kiedy umarł Wergiliusz?

– Wergiliusz, panie?

– Tak, tak, ten poeta. Z pewnością nawet chrześcijanin słyszał o Wergiliuszu. W każdym razie, Wergiliusz chyba słyszał o... wiesz czy nie wiesz?

– Tak, panie. Umarł w roku siedemset trzydziestym czwartym od założenia Miasta.

– To znaczy... to znaczy na dziewiętnaście lat przed narodzeniem Chrystusa?

– Tak, panie.

Kto powiedział, że prawdziwy poeta jest także prawdziwym prorokiem?

Cesarz znowu usiadł na krześle.

– Świetnie. Dziękuję, Walentynusie. Możesz iść. Ja... muszę pomyśleć.

Rozdział dwudziesty piąty

– Znam Eklogę Czwartą Wergiliusza – powiedział z uśmiechem biskup Ozjusz. – Nie wątpię, że jest prorocza – tak jak słowa natchnionych autorów Starego Testamentu. Jakie mamy prawo żądać, by Bóg obdarzał natchnieniem tylko ludzi narodowości żydowskiej...

Helena skinęła głową.

– Wiedziałam, że to powiesz, wielebny biskupie – a przynajmniej miałam taką nadzieję. Widzisz, mój własny ojciec mawiał czasami, że rzeczy się staną – i się stały. A są chwile, kiedy ja sama...

Umilkła.

Znów dały się słyszeć śpiewne głosy; w bazylice modliło się wiele osób. Przez małe okienko zakrystii widziała tylko ostatnie rzędy krzeseł i ławek, ale nawet one były zapełnione.

– Wreszcie możemy jawnie służyć Bogu – powiedział biskup. Jego ciemne oczy o młodzieńczym wyrazie kontrastowały z siwiejącą brodą. Ile mógł mieć lat? Pięćdziesiąt pięć? Sześćdziesiąt? Miał ciemną skórę nawet jak na Rzymianina – niektórzy mówili, że w jego żyłach płynie egipska krew. – Nie mieliśmy tyle szczęścia, co poddani twego wspaniałego syna – ciągnął. – Mogliśmy się spotykać tylko potajemnie, w nocy, i wielu z nas zginęło. Było równie źle jak w dawnych okrutnych czasach, kiedy po raz pierwszy ogłoszono Edykt Dioklecjana. Wtedy źle się działo także w Brytanii. Dobrze to pamiętam. Podróżowałem wtedy przez Brytanię...

– Wiem – rzekła Helena. – To ty wyświęciłeś diakona Hilarego w Verulam, prawda?

Spojrzał na nią zaskoczony.

– To prawda – powiedział. – Znałaś go? Ciekaw jestem, co się z nim stało?

W dali znów zabrzmiał wyraźny śpiew.

– Nie żyje – odparła. – Zginął, osłaniając własnym ciałem Ciało Naszego Pana.

Biskup przeżegnał się.

– Niech spoczywa w pokoju – powiedział. – Nie wiedziałem, że on też został męczennikiem. Wiem, że mój stary przyjaciel Albanus...

– Kazałam zbudować w Verulam kościół upamiętniający Albanusa – głos Heleny był spokojny i mocny. – Chcę, żeby pamięć o nim żyła na wieki. Jestem pewna, że Hilary by tego chciał – był taki skromny, niemal jak dziewczyna. Na pewno by nie chciał, by nazwano kościół jego imieniem, a Albanus był jego nauczycielem.

– Ma swój kościół – w twoim sercu – powiedział cicho biskup i po raz pierwszy zobaczył jej uśmiech. Nie trwał jednak długo, a on wiedział, jaka walka toczy się w sercu tej niezwykłej kobiety, która stała się czymś w rodzaju legendy Zachodniego Cesarstwa. Niektórzy mówili, że była córką czarodzieja, że anioł asystował przy narodzinach jej syna, że woziła ze sobą, gdziekolwiek podróżowała, kielich, którego Chrystus używał podczas Ostatniej Wieczerzy. Był ciekaw, jaka ona jest naprawdę. Przyjechała w kilka dni po zajęciu Werony przez wojska Konstantyna i złożyła pierwszą wizytę głowie gminy chrześcijańskiej. Zastała go umierającego, a z nim „podróżującego biskupa", jak nazywano Ozjusza. W kilka dni później znów się spotkali – tu w bazylice.

– Co cię trapi, moja córko? – zapytał. – Wspomniałaś o Eklodze Czwartej Wergiliusza, ale nie powiedziałaś, jaki ma związek...

– Mój syn ją czytał – kilka tygodni temu – tuż po naszym ponownym spotkaniu. Przeczytał ją przez czysty... przypadek. Jeśli to był przypadek. Konstantyn nigdy nie lubił się uczyć. Przede wszystkim jest żołnierzem. Musiał nawet ponownie odkryć Wergiliusza. Poemat zrobił na nim wielkie wrażenie – kiedy tylko miał czas, dyskutował o nim ze mną i ze swoim adiutantem, Walentynusem...

– Chrześcijaninem?

– Tak. To wszystko jest dla niego dosyć nowe, oczywiście – i bardzo różne od jego sposobu myślenia. Powiedział mi jednak, że teraz czuje, iż świat jest zupełnie inny od tego, jaki mu się wydawał. Ale to było wszystko...

– To wielka rzecz – nie sądzisz, córko?

Westchnęła ciężko.

– To wielka rzecz dla zwykłego człowieka; to mało – o wiele za mało – dla człowieka, którego misją jest poddanie Imperium Królestwu Chrystusa.

Biskup cofnął się o krok. Po latach wspominał tę chwilę jako jedną z najbardziej zdumiewających w swoim życiu.

– Cesarzowo... córko, dlaczego uważasz, że on ma misję takiej wagi?

– Ostatnie słowa jego ojca przed śmiercią – i coś jeszcze. Nie pytaj mnie teraz, proszę. Obawiam się, że to nie jest dobry czas na wyjaśnienia.

Co miała na myśli? Wyczuwał w jej głosie zdenerwowanie, niemal rozpacz. Biskup zadał sobie pytanie, czy prawdziwą przyczyną nie mógł być trud ostatnich tygodni. Dla kobiety, i to kobiety w jej wieku, przejście z armią przez Alpy było niezwykłym wyczynem – i ogromnym wysiłkiem. Słyszał, że naprawdę znalazła się w obszarze walk podczas bitwy o Turyn – jeśli to prawda, widziała przypuszczalnie rzeczy, jakie niewiele kobiet mogłoby oglądać bez poważnego uszczerbku na zdrowiu. Może była wytrącona z równowagi. Miał jednak silne poczucie, że głównym źródłem jej nerwowości jest naturalny niepokój człowieka, który czuje, że traci cenny czas, zamiast podjąć działanie. Jakie działanie?

– Wnioskuję z twoich słów, że się martwisz o rozwój duchowy swego wielkiego syna – zaczął ostrożnie. – Czemu nie pozostawisz tego naturalnemu biegowi? Sądzę, że czujesz, iż nie trafił na ten poemat przypadkiem... że Nasz Pan go przyciąga. I bardzo dobrze – czemu nie pozostawić tego Naszemu Panu?

Wielkie oczy – i ich wyraz, który sprawiał, że łatwo było uwierzyć w otaczające ją legendy.

– Nie, księże biskupie. Obawiam się, że to nie takie łatwe. Nasz Pan przyciąga go od pewnego czasu – ale do niego należy odpowiedź. Jak inaczej może rościć sobie prawo do wygrania tej wojny? Czytałam w Pismach, że Bóg wypluje letnich ze swoich ust. A Chrystus powiedział: „Kto nie jest za mną, jest przeciwko mnie". Nie ma niczego pomiędzy.

Biskup z powagą pokiwał głową.

– Nie mogę zaprzeczyć – powiedział. – Ale czy nie wydaje się, że Nasz Pan jest z nim? Udało mu się przejść przez Alpy, zdobył górskie fortyfikacje niemal bez wysiłku, pokonał wojska Maksencjusza w Turynie i Pompejanusa w Weronie. Nie próbuję umniejszać jego zasług; słabo się znam na sprawach wojskowych, ale mówiono mi, że jego dowództwo było inspirujące, a jego osobista odwaga...

– Tak, nawet oficerowie wysłali do niego delegację, błagając go, by się tak bardzo nie narażał. Wiem. Ale te zwycięstwa zostały zbyt drogo okupione. Jego armia nie jest już tą, z którą wyruszył, a posiłki nie zdążą przybyć na czas. Widziałam te wojska – byłam z nimi przez wszystkie te tygodnie – żaden z żołnierzy nie jest człowiekiem, jakim był na początku. Stracili też sporo ekwipunku i musieli uzupełnić go tym, co znaleźli w magazynach wroga, ale nie zawsze była to broń, do jakiej się przyzwyczaili, a to wielka różnica dla wojownika.

Widząc jego zdumienie, znów musiała się uśmiechnąć.

– To nie takie dziwne, księże biskupie – spędziłam z armią połowę swego życia. Wiem, co czuje żołnierz i co jest dla niego ważne.

– Na to wygląda – zgodził się biskup Ozjusz. – Myślę, że rozumiem teraz twoją troskę. Poza tym wróg ma liczebną przewagę. Z tego, co słyszałem, armia Maksencjusza liczy ponad sto dwadzieścia tysięcy ludzi, a może jeszcze więcej...

Ale ona machnęła ręką na ten argument.

– Liczby nie są takie ważne. Liczby nie przesądzą o wyniku tej wojny. Znaczenie ma stan umysłu Konstantyna – i umysłów jego ludzi. I właśnie to – stan ich umysłów – napełnia mnie taką troską. Wyczułeś troskę w moim umyśle, wielebny biskupie – i pomyślałeś o mnie jako o biednej, nerwowej starej kobiecie, która potrzebuje paru słów pokrzepienia. Nie, nie zaprzeczaj, wiem, że tak myślałeś. Ale to, co wyczułeś, nie jest tak naprawdę moim zmartwieniem – to ich zmartwienia, ich wątpliwości i niepewność odbijają się w mojej duszy.

Stary, doświadczony rybak dusz spojrzał na nią przenikliwym wzrokiem. To on zwykle czytał w myślach innych i musiał przezwyciężyć uczucie lekkiej irytacji, a potem niezadowolenia z własnej irytacji. Teraz wiedział, że jej nie docenił – przemawiał do niej z góry, kiedy jej umysł mógł być znacznie wyżej niż jego własny.

Chyba nie była tego świadoma. Mówiła dalej:

– Widzisz, mój syn i jego armia są jak jedno ciało: on jest głową, mózgiem i czuje, że cząstkę tego dzieli z najpośledniejszym ze swoich ludzi. Ja jestem jego matką – i w pewnym sensie również matką jego żołnierzy. Ich troski są moimi – biorę je do serca i czynię moimi.

Biskupowi przemknęło przez głowę, by ostrzec ją przed grzechem duchowej pychy, ale po chwili poczuł z niezbitą pewnością, że się mylił. Ona po prostu stwierdziła fakt. Ku swemu zdumieniu usłyszał własne słowa:

– Niektórzy z nas mają swój Ogrójec, córko.

Zbladła, tak bardzo, iż pomyślał, że zemdleje. Zapytała jednak dość mocnym głosem:

– Czy Ogrójec zawsze prowadzi do ukrzyżowania?

I znów jakby wbrew swej woli usłyszał własne słowa:

– Nie można zwyciężać bez cierpienia, córko.

Wydało im się nagle, że nie są sami – że do małego pokoju zaglądają twarze, wiele twarzy, i oboje instynktownie się rozejrzeli. I było wiele twarzy – mijających małe okno wychodzące na nawę bazyliki, niewyraźne, z niewidzącymi oczami – bo nabożeństwo się skończyło i wierni opuszczali właśnie świątynię.

Biskup stwierdził, że pora odczarować ten moment.

– Szczęśliwie odzyskaliśmy naszą bazylikę – powiedział bardziej pogodnym tonem – i nie została spalona jak tak wiele innych świątyń. Armia Maksencjusza używała jej jako czegoś w rodzaju magazynu. Oczywiście, musiałem ją konsekrować na nowo. Czy chcesz ją zobaczyć?

Helena wyprostowała się.

– Tak, wielebny biskupie, jak tylko ci dobrzy ludzie wyjdą.

W kilka minut później weszli do nawy – wielkiego pomieszczenia, niemal pozbawionego ozdób. Ołtarz był przystrojony kwiatami. Po prawej...

– Kazałem wznieść ten krzyż ku pamięci naszych męczenników – powiedział biskup Ozjusz. – W każdym kościele powinien stać taki wielki krzyż, nie sądzisz? Jest mniej więcej takiej wielkości, jakiej zapewne był krzyż Naszego Pana... ale ty mnie nie słuchasz, prawda?

– Jest za ciemny – rzekła Helena. Jej głos brzmiał tak dziwnie, że szybko na nią spojrzał. Wpatrywała się w krzyż z niezmienionym wyrazem twarzy. Ale co miała na myśli?

– Drewno jest za ciemne – wyjaśniła Helena. – Powinno być znacznie jaśniejsze. Było znacznie jaśniejsze.

Podeszła do krzyża powolnym, lecz pewnym krokiem – tak, jakby ją do siebie przyciągał. Uklękła u jego stóp i zaczęła się modlić.

Biskup Ozjusz stał przez chwilę bez ruchu. Po chwili zobaczył, że zbliża się do niego diakon Gallus, łagodny, niewysoki mężczyzna, który odprawiał wieczorne nabożeństwa. Diakon Gallus szepnął, że przyszła właśnie do niego pani Metella – jej mąż jest umierający. Czy wielebny biskup przyszedłby dać mu pociechę w ostatniej godzinie?

Biskup Ozjusz spojrzał z wahaniem na klęczącą przed krzyżem kobietę. Nie był pewny, co robić. Czy powinien przeszkodzić jej w modlitwie, usprawiedliwiając swoje odejście, czy też zostawić ją i usprawiedliwić się jutro, składając specjalną wizytę w domu przy Via Roma, który wynajęła na czas pobytu w Weronie? Wybrał drugie rozwiązanie.

– Dobrze, diakonie Gallusie. Już idę. Zostań tutaj i kiedy cesarzowa matka zakończy modlitwę, przeproś ją w moim imieniu i powiedz, dlaczego mnie wezwano. Powiedz też, że przyjdę do niej jutro rano, by ją przeprosić osobiście. Pod żadnym pozorem nie wychodź z kościoła przed cesarzową matką.

Diakon złożył pokłon i biskup Ozjusz wyszedł na palcach. Droga do domu pani Metelli zajęła mu prawie pół godziny. W jakieś dwie godziny później jej mąż odszedł spokojnie, a biskup został, by pocieszać wdowę i jej dwoje dzieci. Kiedy w końcu poszedł do domu, dochodziła północ. Mijając bazylikę, zobaczył diakona Gallusa przy drzwiach i zawołał go.

Diakon podszedł do niego. Łagodny, niewysoki mężczyzna drżał i z trudem dobywał z siebie głos.

– Opanuj się, człowieku – nakazał biskup. – Co się stało?

Po czym dodał, tknięty nagłym podejrzeniem:

– Czy coś się stało cesarzowej matce? Mów, diakonie Gallusie!

– Ja... ja nie wiem – wyjąkał mężczyzna. – Ona... ona wciąż tu jest.

– Co?!

Biskup wbiegł po schodach do bazyliki.

Światło samotnej oliwnej lampki odbijało się od podłogi posrebrzonej światłem wpadającego przez okna księżyca. Przed krzyżem klęczała ciemna postać.

Zmarli nie klęczą, pomyślał od razu i westchnął z ulgą. A jednak nie było w niej żadnego ruchu – to sztywne,

drewniane znieruchomienie sprawiło, że znów się prze-
straszył.

Zaczął iść w jej stronę i stwierdził, że zwalnia z każdym krokiem, który go do niej zbliża. Diakon Gallus nie
odstępował go przez cały ten czas.

Teraz widział jej twarz... jej oczy; zatrzymał się i nakazał diakonowi gestem, by zrobił to samo.

Helena miała szeroko otwarte oczy, ale trudno było
zgadnąć, co widzą. Unosiła dłonie w błagalnym geście,
ale siła, która podtrzymywała je w górze, zdawała się
pochodzić z zewnątrz. Jej twarz miała wyraz pełnej zachwytu czułości, a jednak wszystko, co w niej żyło, zdawało się skupiać w wielkim monolicie krzyża – jak gdyby
był żywym organem, żywotnym organem jej ciała, pulsu-
jącym krwią promieni księżyca, lśniącym i mieniącym się
w wiecznym ruchu.

Rozdział dwudziesty szósty

– Główne punkty – rzekł Konstantyn – są dość proste i chcę, żeby każdy dowódca je zapamiętał. To będzie bitwa skrzydłami – innymi słowy, będzie to bitwa jazdy.

– Oni mają trzy konie na jednego naszego – powiedział legat Asklepiodot.

– Wiem o tym. Ale ich jazda składa się z Numidyjczyków, których konie są drobne, a zbroje bez znaczenia – a co do ich nowego wynalazku, ciężkiej jazdy, którą spotkaliśmy w Turynie i Weronie: i jeźdźcy, i konie są okryci zbroją tak, że nie mogą manewrować. Nasza jazda galijska poradzi sobie z każdą z tych formacji – co na to powiesz, Windoryksie?

Mały generał kawalerii uśmiechnął się

– Zmiażdżyć Numidyjczyków i zabawić się z ciężkimi – powiedział.

– Właśnie. Już tak zrobiliśmy. Możemy to powtórzyć.

– Być może – odparł Windoryks. – Tym razem jest ich więcej. A nas mniej.

– Oni są bliżej Rzymu – rzekł ostrzegawczym tonem legat Treboniusz. – W rzeczy samej są osłaniani przez swoją stolicę. Będą lepiej walczyć.

– Wprost przeciwnie! – wykrzyknął cesarz. – To może się okazać dla nich fatalne. Było im tam za dobrze. Są przejedzeni i trzeba lepszego dowódcy niż Maksencjusz, by utrzymać ich z dala od wina i kobiet. Co się z wami wszystkimi dzieje? Zwyciężaliśmy ich przy każdym spotkaniu. Jeszcze jeden wysiłek i wojna się skończy.

Zapadła cisza. Potem Asklepiodot wziął głęboki wdech:

– Cesarzu, miałem zaszczyt walczyć pod dowództwem twego ojca, tak jak i pod twoim, i jestem z tego dumny. Myślę, że mogę śmiało powiedzieć, że nigdy nie doradzałem nadmiernej rozwagi. Ale teraz sytuacja nie jest łatwa. Przewyższają nas liczebnie w takim stopniu, że sam pomysł ataku jest w rzeczy samej... zuchwalstwem. Wróg stracił trochę sił pod Turynem i Weroną – ale tym razem są w pełni przygotowani. Naszym największym sprzymierzeńcem w przeszłości był moment zaskoczenia. Nie spodziewali się nas. Teraz się spodziewają. W zaokrągleniu jest ich sto czterdzieści tysięcy przeciw naszym czterdziestu.

– Liczby – rzekł z pogardą Konstantyn. – Jeden mój weteran jest wart ich sześciu żółtodziobów.

– On też wyszkolił żołnierzy – odparował stary legat. – A co więcej, ma gwardię pretoriańską – najlepszych wojowników Imperium.

Konstantyn zerwał się na nogi.

– Gwardia pretoriańska! – wykrzyknął. – Banda prymitywnych łajdaków, przez stulecia sprzedających Imperium tym, którzy płacili najwięcej. Na bogów, rozgromię ich i zniszczę tak, że więcej nie powstaną. Jeśli ta wyprawa nie przyniesie innych owoców niż zmiecenie tego gniazda żmij, warto było ją podjąć! Maksencjusz przywrócił, a nawet zwiększył ich przywileje – upadną razem z nim, przysięgam. A ja sam przeprowadzę atak przeciw nim. Tyle o pretorianach.

Asklepiodot wzruszył ramionami.

– Cesarz jest cesarzem – powiedział swoim niskim, dudniącym głosem. – Ja jestem prostym żołnierzem – robię to, co mi każą.

– Wszyscy robimy to, co nam każą – zgodził się z nim mały Windoryks. – Jutro zginie wiele pięknych koni. Szkoda. – Widać było, że to jedyna rzecz, jaka naprawdę zajmuje jego myśli.

Konstantyn patrzył kolejno na ich twarze. Wielu z nich było z nim w Eburacum, kiedy umarł jego ojciec. Dobrze ich znał. Treboniusz, który szturmował górską twierdzę Suzy; Ulpiusz, którego atak na lewe skrzydło wroga przesądził o wyniku bitwy pod Turynem; Asklepiodot, którego wiedza i zdolność przewidywania okazały się bezcenne podczas oblężenia Werony; i mały Windoryks – bardziej centaur niż człowiek... i tylu innych. Wiele razy dokonywali rzeczy niemożliwych, ale teraz zdawali się tracić impet – byli zmęczeni. Myśleli o wszystkich wielkich ludziach, którzy w przeszłości daremnie próbowali zdobyć Rzym. Zaledwie parę lat temu próbował Galeriusz i przegrał z tym samym wrogiem.

Zdawało się, że stracili wiarę. Wiarę! A trzeba wierzyć w zwycięstwo, jeśli chce się je odnieść. Przez chwilę myślał o tym, by wygłosić do nich mowę – i wyrwać ich z tego letargu. Wiedział jednak, że nie ma im nic do powiedzenia. Słyszał, jak Treboniusz mówił godzinę temu: „Bogowie będą po naszej stronie". A Windoryks, ze śmiechem przypominającym rżenie konia, odparł: „Bogowie? Oni lubią bezpieczne zakłady. Zawsze są po stronie silniejszej i lepiej wyposażonej armii".

A jeśli miał rację? Wracało wspomnienie godzin spędzonych na dręczących wątpliwościach i zaczęło przybierać formę zniecierpliwienia.

– To wszystko, przyjaciele – powiedział. – Spotkamy się znów jutro – o świcie. Dobranoc.

Nie podobał mu się sposób, w jaki opuszczali namiot – przygarbieni, niepewnym krokiem, unikając patrzenia na siebie nawzajem.

Ogarnęła go fala dzikiej, nieokiełznanej furii i miał ochotę przeszyć każdego z nich strzałą. Od razu jednak poczuł, że to wszystko jego wina. To on miał natchnąć ich wiarą w siebie, której im brakowało, wsączyć w nich siłę i rzucić na nich czar. Od tego był dowódca. Dlatego został ich cesarzem. Zawiódł ich.

A jutro będzie dzień bitwy. Jutro wszystko się rozstrzygnie. Jeśli Maksencjusz zwycięży, wojna zostanie przegrana. Ach, gdyby mógł wziąć ze sobą całą swoją armię – ale to by oznaczało osłabienie granicy wschodniej. To by pozwoliło Frankom i Sasom wejść do Galii, nie napotykając na opór. Maksencjusz może by się tym nie przejął. Ale on się przejmował i teraz oznaczałoby to jego upadek. Gdzie jest sprawiedliwość?

Czy to prawda, że sprawiedliwość, Astrea, opuściła ziemię w rozpaczy? A może rację miał Wergiliusz, kiedy śpiewał, że powróciła?

Sprawiedliwość... kiedy czujemy się słabi, wzywamy jej jako nam należnej. Ale sprawiedliwość zakłada istnienie bogów – albo boga. Jeżeli nie ma Boga, na co byłaby sprawiedliwość? Od kogo wówczas jej żądać? Od ludzi? Dlaczego? Czemu nie mieliby robić tego, co chcą?

Tak czy inaczej, jeśli przegrają jutrzejszą bitwę, będzie to oznaczało śmierć dla chrześcijan w Imperium. Zatem jeżeli istniał chrześcijański bóg, przynajmniej on powinien być po stronie armii Konstantyna.

Ale czy istniał? A jeśli tak, raczej nie był bogiem wojny. Nie lubił mieczy, prawda? I jeszcze przenikliwy głos małego Windoryksa: „Bogowie?... Oni zawsze są po stronie silniejszej i lepiej wyposażonej armii".

Matka, oczywiście, była pewna swojej wiary. I wszystko szło dobrze, dopóki tam była. Szkoda, że nie ma jej teraz. Głupia myśl – mały chłopiec kwilący do matki w przeddzień bitwy. Gdyby żołnierze o tym wiedzieli...

Ale ona była niezwykłą kobietą. Wolałby, żeby tu była.

Podszedł do wejścia do namiotu i zastał tam Walentynusa patrzącego w niebo. „Co ciekawego jest tam na niebie?", chciał zapytać. Ale nie zapytał. Spojrzał.

Słońce właśnie zachodziło, a ponad nim widniał dziwny, świecący twór, jak gdyby ze słońca wystrzelał wielki promień, jak gdyby słońce rodziło drugie słońce... nie, to wyglądało jak długi, rozwidlony słup ognia...

– Dziwne zjawisko, Walentynusie.

– Tak, panie – padła przejęta lękiem odpowiedź.

Długi, długi, rozwidlony słup ognia wciąż rósł.

– To... to jest jak krzyż – powiedział Konstantyn i usłyszał, jak Walentynus bierze głęboki wdech.

Odwrócił wzrok i spojrzał na tysiące namiotów; tam obozowały wojska Treboniusza. Widział niezliczone małe słupy błękitnego dymu; gotowali sobie kolację, która dla wielu z nich miała być ostatnią. Teraz jednak nad namiotami widniał ciemny krzyż – a kiedy spojrzał w drugą stronę, gdzie srebrna wstęga Tybru lśniła między łagodnymi pagórkami porośniętymi gajami oliwnymi, tam też zobaczył ciemny krzyż, odbicie w swoim oku dziwnego, jaskrawego widma ponad słońcem.

– Dobranoc, Walentynusie – powiedział szorstko i zawrócił. Przygotowali dla niego kolację, ale nie był głodny. Nalał sobie puchar wina, ale zapomniał wypić. Rzucił się na polowe łóżko, starając się myśleć o przygotowanym planie bitwy. Wróg rozmieścił co najmniej połowę swoich sił wzdłuż Tybru – po tej stronie rzeki, nie po drugiej. To oznaczało, że zamierza toczyć bitwę, mając Tyber za plecami. Dlatego on przerzuci resztę swojej armii – albo teraz, albo we wczesnych godzinach porannych – a może w obu tych porach. Potem najważniejszy będzie możliwie najszybszy atak – może zanim przerzuci wszystkie wojska, tak, by zająć mosty. Gdyby tylko miał więcej jazdy – niektórzy z jego najlepszych ludzi marnowali się na północnych równinach... to wyglądało jak krzyż... Walentynus też to czuł... dziwne zjawisko...

⊕

Pulsujący życiem, lśniący i mieniący się w wiecznym ruchu.

Nadal go widział, kiedy się obudził i usłyszał, jak powtarza wciąż te same słowa.

– W tym znaku zwyciężysz.... W tym znaku zwyciężysz.

Wstał chwiejnie.

– W tym znaku zwyciężysz.

Kto to powiedział? Czy ktoś to powiedział? A może widział to gdzieś napisane? „W tym znaku zwyciężysz."

– Walentynusie! Walentynusie!

Kiedy adiutant wszedł, półprzytomny z niewyspania, zobaczył, że cesarz stoi przy polowym biurku, wyprostowany i całkowicie rozbudzony.

– Pisz, Walentynusie. Rozkaz ogólny do armii...

Poranna mgła unosiła się dnia dwudziestego ósmego listopada.

Bemboryks, obudzony szczękaniem zbroi, potarł zaspane oczy i spojrzał tępo na Witusa, który, już w pełnym rynsztunku, poprawiał właśnie hełm.

– Co się z tobą dzieje – nie wzywali nas, prawda? Która godzina? Słońce jeszcze nie wzeszło! Czy to alarm?

Krokus też przyszedł. Podobnie jak kilku innych – w namiocie było ich teraz ponad dwudziestu. Wszyscy patrzyli na Witusa, który zajmował się właśnie tarczą i dwiema włóczniami *pilum* z długą żelazną rękojeścią i piką z krótkim ostrym ostrzem.

– Co mu jest? Czy lunatykuje?

– Lepiej się szykujcie – rzekł poważnie Witus. – To jest ten dzień.

– Dzień nawet się jeszcze nie zaczął. Aper nas nie wzywał, prawda? Chyba oszalałeś.

– To jest ten dzień – powtórzył Witus. – Wiecie, co mam na myśli. Widzieliście znaki tak jak ja. Powiedziałem wam, że będą znaki – i były.

– Och, ty z tymi twoimi zabobonami, nie można trochę pospać? Chciałbym wiedzieć, dokąd zmierza armia. I wszystko z powodu jakiegoś dziwnego zachodu słońca...

– To był znak krzyża – odparł spokojnie Witus – i to jest ten znak. Będzie ich więcej. To jest ten dzień.

– Uderz go – powiedział Krokus, ziewając. – Uderz go, Bemboryksie.

– Pooobudka! – dobiegł z zewnątrz tubalny głos setnika Apera. – Pobudka! Wstawać! Szykować się piorunem!

Wszedł w pełnej zbroi, a z nim mężczyzna niosący wiadro wypełnione białą cieczą.

– Baczność – powiedział.

Patrzyli na niego oszołomieni. Na hełmie miał wymalowany prosty biały krzyż.

– Według rozkazu cesarza: każdy żołnierz namaluje jeden krzyż na hełmie, a drugi na tarczy. Tylko nie chlapać! Zróbcie to ostrożnie, szumowiny. No, weźcie zbroje. Na co czekacie? Ty tam – jesteś już gotowy. Ty pierwszy!

Zobaczyli, jak Witus podchodzi do mężczyzny z wiadrem. Szedł bardzo powoli, a Bemboryks czekał, aż Aper wybuchnie stekiem przekleństw. W rzeczy samej, setnik nabrał powietrza, jakby miał taki zamiar, ale tego nie zrobił. Patrzył, jak Witus klęka przy wiadrze, kładzie tarczę i zdejmuje hełm niemal kapłańskim gestem. Twarz Apera była pozbawiona wyrazu, ale żołnierze, którzy widzieli Witusa, wymienili szybkie spojrzenia. W wiadrze był ciężki pędzel. Praca zajęła kilka minut. Witus wstał.

– W porządku – burknął Aper. – Róbcie to dalej. Następny! Wszyscy tak samo. Jak tylko będziecie gotowi, zbierzcie się przed namiotem. – Wyszedł, a gdy podnosił brezent zasłaniający wejście, zobaczył, że czeka na niego kilku mężczyzn z wiadrami pełnymi farby.

Wtedy odezwało się jednocześnie kilkanaście głosów.

– Rozkaz cesarza, tak?... O co w tym chodzi?... To chyba jakieś czary... Tak, ale... No już, do roboty, to nie boli. Tak, ale... Po co to?

– Wiem! – zawołał Bemboryks. – To ten zachód słońca – cesarz wziął go za omen.

– To znak chrześcijański, prawda? – zapytał Krokus. – Powinieneś wiedzieć o nim wszystko, Witusie!

Znów patrzyli na wysokiego mężczyznę z głęboko osadzonymi oczami.

– Tak – odrzekł Witus. – To nasz znak. I oznacza zwycięstwo.

– Więc to czary? – zapytał jeden z legionistów.

– To wszystkie czary świata razem wzięte – odrzekł Witus. – To zwycięstwo. To nowy wiek. Wiedziałem. Mówiłem ci o tym, Krokusie – i tobie, Bemboryksie!

– To prawda – przyznał Germanin. – Mówił o tym. Podaj mi pędzel.

– Mówiłem wam o tym, kiedy przekraczaliśmy Alpy – powiedział Witus, a głos łamał mu się z emocji. – A teraz nadeszło. Przepędzimy ich przed sobą jak burza. On jest z nami – czy wiesz, co to znaczy? Mówię wam: On jest tym, który rozprasza armie przed sobą. On jest tym, który zwycięża świat i nikt nie może stawić mu oporu. Maksencjusz właściwie już nie żyje.

– Widziałeś ich? – Bemboryks nie ustępował. – Liczyłeś ich namioty na brzegach Tybru? Ja tak. Mają dwóch lub trzech na jednego z nas.

Witus wybuchnął głośnym, wesołym śmiechem.

– Gdyby nawet było ich dziesięciu na jednego z nas – zawołał – gdyby było dwudziestu na jednego – są skończeni. Zobaczycie!

– Szaleństwo – stwierdził Bemboryks ze zwykłym wzruszeniem ramion; trzymał teraz pędzel, malując ze złością. – Krzyż! Wolałbym raczej drugą skórę wołową na tarczy. To jest ochrona! A nie maźnięcie farbą.

– Sam jesteś wołem – powiedział jeden z legionistów.
– Zawsze udajesz ważniaka, co? On coś o tym wie, to dla
mnie jasne. Podaj pędzel.

– Co jest nie tak z Jowiszem? – zapytał z goryczą czyjś
głos. – Czy chcemy obrazić bogów, przyjmując tę cudzo-
ziemską religię?

– Och, zamknij się! Brat mojej żony jest augurem
i ona mówi, że kłamie za każdym razem, gdy otworzy
usta.

– Tak, a kapłani w świątyni Marsa w Autun dają amu-
lety, które mają cię zabezpieczyć przed strzałami i włóczniami. Mój stary przyjaciel Aulus kupił jedną – kosz-
towała go dwumiesięczny żołd! – i w pierwszej bitwie
dostał strzałą prosto w gardło.

– W samą porę zmieniliśmy.

– Poza tym – powiedział krępy mężczyzna, mocując
się ze zbroją – oni wierzą w Jowisza i Marsa, i składają im
ofiary przed bitwą, prawda? A jest ich trzech na jednego
z nas, jak mówi Bemboryks. Dlatego ofiarują im trzy razy
więcej. A jeśli my będziemy się trzymać Jowisza i Marsa, jesteśmy straceni. Równie dobrze możemy spróbować
czegoś innego!

– Coś w tym jest!

Witus opuścił namiot i stanął przed nim z błyszczącymi oczami. Inni wychodzili z setek namiotów wokół
niego, wszyscy z białymi krzyżami na hełmach i tarczach.

Rozpoznał kilku braci w wierze i pomachał im włócznią, najpierw pionowo, a potem poziomo. Od razu odpowiedzieli tym samym, a ich pozdrowienie podchwycili chrześcijanie z innych formacji. Nie było ich wielu – tylko jeden na piętnastu, może na dwudziestu – ale każdy z nich wiedział, że to jest ten dzień, na który czekali.

W armii cesarza niewiele było namiotów, w których nie toczyły się podobne dyskusje.

Wydano poranny posiłek – *pulsum*, chleb i wodę zmieszaną z odrobiną octu; był też dodatkowy puchar wina niezmieszanego z wodą. Jeden z mężczyzn, którzy je podawali, opowiadał dziwną historię: wiedział, dlaczego zarządzono malowanie białych krzyży. Usłyszał ją od Heraklianusa, służącego cesarza, który znał ją od Walentynusa, a ten od samego cesarza. Cesarz miał w nocy wizję: bóg chrześcijan ukazał się mu we śnie i obiecał zwycięstwo, jeśli pójdą do bitwy z tym chrześcijańskim znakiem. Zwycięstwo nad Maksencjuszem i wszystkimi wrogami! A Heraklianus powtórzył mu słowa Walentynusa, że bóg chrześcijan to zupełnie pewny zakład. Po prostu nie można go przegrać. Skoro więc obiecał swoją pomoc armii próbującej zdobyć twierdzę, wystarczyło tylko zadąć w trąby, a mury skruszą się same...

To ostatnie zakwestionowano. Kiedy to się zdarzyło i skąd o tym wiedział? Ale on wiedział: to się zdarzyło gdzieś w Syrii lub w Palestynie, a Walentynus widział to na własne oczy.

To była radosna nowina.

Właśnie skończyli śniadanie, kiedy dały się słyszeć fanfary trąb. Dochodziły z daleka, ale ich dźwięk rósł w siłę, a z nim dudniący pomruk aprobaty, przechodzący w ryk tysięcy głosów.

– Czy już je kruszy? – zapytał Bemboryks, ale setnik Aper ryknął: – Baczność! – i utworzyli podwójną kolumnę. Podwójne kolumny pojawiały się znikąd po prawej i lewej stronie, a teraz z północnego końca obozu nadjechała kawalkada jeźdźców. Pięćdziesięciu trębaczy na koniach. Potem gwardia przyboczna, starannie wybrani ludzie. Każdy z nich musiał pokazać swoją wartość przynajmniej trzy razy w polu. Zwykle jechali za nimi chorążowie z orłami. I pojawili się, w większości dobrze znane postacie – ale zamiast orłów nieśli wielkie piki, skrzyżowane z poprzeczną belką. Z belki zwisał purpurowy jedwabny welon, a wierzchołek piki podtrzymywał złotą koronę, zawierającą tajemniczy znak, jak monogram.

– Imię – szepnął Witus – święte imię!

– Co to jest? Co to jest?

– To jest imię nowego boga!

Żaden setnik nie wtrąciłby się teraz w ich rozmowę – wszyscy wokół nich krzyczeli i ryczeli najgłośniej, jak potrafili. Nadjechał cesarz, promienny, na dorodnym kasztanku. Krzyż na jego hełmie i tarczy był namalowany płynnym złotem.

– Wygląda jak sam Mars!

– Zamilcz! Mars to wstrętny demon. Istnieje tylko jeden Bóg, a On jest z cesarzem. Spójrzcie na niego! Nie widzicie?

Wielkie srebrne krzyże widniały na hełmach i tarczach jego sztabowych oficerów.

– Jesteśmy nową armią! – wykrzyknął Witus. – Jesteśmy armią samego Boga!

Wypowiedział głośno to, co większość z nich czuła instynktownie – choć niewielu tak naprawdę rozumiało, dlaczego. To był element – prymitywny i skuteczny – poczucia, że cesarz może pokazać coś zupełnie nowego, coś, co dawało mu poczucie pewności; że poznał ich tajemne obawy, ich ukryte zmartwienia, i że znalazł własny sposób na wykorzystanie nowych źródeł siły. To było poczucie – znów prymitywne i zabobonne – że w błyszczących wszędzie krzyżach jest coś czarodziejskiego. To było jak włożenie nowego munduru. Mieli poczucie zjednoczenia, zawarcia paktu, który spoił ich razem w nowym duchu. Wielu z nich pamiętało dziwny znak, jaki widzieli wczoraj o zachodzie słońca. Słońce zaszło, lecz ognisty krzyż pozostał jeszcze na niebie przez pewien czas. Nikt nie miał wątpliwości, że to był omen, a cesarz przyjął go z takim samym entuzjazmem i szybką reakcją, jakie dały mu zwycięstwo w Suzie, Turynie i Weronie. Wiara w starych bogów stała się słaba i sprzedajna już dawno temu. Teraz wschodziło nowe. Większość z nich słyszała o chrześcijanach umierających za wiarę – wielu nawet ich widziało – i często zadawali sobie w duchu pytanie, czy z równym męstwem oddaliby życie za Jowisza, Marsa i Apollina, gdyby tego od nich wymagano. Człowiek musi być niezwykle pewny swojej wiary, jeśli jest gotów za nią umrzeć!

Prymitywne i leniwe umysły nie musiały myśleć o tym wszystkim same – chrześcijanie w armii czuwali nad tym, by myśleli. Było ich tylko parę tysięcy, ale każdy z nich stał się bohaterem tej godziny – tak jak Witus. Triumfowali – krzyczeli, wrzeszczeli i ryczeli z entuzjazmu. Wiedzieli o tym przez cały czas, a teraz to się spełniło, żeby wszyscy mogli zobaczyć. To był nowy wiek, złoty wiek, nowe panowanie, zwycięstwo Boga. Godzina właśnie nadeszła...

Ale niechrześcijanie także tęsknili za tym, by coś się wydarzyło, i teraz właśnie tak się stało. Byli żołnierzami, a żołnierz chce mieć poczucie, że walczy po zwycięskiej stronie. Teraz wszyscy ci spokojni, łagodni i raczej skryci mężczyźni otworzyli się i głośnym krzykiem dali upust swej pewności zwycięstwa. To samo w sobie było omenem. Nawet wiadomość, że przybyło pięćdziesiąt tysięcy posiłków, nie mogłaby na nich zrobić większego wrażenia. Chcieli poczuć pewność zwycięstwa – nie pragnęli niczego więcej – a to była okazja, by tę pewność zyskać, więc chciwie się jej uchwycili.

Wspaniała kawalkada szła dalej, od jednej alejki namiotów do drugiej. Za cesarzem i jego sztabem znów pokazali się gwardziści, a za nimi niekończący się strumień jazdy na tysiącach galijskich koni. Do świtu pozostała godzina.

Rozdział dwudziesty siódmy

– Oficer nadjeżdża na koniu – zameldował żołnierz Pryskus.

Sześciu ponurych mężczyzn wyznaczonych do pilnowania wozu z bagażem podniosło głowy. Nie cieszyło ich wcale, że muszą tu siedzieć i słuchać odgłosów bitwy prowadzonej zaledwie półtora kilometra stąd. Oprócz nich było jeszcze około pięciuset ich kolegów, którym nie pozwolono walczyć. Niektórym dlatego, że stchórzyli w obliczu wroga w Turynie lub w Weronie, innym dlatego, że byli chorzy lub okaleczeni.

– Popatrz na niego – co to za mundur? Nigdy nie widziałem czegoś podobnego. Setnik, ale...

– Na brodę mojej ciotki, on jest chyba z czasów Troi!

– Na pewno po siedemdziesiątce. Po co przebiera się za żołnierza?

– Może jest duchem. W tym miejscu było już parę bitew...

– Cały się trzęsiesz, Kakusie, prawda? Zupełnie jak w Turynie!

– Zamknij się, gnido, bo cię zabiję.

– On jest setnikiem. Wstawajcie, chłopaki, albo się nam dostanie.

Wstali, kiedy setnik podjechał, i zasalutowali ponuro, ze źle skrywanym zuchwalstwem.

– Spocznij! – rozkazał stary oficer, zsiadając z konia. – Czy to wóz z orłami? Dobrze.

Podszedł do niego i podniósł brezent. Tak, były tutaj – siedem. Orły siedmiu legionów.

Sześciu żołnierzy patrzyło na niego z mieszaniną zdumienia i niechęci. Teraz nie mieli wątpliwości, że jest oficerem, choć nosił mundur równie stary i dziwny jak on sam. Ale po co głaskał te przeklęte stare orły, jak gdyby były pięknymi kobietami? Kakus wskazał brudnym palcem na swoje czoło i mrugnął. Pozostali uśmiechnęli się złośliwie. Właśnie. Stary człowiek nie był całkiem normalny. Pryskus głośno się roześmiał.

Oficer odwrócił się; sam ruch jego potężnego ciała był na tyle groźny, że się cofnęli.

– Pięćdziesiąt kroków do tyłu – warknął. – Jeśli usłyszę jeszcze jakiś hałas, pożałujecie. Precz!

Znali ten ton i posłuchali.

Fawoniusz znów się odwrócił do swoich orłów. Tak, ten był Trzydziestego – widział Afrykę, Syrię, Panonię i Dację. Został wniesiony w rój Sarmatów i oglądał śmierć Publiusza Drako, który nosił go przez dwadzieścia dwa żelazne lata. A to był orzeł Dziewiętnastego, który widział Germanię, Hiszpanię i Persję. Raz został zdobyty przez Persów, kiedy arabscy jeźdźcy wybili połowę legionu, i odzyskany przez Aureliana podczas wojny przeciw Zenobii, choć sposób, w jaki to się odbyło, jest zagadką, której nikt dotąd nie rozwiązał i pewnie nigdy nie rozwiąże. A to był orzeł Ósmego – wmaszerowali z nim do kraju Partów i na nubijską pustynię. Mały Gumnoryks nosił go dwadzieścia lat temu, nie, dwadzieścia siedem lat temu; pochodził z Autun, ale miał matkę Rzymiankę i był jednym z najlepszych. Dali mu orła, mimo drobnej postury i zginął od germańskiej włóczni, która trafiła go w brzuch. Nie wypuścił go jednak – nie Gumnoryks. Niósł go przez pół godziny, aż przyszła odsiecz, z tą przeklętą dzidą zwisającą z brzucha. Cóż to byli za ludzie, którzy nieśli te pozłacane godła przez różne kraje – i może dobrze się stało, że nie mogli ich widzieć teraz, wrzuconych jeden na drugi do wozu z bagażami.

One były święte! Uświęcone przez śmierć dzielnych ludzi. Senat i lud rzymski – cóż, każdy wiedział, że napis nie ma żadnego znaczenia. Senat był grupą siwowłosych ramoli schlebiających każdemu, kto siedział na tronie. A lud – ba, już dawno przestał być ludem. Napis był niczym. Ale orzeł to zupełnie co innego. Nie miało większego znaczenia, że był świętym ptakiem Jowisza. Ptaki nie były specjalnie święte – a Jowisz może wcale nie był święty. Mars Mściciel nie był takim złym bogiem – chociaż w ferworze prawdziwej walki też się o nim nie myślało. Może istniał, a może nie – któż mógł to wiedzieć. Może pani Helena miała rację z tym nowym bogiem. To nie umniejszało świętości orłów. Uświęciła je krew, którą nasiąkły, duch, który niósł je z Rzymu do Persji, z Persji do Brytanii, z Brytanii do Afryki.

Żegnajcie, orły.

Ucałował je, wszystkie siedem. Wyprostował się i zasalutował. Odwrócił się, podszedł do konia, po czym wsiadł i odjechał, nawet nie patrząc na grupę żołnierzy.

Kiedy tak jechał, bitewny hałas nasilał się.

Wiedział jednak, że zdąży – i wiedział nie tylko to. Minął czekające kolumny Ósmego Legionu, które trzymano w rezerwie. Dziwnie wszyscy wyglądali, z białymi krzyżami na hełmach i tarczach. Zupełnie inaczej. Dalej była formacja galijskiej jazdy, potem następna i jeszcze jedna. Cesarz zgrupował je tu na prawym skrzydle. A tam było małe skupisko czerwonawych skał, od których to miejsce wzięło swoją nazwę, *Saxa Rubra*. Wiedział, że droga pnie się w górę. Tłum konnych oficerów, spoglądających w stronę Tybru. Gdzieś na szczycie będzie sam cesarz.

Nikt nie próbował go zatrzymać, kiedy wjechał na wzgórze. Większość wyższych oficerów zdążyła go już poznać – albo znała go z poprzednich kampanii.

Tak, tu był cesarz, na swoim kasztanku – nawet się uśmiechnął kącikiem ust, chociaż dalej wpatrywał się przed siebie. Potem zapytał:

– Czy matka dobrze się czuje, Fawoniuszu?

– Tak, panie.

Cesarz skinął głową i dalej patrzył przed siebie. O nic nie pytał. Było zupełnie naturalne, że stary Fawoniusz nie przepuści żadnej bitwy. Poza tym nie było czasu na pytania.

Stary setnik westchnął głośno z zachwytu. To był widok bliski jego sercu. Po lewej stronie trzy legiony stały jak żelazny mur, bez ruchu, czekając na wroga. A tam, w odległości jakichś pięciu kilometrów, zbliżała się bardzo powoli piechota wroga. Nie dało się ich policzyć, ale daleko za nimi wyraźnie było widać Tyber.

Jeszcze dalej na lewo wszystko się kotłowało. Wrzała tam bitwa; z szybkości, z jaką jedna chmura pyłu goniła drugą, można było wnioskować, że jazda walczy z jazdą.

Ale na samym przedzie rozstawiona została silna formacja jazdy galijskiej – około trzech tysięcy mężczyzn. Krajobraz przed nimi był dość płaski i znów w odległości może pięciu kilometrów zobaczył wroga – także jazdę, lecz zupełnie innego kalibru. Wyraźnie widział błysk zbroi, które zdawały się okrywać ich aż do ziemi: duma Maksencjusza, jego ciężka jazda. I ludzie, i konie mieli zbroje.

Fawoniusz cicho gwizdnął – zaczynał rozumieć. Trzy tysiące galijskich jeźdźców miały tworzyć prawe skrzydło cesarza – cienką osłonę, potrzebną tylko do tego, by utrzymać pole do przybycia posiłków, gdyby zostali zaatakowani przez większe siły. W rzeczywistości byli jednak czołówką. Tysiące innych czekały za skałami, właśnie ich minął. Prawe skrzydło cesarza było skrzydłem defensywnym – ale to stąd miał zostać przeprowadzony główny atak.

Sam Konstantyn patrzył uważnie w stronę lewego skrzydła; tumany kurzu wciąż zajadle się ścigały. Windoryks miał trudną przeprawę z Numidyjczykami, goniąc ich jak wilczur owce. Za Tybrem było widać błyszczące linie – wróg ściągał posiłki. Żeby tylko Windoryks dalej robił swoje...

Teraz, kiedy zobaczył wszystko w rzeczywistych proporcjach, poczuł, że naprawdę ma za co dziękować. Gdyby Maksencjusz rozegrał to ostrożniej i nie opuścił murów miasta, sytuacja atakujących byłaby wyjątkowo trudna, a może nawet rozpaczliwa. Rzym był dobrze zaopatrzony w jedzenie i mógł wytrzymać wiele miesięcy oblężenia – a nie ma nic trudniejszego niż oblegać tak wielkie miasto, mając do dyspozycji niewielu ludzi. Wypad za wypadem dziesiątkowałby atakujące siły i w końcu podzieliliby los Hannibala – zostawiając Rzym za sobą, niezdobyty...

Było konieczne, by Maksencjusz wyszedł ze swej kryjówki i wydał bitwę – ale on przecież czuł się bezpiecznie ze swoją wielką armią, trzykrotnie przewyższającą siły wroga.

Konstantyn znów spojrzał w lewo. Najważniejsze, by Windoryks pokonał Numidyjczyków, zanim środek sił Maksencjusza zewrze swoje szyki.

Galop kopyt – przybył młody trybun na spienionym koniu. Nie zsiadł, tylko pojechał prosto na wzgórze.

– Tak, Aufidiuszu?

– Raport od legata Windoryksa, panie: Numidyjczycy stracili ponad tysiąc ludzi i zaczynają się poddawać. Najdalej za pół godziny uciekną.

– Bardzo dobrze. Zostań z nami, Aufidiuszu.

Najdalej za pół godziny. Zaczął liczyć. Tak byłoby idealnie – gdyby mógł polegać na ocenie Windoryksa. A nie zawsze mógł.

Podjechał następny oficer.

– Raport od legata Treboniusza, panie. Korpus pretoriański zbliża się do Tybru i zaraz przekroczy rzekę przez Most Mulwijski.

– Dobrze. Możesz zostać, Faberze.

Fawoniusz uśmiechnął się. Dobry dowódca w polu powinien znać imiona swoich oficerów. Był zadowolony ze swojego ucznia.

Most Mulwijski, pomyślał Konstantyn. Więc to tam będzie walczył środek sił Maksencjusza. Tam będzie Maksencjusz. Most Mulwijski.

– Walentynusie!

– Tak, panie?

– Wyślij ordynansa do Asklepiodota: Ósmy i Dwudziesty Pierwszy przeprowadzą atak w kierunku Mostu Mulwijskiego za dwie godziny.

Walentynus szybko pisał.

– Mogę potrzebować go wcześniej. W takim wypadku wywieszę sześć białych proporców na sztandarze i każę zagrać sygnał „C" na tubie. Będzie miał zaszczyt pokonać gwardię pretoriańską – jeśli to można nazwać zaszczytem. Powiedz, że daję mu pretorianów w prezencie. Powiedz, że chcę, by ich zjadł i mam nadzieję, że apetyt będzie mu dopisywał.

– Tak, panie.

Walentynus dokończył notatkę i wysłał młodszego oficera do Asklepiodota. Potem sprawdził, czy ma pod ręką sześć białych proporców. Nie miał, więc zdjął swój biały płaszcz i kazał wyciąć z niego proporzec.

Cesarz znów patrzył na lewe skrzydło. Tumany pyłu powoli, lecz nieubłaganie przesuwały się na w kierunku południowym. Dobry stary Windoryks! Jednak dotrzymywał słowa.

– Walentynusie!

– Tak, panie?

– Daj sygnał jeździe galijskiej. Pierwszej szarży.

– Tak, panie.

Ordynans zjechał do nich. W minutę później zaczęli wymachiwać kopiami i ruszyli. Szczegółowe rozkazy nie były potrzebne. Wiedzieli dokładnie, jak mają rozegrać walkę z ciężką kawalerią.

Walentynus nie spuszczał oczu z warg cesarza. Na pewno wyda teraz rozkaz, by druga szarża ruszyła za pierwszą. Trzy tysiące nie miały żadnych szans przy proporcji jeden do pięciu.

Na co czekał?

Galijska jazda przeszła teraz w kłus. Zaraz zaczną galopować wprost na czekającą na nich ogromną masę żelaza, ludzi i koni okrytych zbrojami tak, by praktycznie nie można było ich zranić. Byli jak sfora odważnych psów atakujących słonie, których na jednego z nich przypadało pięć. Czyste szaleństwo.

A cesarz wciąż się wahał. Nawet Fawoniusz wyglądał na zmartwionego. Galijska jazda już galopowała. Byli straceni, martwi – wszyscy.

Konstantyn w końcu jakby się przebudził.

– Walentynusie – druga i trzecia szarża. Niech zaraz ruszają za nimi pomocnicy.

Walentynus wydał rozkazy.

– Właśnie tak – rzekł spokojnie cesarz. – Muszę dać im czas, żeby zrobili trochę zamieszania.

I nagle Walentynus zrozumiał. Pierwsza szarża była ofiarą – świadomą ofiarą, którą trzeba było złożyć, by wprowadzić wystarczająco duże zamieszanie w szeregi tych groźnie uzbrojonych mężczyzn, by dać szansę drugiej i trzeciej szarży. Był doświadczonym żołnierzem, ale teraz patrzył na Konstantyna niemal ze zgrozą. Twarz młodego cesarza nie zdradzała żadnych emocji. W pierwszej szarży galijskiej byli przyjaciele jego i Walentynusa. Zdawał się zupełnie o tym nie pamiętać.

Wysłany jeździec wrócił od Asklepiodota z listem. Walentynus przeciął sznurki i podał tabliczkę Konstantynowi.

„Zjem tylu pretorianów, ilu zdołam" – pisał Asklepiodot. „Jeśli rozboli mnie brzuch, to nie będzie moja wina."

W następnych latach Konstantyn setki razy opowiadał o tym liście, zawsze rycząc przy tym ze śmiechu. Teraz się nie śmiał. To nie była pora na śmiech. Patrzył uważnie na pierwszą szarżę galijskiej jazdy, która właśnie starła się z żelazną ścianą zbrojnych. Atak wydawał się zupełną klęską. Ani jeden galijski koń nie wdarł się do środka.

On jednak wiedział, że to nieprawda. Wiedział, że jego jeźdźcy zeskoczyli z koni i czołgają się teraz pod brzuchami koni wroga, zabijając jednego po drugim. To był akt desperacji, ale widział to już wcześniej, w Turynie, i postanowił wykorzystać ten pomysł w wielkim stylu. Musieli trochę trenować w ostatnich dniach; to właśnie mały Windoryks nazywał „zabawą z ciężkimi".

Coś jakby nieznaczne falowanie, tam i z powrotem, dało się zauważyć w pierwszych rzędach zbrojnej jazdy. I wtedy druga szarża jazdy galijskiej minęła w galopie Czerwone Skały. Oni nie mieli się czołgać pod brzuchami – ich zadaniem było wdarcie się w każdą dziurę, jaką wycięła dla nich pierwsza. A trzecia...

Konstantyn spojrzał po raz ostatni na lewe skrzydło.

Tumany pyłu cofały się w stronę Tybru i zbijały – po kilku minutach stały się jedną chmurą wiszącą nad prawym skrzydłem Maksencjusza. Nadszedł już czas.

– Walentynusie! Gwardziści: zajmujemy miejsce między drugą a trzecią szarżą galijskiej jazdy. Co? Nie myślałeś chyba, że mam zamiar siedzieć i nic nie robić, prawda? Trąby, sygnał A! Ruszamy, przyjaciele.

Walentynus jechał po stronie jego tarczy, Fawoniusz po stronie miecza; jakieś pół setki doborowych oficerów zebrało się wokół cesarza z wyciągniętymi mieczami. Walentynus nauczył się z poprzedniego doświadczenia: jeżeli cesarz musi jechać prosto na wroga, on przynajmniej dopilnuje, żeby był dobrze chroniony.

Gwardia przyboczna, w sile trzystu mężczyzn, rozpoczęła cesarski atak – potem nadjechał cesarz z pięćdziesięcioma dwoma oficerami, potem kolejnych trzystu gwardzistów.

– Tuby z nami! – krzyknął Walentynus i korpus trębaczy do nich dołączył.

Ostatnie formacje drugiej szarży galopowały na równinę. Słychać było już tętent kopyt trzeciej.

– Teraz, Walentynusie – powiedział Konstantyn. – Sztandar w górę! Ruszamy. Kłusem!

Zjechali ze wzgórza w idealnym porządku, skręcili i podążyli za wirującym tumanem drugiej szarży. Tysiąc metrów za nimi galopowała już trzecia.

– Galop! – ryknął Konstantyn. – Witaj, Fawoniuszu – jak za dawnych dobrych czasów, co?

Stary setnik uśmiechnął się, lecz nie odpowiedział. Kiedy się ma siedemdziesiąt dwa lata, trzeba oszczędzać oddech podczas galopu. Niektórzy może nawet wcześniej. Nie był nigdy oficerem sztabowym. Jako dowódca w polu nie miał wyrzutów sumienia, wbijając miecz w przeciwnika. To był dobry sport. Poza tym Konstantyn miał rację. Wszystko zależało od tego ataku – podobnie jak od tego, by cesarz poprowadził go sam. On też powinien tu być – bo to z pewnością była ostatnia bitwa tej wojny i miał niewielkie szanse, że weźmie udział w następnej.

Utrzymywał pewnie konia o pół długości za Konstantynem; dopóki on tu jest, pani Helena nie otrzyma tej jednej wiadomości, której otrzymać nie może.

Z odległości kilkuset metrów przed nimi dobiegał przerażający łoskot – druga szarża wdarła się między zbrojnych. To był prawdziwa walka – teraz trzystu gwardzistów na przedzie szykowało włócznie. W następnej chwili znaleźli się w alei, głębokiej prawie na sto metrów, z galijską jazdą wciąż napierającą z przodu: ich zadaniem było rozdzielić jazdę wroga na dwie połowy, a potem zawrócić i walczyć dalej tam, gdzie pierwsza szarża skończyła swoje zadanie. Ciężkozbrojne siły wroga były niezdolne do manewrowania – jedyne, co mogli zrobić, to zasypać napastników w alei gradem włóczni z obu stron, co też bardzo precyzyjnie uczynili. W ciągu pół minuty Fawoniusz miał w tarczy cztery włócznie – wymierzone oczywiście w cesarza. Widział, że pierwsza szarża wykonała znakomitą robotę. Wszędzie leżeli jeźdźcy, którzy nie mogli wstać z powodu ciężkich zbroi; i wciąż kilkuset żołnierzy pierwszej szarży, ogarniętych bitewnym amokiem, czołgało się pośród oddziału wroga, rozcinając od dołu brzuchy koni. Za każdym razem wyglądało to jak zawalenie się małej fortecy, a takie fortece upadały wszędzie. Byli bezradni wobec ataku tego rodzaju i gdyby w pierwszej szarży było więcej ludzi, sprawa zostałaby załatwiona w ciągu pół godziny. A tak trwała zacięta walka. Szczególnie ochrona osobista cesarza miała ręce pełne roboty – ich podniesione tarcze tworzyły wokół niego coś na kształt skorupy pancernika; przyszedł moment, kiedy musieli wyjmować ze swoich małych, okrągłych jeździeckich tarcz niezliczone włócznie rzucane przez tych, którzy ich atakowali.

Walentynus zobaczył, jak dwóch gwardzistów pada, jeden z włócznią w gardle, drugi wraz z rannym koniem. W ostatniej chwili zdążył odparować dobrze wymierzony cios, a po chwili sam został ranny w ramię.

– Zajmijcie się nim – rozkazał Konstantyn. – I dopuśćcie mnie do tego w złotym hełmie. Zostawcie mi go – jest mój.

Fawoniusz rozpromienił się – opuścił tarczę z czterema wbitymi włóczniami, której nie mógł już dłużej utrzymać, i ruszył u boku cesarza na człowieka w złotym hełmie. W chwilę później mężczyzna upadł z mieczem Konstantyna w gardle; Fawoniusz chwycił swoją tarczę i ustawił we właściwej pozycji.

– Jak zdobywanie koni w Tracji – roześmiał się. Chmara gwardzistów galopowała między nimi a wrogiem, więc mogli złapać przez chwilę oddech.

– Jedyny punkt, w jaki można ich trafić – powiedział Konstantyn z dużą satysfakcją. – Miejsce, gdzie kończy się hełm, a jeszcze nie zaczyna naramiennik. Wymaga wprawy w celowaniu.

Potem rozejrzał się i zobaczył wdzierająca się trzecią szarżę. Siła ich uderzenia była zbyt wielka dla falującej, kotłującej się i ryczącej masy i rozdzieliła ją na całej długości...

Konstantyn z wielką radością zobaczył, jak ostatnie formacje ciężkiej jazdy rozpraszają się i uciekają. Nie mogło być lepiej – jechali, musieli jechać prosto na linie swojej własnej piechoty...

Spojrzał na słońce – nie minęła godzina, odkąd wysłał posłańca do Asklepiodota. Powiedzmy, pół godziny na obławę, nie więcej. Tak, musieli to zrobić w pół godziny, to było najważniejsze – bo Maksencjusz pewnie już przerzucał pretorianów przez Tyber i należało zrobić zator na Moście Mulwijskim. Nie może dać im czasu na przejście, bo inaczej Asklepiodot dostanie pewnie bólu brzucha...

– Zagrać sygnał „C" na trąbce – rozkazał. – I podnieście białe proporce. Miejmy nadzieję, że je zauważą...

Zauważyli. I przybyli – a z nimi trzy legiony czekające na atak wroga w środku – atak, który nigdy nie nastąpił. Doświadczonym wojskom nie jest łatwo się wysunąć, kiedy zapadają się dwa skrzydła, a oni są naciskani z obu stron przez własną jazdę – dla młodych legionistów Maksencjusza, z których większość nie walczyła przedtem wiele, a niektórzy wcale, okazało się to niemożliwe. Starali się po prostu uciec przed kopytami koni numidyjskich po stronie wschodniej i, co gorsza, ciężkiej jazdy po stronie zachodniej, biegnąc z powrotem do mostów na Tybrze, w chwili, gdy Maksencjusz próbował przerzucić tamtędy rezerwy swojej jazdy. Przerażeni legioniści zostali osaczeni przez konie z wszystkich stron prócz jednej, a z tej właśnie nadszedł Asklepiodot z pięcioma legionami, świeżymi siłami w liczbie dwudziestu pięciu tysięcy ludzi, z których każdy miał bitewne doświadczenie, i co więcej – w zwycięskich walkach. Białe krzyże lśniły w słońcu. Przed nimi niesiono dziwne sztandary. Nic dziwnego, że nazajutrz po bitwie w Rzymie zaczęła krążyć plotka, że armia wojowników światła przybyła na pomoc Konstantynowi i rozstrzygnęła o wyniku bitwy.

Ale sześć tysięcy pretorianów przeszło przez Tyber i stali teraz jak jeden mąż. W przeciwieństwie do reszty armii Maksencjusza wiedzieli, że nie mogą liczyć na łagodność Konstantyna; poza tym był z nimi sam Maksencjusz.

Galijska jazda musiała ponawiać ataki, by wspierać ludzi Asklepiodota. Przy Mulwijskim Moście trwała straszna rzeź. Znacznie więcej żołnierzy utonęło w Tybrze i zostało stratowanych na śmierć przez własnych towarzyszy, niż zginęło od pchnięcia włóczni lub ciosu miecza.

Konstancjusz czterokrotnie musiał torować sobie drogę nagim mieczem – dwa razy ratowali go gwardziści. Był niestrudzony, prowadząc przeciw najbliższej formacji pretorianów czasem oddział galijskiej jazdy, a czasem kohortę piechoty. Stracił z oczu większość swoich pierwotnych towarzyszy; Walentynus był ranny, podobnie jak Aufidiusz i Faber. Stary Fawoniusz też musiał się zatrzymać i wyjąć strzałę z lewego ramienia. Osobisty udział cesarza w dalszej walce wydawał się nieodpowiedzialnością z jego strony, ponieważ bitwa i tak była wygrana – ale nie mógł zmarnować takiej wspaniałej okazji...

W końcu nawet stoicyzm i męstwo pretorianów zaczęły się chwiać, a Konstantyn zbierał kilka kohort do ostatniego szaleńczego ataku, kiedy przyszedł meldunek, że sam Maksencjusz nie żyje – i nie poległ w walce. Próbował uciekać przez most i jego właśni żołnierze zepchnęli go do Tybru. Utonął, pociągnięty w dół przez zbroję, a teraz szukali w rzece jego ciała...

– Maksencjusz nie żyje! – krzyknęły wojska Konstantyna. – Poddajcie się, głupcy! Stary Maks nie żyje!

To odebrało odwagę nawet najdzielniejszym żołnierzom – tylko małe grupki toczyły jeszcze walki.

Konstantyn zobaczył, że jedna z nich odpiera atak za atakiem – dopóki nie doskoczył do nich jakiś mężczyzna, tnąc na prawo i lewo i ściskając coś błyszczącego, złotą kopię, nie – orła. Orła Legionu Pretoriańskiego!

– Pomóżcie temu człowiekowi i przyprowadźcie go do mnie – rozkazał i rzucił się w ostatni wir walki. Spóźnił się – grupa została już rozbrojona i wszyscy wymachiwali włóczniami i mieczami, oddając mu cesarski salut.

Potem zobaczył mężczyznę, który zdobył orła – zgubił hełm i krew pokrywała połowę jego twarzy i plamiła mundur. Ale widoczne na jego głowie włosy były siwe... to był stary człowiek: to był Fawoniusz.

Pospieszył w jego stronę. Fawoniusz jednak wyprostował się na całą swoją wysokość i zasalutował orłem. Jedyne pozostałe oko płonęło.

– Ostatni orzeł, cesarzu! – zawołał. – Przechowaj go bezpiecznie: był waleczny...

Kiedy Konstantyn, blady ze wzruszenia, wziął orła z jego rąk, Fawoniusz padł martwy u jego stóp.

Cesarz ukłąkł i położył orła przy jego boku.

Triumfalne okrzyki zamarły i na chwilę zapanowała cisza.

– Marku Fawoniuszu Facilisie – rzekł Konstantyn drżącym głosem. – Żegnaj, stary przyjacielu.

Wstał.

– Pochowajcie go w Rzymie – powiedział głośno. – A z nim tego orła – ostatniego orła rzymskiego.

Znów wybuchli entuzjazmem – i zrozumieli. Jutro pochowają poległego bohatera w Rzymie – bo droga do Rzymu jest wolna.

KSIĘGA
SZÓSTA
A.D. 326

Rozdział dwudziesty ósmy

Konstantyn Imperator August, z łaski Błogosławionego Zbawiciela Jezusa Chrystusa jedyny cesarz Imperium Rzymskiego od Brytanii do Persji i od Dunaju i Renu do Nilu...

...do Flawii Julii Heleny Augusty, jego czcigodnej i świątobliwej matki, pozdrowienia i synowski pokłon.

Minęło prawie trzynaście lat, odkąd nasza armia, uświęcona przez imię i znak Odkupiciela chwalebnej i wiecznej pamięci, i wspierana przez modlitwę naszej matki odniosła całkowite i decydujące zwycięstwo u bram Rzymu.

W kronikach Miasta nie ma zwycięstwa porównywalnego z tym, jakie nasze wojska odniosły nad znacznie przeważającym liczebnie wrogiem.

Szczęśliwie mogliśmy korzystać z rady i przewodnictwa naszej cesarskiej matki, napominającej nas, byśmy okazali łaskawość pokonanym wrogom, i roztaczającej ducha miłości na całe nasze Imperium poprzez zakładanie przytułków dla sierot, wdów i innych ludzi dotkniętych nieszczęściem oraz położenie fundamentów pod liczne kościoły, z których Złoty Kościół w Antiochii i kościół Dwunastu Apostołów są świetlanymi przykładami.

Wydając Edykt Mediolański, spełniliśmy ostatnie życzenie naszego cesarskiego ojca i zwróciliśmy chrześcijanom wszystkie prawa, które odebrała im niesprawiedliwość poprzednich władców.

Przez wiele lat zachowujemy pokój, ograniczając się do zapobiegania atakom barbarzyńców na nasze granice i poświęcając cały nasz czas gruntownej reorganizacji naszych władztw. Możemy powiedzieć bez pychy i bez fałszywej skromności, że od dwunastu lat pragniemy dać naszym narodom nowy i złoty wiek, o którym Wergiliusz śpiewał proroczo w swoim nieśmiertelnym poemacie.

Nie mogliśmy jednak zamykać oczu na ambitne zamiary i plany naszego cesarza Wschodu i postanowiliśmy je uprzedzić. Jeszcze raz było nam dane odnieść zwycięstwo, a bitwy pod Adrianopolem i Chalcedonem przesądziły o wyniku wojny i losie cesarza Licyniusza, któremu daliśmy schronienie, lecz nie mógł lub nie chciał długo żyć po klęsce.

Od tego czasu tron cesarstwa był znów stabilny i te same sprawiedliwe prawa obejmowały ludność wszystkich naszych prowincji.

Tak oto cieszylibyśmy się pokojem i licznymi danymi nam błogosławieństwami, które przekazaliśmy wielkiej rzeszy ludzi – gdyby nie jedna sprawa, która jest powodem głębokiego żalu i zaniepokojenia, i o której chcemy napisać naszej cesarskiej matce, by prosić ją o zrozumienie, uznanie i współczucie.

Nasza cesarska matka pamięta, jak troszczyliśmy się zawsze o edukację i wychowanie naszego najstarszego syna Kryspusa.

Zapewnialiśmy mu najlepszych nauczycieli, w tym samego uczonego Laktancjusza, ciesząc się zarazem jego talentami wojskowymi, które skłoniły nas do tego, by nadać mu wysoką godność cezara w wieku zaledwie siedemnastu lat.

Nie musieliśmy żałować tego kroku, ponieważ nie tylko wyróżnił się w wojnach o granice, kiedy poddaliśmy naszą ukochaną prowincję Galię pod jego młodzieńcze dowództwo, ale walczył także z największym męstwem i powodzeniem w wojnie przeciw tyranowi Licyniuszowi i miał niepośledni udział w zwycięstwie.

Potem jednak stawało się coraz bardziej oczywiste, że tyle talentów w jednym tak młodym człowieku i późniejsze pochlebstwa niektórych samolubnych ludzi miały demoralizujący wpływ na umysł cezara Kryspusa. Przez długi czas słuchaliśmy w milczeniu raportów tych, którzy czuwają nad naszym bezpieczeństwem, oraz naszych przyjaciół o tym, co mówi się o młodym cezarze, wyrażanych z coraz większym rozgoryczeniem i mocą. Kilka poważnych upomnień udzielonych mu z ojcowską życzliwością nie przyniosło owoców i musieliśmy odstąpić – na chwilę obecną, jak nam się zdawało – od przydzielenia mu następnej prowincji. Woleliśmy go trzymać na cesarskim dworze.

Teraz jednak objawił się najpoważniejszy aspekt tej sytuacji. Zostaliśmy poinformowani z najbardziej zaufanych źródeł, że młody cezar, zaślepiony ambicją, stanął na czele spisku wymierzonego nie tylko przeciw naszemu tronowi, lecz również naszemu życiu.

Donoszenie o takich rzeczach sprawia nam niewypowiedziany ból, ale godność cesarza oraz bezpieczeństwo państwa wymagają niezwłocznego podjęcia zdecydowanych kroków.

To oczywiste, że w obliczu takich decyzji zwracamy się znów do naszej cesarskiej matki, jak często zdarzało się w przeszłości, o duchowe wsparcie i pełne miłości zrozumienie, które byłoby dla nas źródłem nieocenionego pożytku.

Wydano w Rzymie, w lipcu roku tysiąc siedemdziesiątego siódmego od założenia miasta.

Konstantyn

Taki list otrzymała Helena, gdy wróciła z wyprawy do grobu swego ojca do małego domku w Camulodunum. Szła pieszo przez całą drogę w obie strony i powrót do domu zajął jej ponad godzinę. Pamiętała, że kiedyś potrzebowała na to jednej trzeciej tego czasu.

Kiedy zobaczyła, że czeka na nią cesarski wysłannik, od razu przeczuła złe wieści.

Zawsze miała ten rodzaj intuicji – z wiekiem zdawała się raczej wzrastać niż maleć. Czasami czuła, że jakaś osoba za chwilę wejdzie do pokoju i tak się właśnie działo. Czasami czuła niezwykle wyraźnie, że osoba, z którą właśnie rozmawia, niedługo umrze. We wcześniejszych latach przerażało ją to, teraz była już z tym pogodzona, wiedząc, że sama zbliża się do kresu życia. Cesarski posłaniec miał w rękach wieść o śmierci – wiedziała to od chwili, gdy ujrzała go stojącego przed domem i oddającego jej cesarskie pozdrowienie. Wzięła z jego rąk zapieczętowany pergamin i poleciła Terencji, by zajęła się mężczyzną, a potem do niej dołączyła, po czym usiadła w swoim ulubionym kącie, pod trzema posągami.

Środkowy przedstawiał Konstancjusza w młodości.

Ten po prawej stronie – Hilarego, po lewej – Fawoniusza.

Wszystkie trzy zostały zrobione z ciemnego brązu.

Usiadła, kładąc obok solidną czarną laskę z gałką z kości słoniowej. List z Rzymu. Od Konstantyna. I zwiastował śmierć. Czyją śmierć? Na pewno nie jego. Nie był chory. Gdyby był chory, czułaby to. Czyją śmierć?

Przecięła sznurki, otworzyła i przeczytała. Cóż za napuszony, bezosobowy styl. Tak nie pisze się do matki.

Usprawiedliwiając siebie, obdarzając ją pochlebstwami – musi mieć nieczyste sumienie. O, jest tutaj. Kryspus...

Rzuciła list na podłogę i podeptała. „Ci, którzy czuwają nad naszym bezpieczeństwem" – nędzni donosiciele. Żmije. I „nasi przyjaciele". Przyjaciele, którzy nastawiają ojca przeciw synowi.

– Terencjo!

Nie zamierzała jednak prosić damy dworu, by podniosła list. Zrobi to sama. Siedemdziesiąt cztery lata i wciąż ten sam wybuchowy temperament. Odpokutuj za swój gniew, Heleno, i podnieś to, nawet jeśli trochę boli zginanie starego grzbietu. Masz, co chciałaś.

– Terencjo!

Ile czasu może zająć wydanie polecenia, by dać człowiekowi coś do jedzenia i picia! Śmieszne. Wreszcie przyszła.

– Terencjo, mój powóz. Spakuj moje rzeczy. Jedziemy do Rzymu. Tak, do Rzymu, nie zadawaj niemądrych pytań. Wyślij jeźdźca do Anderidy, do władz portowych, niech dopilnuje, by czekał na nas statek, kiedy przyjedziemy... nie, nie duży statek, cokolwiek pływającego. Przepłyniemy kanał i dalej pojedziemy lądem. Pospiesz się, dziecko – nie ma czasu do stracenia.

Dziecko Terencja, lat pięćdziesiąt siedem, wybiegło z pokoju.

Helena blado się uśmiechnęła. Nie trzeba intuicji, by przewidzieć, jakie będą następne tygodnie. Mała łupina, którą przepłyną kanał, potem wozy pocztowe, zaprzężone w sześć lub osiem koni, niekończące się drogi, noce w najróżniejszych gospodach, Terencja wymiotująca przez całą drogę, jak to miała w zwyczaju, idiotyczne delegacje w każdym mieście, daremnie próbujące spowolnić jej podróż, drogi w Galii, drogi w Italii – a kiedy przybędzie na miejsce, będzie za późno.

Kryspus. Jakim był wspaniałym młodzieńcem, kiedy widziała go ostatni raz! Wierna kopia dziadka, silny i pełen godności, z błyskiem geniuszu w ciemnych, konstancjańskich oczach. Miał teraz dwadzieścia pięć lat...

Cóż za pomysł, że Kryspus miałby spiskować przeciw tronowi i życiu swego ojca! W wieku dwudziestu pięciu lat! Dlaczego Konstantyn uwierzył w taką bzdurę? To było do niego niepodobne. To musiał być wpływ kogoś innego. Nietrudno było zgadnąć, czyj: Fausty. Ten sam, oczywiście, ten sam trujący wpływ, który sprawił, że opuścił matkę Kryspusa, miłą Minerwinę.

Ile razy by sobie nie obiecywała nie myśleć źle o cesarzowej, zawsze zdarzało się coś, co jej to uniemożliwiało. Kryspus w niełasce – i droga była wolna dla dzieci Fausty. Rudowłosa wiedźma nie lubiła ryzykować. Nie może jej się zdarzyć to, co przytrafiło się Teodorze – że syn z pierwszego małżeństwa został cesarzem i opiekunem jej dzieci...

Czy Konstantyn był ślepy? Jeżeli tak, Fausta go zaślepiła.

Wstała, nie bez wysiłku. Stare kości, stare kości. Chwyciła czarną laskę i poszła do sypialni, gdzie pokojówki, zaalarmowane przez Terencję, czekały na jej polecenia.

– Tylko tyle bagażu, ile wejdzie do powozu – powiedziała. – Żadnych zbędnych rzeczy. Żadnych waz i posągów. Spieszcie się, dzieci.

Zajęła się tym sama, schylona i trochę sztywna, przewracając do góry nogami większość tego, co robiły pokojówki, i wprowadzając własny porządek. Znały ją wystarczająco dobrze, by się nie wtrącać.

– Ma być w ten sposób – powiedziała. – Dokończcie to. Powóz za chwilę będzie gotowy. Od dziś będziecie miały wiele miesięcy wolnego. Teraz chcę, żebyście się pospieszyły.

Wróciła na swoje ulubione miejsce. Pod trzema posągami, obok starego krzesła – dąb, święte drzewo – znajdowała się metalowa skrzynka, do której tylko ona miała klucz. Wyjęła go i otworzyła skrzynkę. Był w niej złoty puchar lub kielich, starannie zamknięty pokrywką z tego samego metalu. Potarła go delikatnie rąbkiem swego srebrzystego welonu i, zamknąwszy skrzynkę, postawiła na niej kielich. Uklękła przed nim, powoli i z wysiłkiem, i zaczęła się cicho modlić. Wstała tuż przed wejściem Terencji, która oznajmiła, że powóz czeka i pokojówki skończyły pakowanie.

– Niebieski jedwabny pokrowiec na kielich, Terencjo. A co z twoimi rzeczami? Nie pomyślałaś o nich, prawda? Jesteś dobrą kobietą, ale czasami trochę niemądrą. Idź i każ spakować swoje rzeczy. Najpierw daj mi niebieski pokrowiec. Dziękuję. Teraz biegnij – będę czekać na ciebie w powozie. Nie musisz brać wszystkich kremów do twarzy i innych kosmetyków – zostało bardzo mało miejsca.

Uśmiechnęła się lekko, gdy Terencja wybiegła podniecona, i starannie nakryła kielich. Kiedy szła w stronę powozu, przyszło jej do głowy, że myśl o śmierci, która przemknęła jej przez głowę, mogła dotyczyć jej własnej śmierci, nie Kryspusa.

I co z tego? Czy nie wykonała swojej pracy?

Ale Kryspus musi zostać ocalony – jeśli to jeszcze możliwe.

– Za późno – rzekł ze smutkiem biskup Ozjusz. – Cezar Kryspus został stracony w Puli na Istrii, tydzień temu. Zrobiłem, co w mojej mocy, by temu zapobiec – mam pewien wpływ na cesarza, jak wiesz – ale tym razem pozostał nieugięty. Nawet nie chciał o tym rozmawiać.

Stara cesarzowa nie mrugnęła nawet powieką. Siedziała sztywno wyprostowana na krześle, z dłońmi skrzyżowanymi na lasce. Dłonie wydawały się od niej młodsze – zachowały smukłość i bladość skóry. Twarz miała trochę pomarszczoną, z głębokimi bruzdami biegnącymi od wydatnego nosa do kącików ust. Co dziwne, jej czoło było niemal wolne od zmarszczek – młode czoło w starej twarzy – i uwieńczone wyzywającym puklem srebrnobiałych włosów.

– Za późno – powtórzyła po długiej chwili. – Jechałam tu z największą możliwą prędkością. Kiedy przybyliśmy, musieli wynieść moją biedną Terencję z powozu i zanieść do domu. Jeszcze śpi. A ja się spóźniłam. – Stukała laską w ziemię. – To chyba moje fatum – przybyć za późno, by ocalić tych, których kocham – powiedziała z goryczą. – Hilary... i Albanus... a teraz Kryspus.

Biskup nalał wina do pucharu.

– Jak już mówiłem, to się stało tydzień temu – nie mogłaś zdążyć. Zrobiłaś, co w twojej mocy – to wszystko, czego się od nas wymaga. A czas Boga nie jest naszym czasem, jak wiesz...

– Opatrzność – rzekła gorzko cesarzowa – jest przywoływana zbyt często dla usprawiedliwienia słabości. Słyszałam, oczywiście, wcześniejsze pogłoski – powinnam była uważnie słuchać. Ale wolałam nie zwracać na nie uwagi. Chciałam pojechać na grób swojego ojca, jak co roku. Przykro byłoby zamiast tego jechać do Rzymu. Jestem głupia, wielebny biskupie. Zamiast jechać na grób ojca, powinnam była wspomnieć jego słowa o Konstantynie. „Będzie śmiercią dla swego syna", powiedział po jego narodzinach.

– „...i radością dla swojej matki" – biskup pokiwał głową. – Mówiłaś mi już o tym, w Weronie. – Podał jej puchar wina.

Roześmiała się ze smutkiem.

– Powtarzam się... cóż, jestem teraz starą kobietą. – Wypiła parę łyków wina, potem jeszcze trochę. – „Radością dla swojej matki" – powtórzyła. – Zawsze się obawiałam, że stanie się zbyt twardy. Mówiłam o tym Konstancjuszowi, nawet ostatniego dnia.

– Kiedy chcesz się z nim zobaczyć? – zapytał biskup.

– Teraz już mi się nie spieszy – odparła za znużeniem. – Cieszę się, że najpierw przyszłam do ciebie. Chciałam się dowiedzieć, jak wygląda sytuacja – a teraz już wiem. A mój syn nie może czuć się dotknięty, że najpierw nie odwiedziłam jego. Nie zaprosił mnie. Zobaczę się z nim jutro. „Radością dla swojej matki" – powiedz mi, wielebny biskupie, jak umarł ten biedny chłopiec?

Biskup Ozjusz westchnął.

– Nie mamy pewności – rzekł z lekkim wahaniem. – Krąży pogłoska, że został otruty; inna mówi, że zginął od ciosu topora liktora. Ale czemu torturujesz swój umysł takimi smutnymi obrazami, cesarzowo? To już się stało i...

Pochyliła się, a w jej oczach zamigotał stalowy błysk.

– A czy był naprawdę winny? – zapytała. – Czy spiskował przeciw tronowi... i życiu swego ojca?

– Przeciw jego życiu? – wykrzyknął z przerażeniem biskup. – Nic o tym nie słyszałem – ani w to nie wierzę. Był ambitnym młodzieńcem – i nic w tym dziwnego. Ale spiskować przeciw życiu ojca – nie, w to nie uwierzę. Kto ci o tym powiedział, cesarzowo?

– Cesarz – odrzekła twardo Helena. – I on w to wierzy. Czy domyślasz się, kto to sprawił? Cóż, twoje milczenie jest bardzo wymowne, księże biskupie. Sądzę, że nienawidzisz żmij tak samo jak ja.

Biskup Ozjusz nie odpowiedział. Wiedział, oczywiście, kogo ma na myśli cesarzowa matka – i był skłonny się z nią zgodzić. Ale właśnie dlatego nie chciał mówić tego głośno. Nie miał dowodu.

Wstała, drżąc.

– Księże biskupie, niech mi mój Bóg przebaczy poprzez swego błogosławionego Syna! Nie wypełniłam swojej misji w tym życiu.

Biskup też teraz wstał.

– Jak możesz tak mówić, cesarzowo! Ty, której modlitwy doprowadziły do zwycięstwa! Ty, przez którą Edykt Nikomedyjski został zastąpiony przez Edykt Mediolański. Jeżeli my, chrześcijanie, możemy swobodnie czcić Boga i żyć dla Chrystusa bez strachu przed torturami i śmiercią, zawdzięczamy to głównie tobie!

Ale ona potrząsnęła głową.

– Co mi przyjdzie z tego, że zyskam cały świat – jeśli moje dziecko straci duszę? Jestem matką, księże biskupie. Jeżeli mogę przebaczyć Fauście to, co zrobiła...

– Nie masz dowodu, pani...

– Słyszę głos mego serca, a on nigdy mnie nie zwiódł. Jeżeli mogę jej przebaczyć, to tylko dlatego, że czuję, iż zrobiła to ze względu na własne dzieci. Odpowiadam za Konstantyna przed Bogiem i moim zmarłym mężem. I pozwoliłam mu opuścić pierwszą żonę dla spełnienia ambicji. Pozwoliłam mu zabić teścia dla tronu. A teraz pozwoliłam mu zabić własnego syna. Czy urodziłam potwora?

– Pani... pani...

Ona jednak nie przestała mówić.

– Czy ręce tak splamione krwią mogą budować królestwo Jezusa Chrystusa na ziemi? Czy zostałam oszukana we wszystkim, co próbowałam przez te wszystkie lata? Czy wykonałam pracę dla szatana, nie dla Boga?

– Usiądź – powiedział ostro biskup. – I wysłuchaj mnie.

Nikt nie ośmielił się do niej tak odezwać przez dziesiątki lat. Posłuchała, prawdopodobnie z czystego zaskoczenia.

Wyrazista, ciemna twarz Ozjusza górowała teraz nad nią.

– Jesteś przepracowana i zmęczona – powiedział spokojnym głosem. – Inaczej byś tak nie mówiła. Jesteś w wielkim błędzie – tak poważnym, że może zagrozić twojej duszy. Strzeż jej – zanim weźmiesz odpowiedzialność za duszę drugiego człowieka, choćby nawet był twoim synem. Jesteś bardzo pyszną kobietą, skoro myślisz w ten sposób. Czy naprawdę sądzisz, że tylko człowiek zupełnie bez winy może być narzędziem Boga? Pomyśl o apostołach – czyż nie opuścili swego Pana, wszyscy, kiedy strażnicy przyszli go pojmać? Czy sam Piotr, przywódca pozostałych, nie zaparł się Pana trzy razy jednej nocy? A jednak to jego Nasz Pan nazwał Skałą, na której zbuduje swój Kościół! Mówię ci, przez wszystkie wieki ludzkości był tylko jeden Człowiek bez winy. My wszyscy staramy się iść Jego śladami najlepiej, jak potrafimy...

Zdawał się rosnąć w miarę, jak mówił.

– Urodziliśmy się ze zmazą grzechu pierworodnego – rzekł powoli. – To oznacza, że od upadku raju – kiedykolwiek i gdziekolwiek to się zdarzyło – ludzka natura stała się zepsuta. Modliliśmy się do bogów miłości własnej i siły, przemocy, chciwości i żądzy. Do Jowisza i Wenus, którzy popełnili cudzołóstwo; do Marsa, który lubił potworności wojny jako element swojego życia. Do Pana, który folgował żądzy i do Bachusa, który rozkoszował się okrucieństwem i pijaństwem. Czy myślisz, że nasza natura – nie każdego z nas, lecz ogólnie, natura rodzaju ludzkiego, może w ciągu kilkuset lat zmienić się tak radykalnie, że ziemia znów stanie się rajem? Jedyne, co możemy zrobić, to położyć fundamenty pod Królestwo Chrystusa – zadbać o to, by coraz więcej ludzi wyzwalało się spod klątwy upadku przez sakrament chrztu i wpajać nauczanie Pana w ich młode dusze, kiedy tylko zaczną myśleć. Przez tysiące lat świat wierzył w siłę – stał się twardy jak żelazo. Musimy stopić to żelazo w ogniu miłości – ale dużo czasu zabierze rozniecenie płomieni do takiej temperatury, by to było możliwe...

– Więc tego nie dożyję – powiedziała bezdźwięcznym głosem Helena.

– Czemu miałabyś dożyć? – zapytał bezlitośnie biskup. – Jakie masz prawo żądać przywileju większego niż ten, jaki mieli apostołowie? – Jego twarz straciła jednak wyraz groźnej surowości, a głos brzmiał łagodniej, kiedy mówił dalej: – Widziałaś jednak początek i mogłaś stać się narzędziem Boga. Jestem praktycznym człowiekiem, pani, i niełatwo ulegam pretensjonalnemu wielosłowiu szkół mistycznych. Kiedy twój syn, cesarz, wprowadził do armii znak krzyża, nastąpił wybuch entuzjazmu, inspirujący żołnierzy do zwycięstwa. To nie był całkiem święty entuzjazm, pani – zbyt dobrze znam naturę człowieka. Jeszcze tak bardzo się nie zmieniła. Wciąż są gotowi wołać „Hosanna" dzisiaj, a „Ukrzyżuj Go!" jutro. Oni – wielu z nich – dziś pójdą za krzyżem, a jutro za innym znakiem. Uwierz mi, nie tylko siła dobra może wzbudzać entuzjazm. Nawet w czasie, kiedy Nasz Pan chodził po ziemi byli tacy, którzy z początku gorliwie przyjmowali Jego nauczanie – a potem Go oskarżyli. Nie myśl, że nie odczuwam głębokiej wdzięczności za zwycięstwo przy Moście Mulwijskim, pani – i nie myśl, że jestem na tyle głupi, by nie widzieć w tym palca Bożego, kiedy jego ślad jest równie wyraźny jak był wtedy, w wielkim punkcie zwrotnym historii ludzkości. Ale krzyż na hełmie i tarczy niekoniecznie oznacza zmianę w sercu człowieka. Ty sama powiedziałaś mi kiedyś, w Weronie, że czułaś, jak blisko i mocno umysł twego syna jest związany z umysłami jego żołnierzy. Cóż, w Konstantynie jest wciąż dużo pogaństwa – tak jak dużo pogaństwa jest w jego Imperium. Powoli, powoli przezwyciężymy to. Będą się zdarzały upadki – stoimy właśnie z żalem i smutkiem w obliczu jednego z nich. Ale to nie daje nam prawa do zwątpienia w nasze zadanie – musimy iść dalej, nawet jeśli nie będzie nam dane zobaczyć końcowego zwycięstwa. Siła zła jest wielka i może taka pozostać przez wiele następnych pokoleń, ale Bóg nie buduje przez setki, może nawet nie tysiące lat. Buduje w swoim właściwym czasie...

– Zgrzeszyłam – powiedziała Helena, wciąż tym samym bezdźwięcznym tonem. Była zatopiona w myślach i nie chciał jej teraz przeszkadzać. Ale przeszkodzić miał ktoś z zewnątrz.

Młody kleryk wszedł do pokoju, choć biskup ostrzegawczo zmarszczył brwi.

– Pilna wiadomość od biskupa Tymona – powiedział cicho. Ozjusz zerknął szybko na Helenę, potem na posłańca.

– Z pałacu? – zapytał.

– Tak, wielebny biskupie. Wszystkie audiencje zostały odwołane – cesarz nie chce nikogo widzieć.

Helena wróciła do rzeczywistości.

– Dlaczego? – zapytał niecierpliwie biskup Ozjusz.

– Nie ma pewności, księże biskupie, ale krąży pogłoska, że cesarzowa... zmarła nagle.

Helena wstała.

– Zaprowadź mnie do pałacu – natychmiast – powiedziała. Jej twarz poszarzała, ale już nie drżały jej ręce.

Rozdział dwudziesty dziewiąty

Drzwi wielkiego pałacu otwierały się jedne po drugich przed starszą damą z czarną laską. Nikt nie ośmielił się jej sprzeciwić, kiedy szła przed siebie, nieugięcie, przez kolejne schody, pokoje i sale.

Z początku urzędnicy, mężczyźni i kobiety, kłaniali się jej ze wszystkich stron. Potem było ich coraz mniej, a na końcu tylko strażnicy o ponurych twarzach, stojący przed drzwiami i pilnujący ciemnej, niesamowitej pustki złotych krzeseł i milczących ozdobnych tkanin.

Ci, którzy przyszli z nią, wykruszali się stopniowo – minister dworu, lekarz cesarza, a na końcu także biskup Ozjusz i jego młody kleryk.

Przed drzwiami prowadzącymi do pokoju, w którym, jak wskazywały na to ściszone, przerażone głosy, znajdował się cesarz, dwóch potężnych gwardzistów skrzyżowało piki.

Stara kobieta bez słowa uniosła laskę i uderzyła nią w skrzyżowaną broń.

Dwaj gwardziści spojrzeli jej w oczy – i to, co w nich zobaczyli, jeszcze bardziej niż nerwowe znaki dawane przez ministra z drugiego końca wielkiej sali skłoniło ich do podniesienia pik w pełnym konsternacji pozdrowieniu.

I Helena poszła dalej, do pokoju, do którego teraz nie ośmieliłby się wejść nikt inny w całym Imperium.

Ze zwietrzałego, mdłego zapachu perfum od razu wywnioskowała, że to jeden z osobistych apartamentów cesarzowej. Wszystko w nim było przesadnie kobiece – wykwintne meble, zasłony z ornamentem, puszyste dywany.

Ale na łóżku wyłożonym poduszkami różnych kształtów i kolorów rozciągnięte było nieruchome ciało mężczyzny.

Helena stała bez ruchu i od razu poczuła, jak cisza wypełniająca pokój osacza ją z niezwykłą siłą.

Mężczyzna na łóżku podniósł wzrok...

– Matko! – krzyknął Konstantyn i próbował wstać, chwiejąc się jak pijany.

Podeszła do niego i objęła go, przyciskając łagodnie do poduszek. Czuła jego ręce, dłonie czepiające się jej kurczowo, jakby tonął. Słyszała, jak coś mamrocze, ciągle te same słowa, ciągle, ciągle te same słowa i choć nie mogła ich słyszeć, bo ginęły w fałdach jej płaszcza, a ostatnio trochę też stępił się jej słuch, dobrze wiedziała, co mówi.

– Zabiłem ją, matko... Zabiłem ją, matko... Zabiłem ją...

Czuła, jak lodowata dłoń ściska jej serce, nie mogła oddychać. O Jezusie Chrystusie, powiedz, że to nieprawda, powiedz, że to nieprawda, to nie może być prawda, nie...

Ale wiedziała, że to prawda i wiedziała, że tak musiało się stać. I nic z tego, co by jej teraz powiedział, nie byłoby dla niej nowe ani przerażające, bo wszystko już wiedziała i tak naprawdę wiedziała o tym od początku, kiedy pierwszy i jedyny raz spojrzała na piękną, dumną córkę Maksymiana. Wyjechała na dwa dni przed ich ślubem – myśl, że zobaczy, jak jej syn wiąże swój los z tą kobietą podobną do jaszczurki, której oczy niezmordowanie szukały podziwu ze strony wszystkich bez wyjątku, której usta zdawały się ofiarowywać siebie nie temu, kto dawał najwięcej, lecz każdemu chętnemu, i której jedynym celem prócz zaspokojenia żądzy była władza.

Od Heleny wymagano teraz tylko tego, by była matką swojego dziecka.

To jest to, pomyślała, to jest powód, dla którego musiałam przyjechać do Rzymu – nie dla Kryspusa, bo dla niego przybyłam za późno. Konstantyn – dla którego przybyłam w samą porę. „We właściwym czasie Boga" – och, drogi, wielki przyjacielu Ozjuszu.

Nic nie powiedziała; po prostu dalej głaskała ciemne włosy, z lekka siwiejące i przerzedzające się.

Kiedy wreszcie zebrał się na tyle, by usiąść, zobaczyła z ogromnym współczuciem, że twarz ma pociętą bruzdami – pole świeżo zaorane przez bezlitosnego oracza, który w bruzdach zasiał beznadziejność, rozpacz i strach.

Och, błogosławieństwo przybycia na czas...

– Powiedz mi wszystko, synu. Powiedz mi.

Ale upłynęło trochę czasu, nim mógł zacząć mówić, a jeszcze więcej, nim zaczął mówić składnie. Znalazł cesarzową... on sam, osobiście, znalazł ją w ramionach niewolnika ze stajni. Niewolnik został od razu zabity. Cesarzowa...

– Matko, poszedłem do niej, bo nie mogłem spać. Nie spałem od śmierci Kryspusa. Chciałem ją zapytać... jeszcze raz zapytać, czy jest zupełnie pewna tego, co mi o nim powiedziała... powiedziała mi, że próbował ją uwieść, matko... że się ze mnie śmiał i powiedział, że dobry syn musi wynagrodzić to, co zaniedbał ojciec. Powiedziała mi, że chciał ją zdobyć dla własnych celów... obiecał jej, że nigdy się nie ożeni, lecz będzie ją uważał za prawdziwą królową... Och, była bardzo wzburzona. Długo rozmawiałem z Kryspusem, przepytywałem go wciąż od nowa... samego, oczywiście. Czy miałem rozpowiadać historię mojej hańby? Zaprzeczył – kto by tego nie zrobił. Zaprzeczył wszystkiemu. Także temu, co na pewno było prawdą, bo powiedzieli mi o tym ludzie, którym ufam, ambicjonalne sprawy – zaprzeczył wszystkiemu. Jeśli kłamał w tym – czemu nie w tamtym?

Tylko Fausta mogła dać mi pewność. Wiedziałem, oczywiście, że żywi pewne ambicje w związku ze swoimi dziećmi. Wiedziałem, że w tych sprawach jest twarda jak stal. Nie byłem tak zaślepiony, by nie widzieć, jak się zachowała, kiedy kazałem zabić jej ojca. Zawsze go nienawidziła. Obawiała się, że mógłby znów się ożenić, mieć inne dzieci i wyróżnić je kosztem jej i dzieci, które mi dała...

– Gdzie one są? – przerwała mu ostro Helena. – Gdzie są twoje dzieci?

– Na szczęście żadnego z nich nie ma w Rzymie, matko. Jak mógłbym im powiedzieć...

– Porozmawiamy o tym później. Więc poszedłeś się z nią zobaczyć, zastałeś ją z niewolnikiem i kazałeś go zabić.

– Tak... tak. Potem wydałem polecenie, by przygotować kąpiel dla cesarzowej, trzy razy gorętszą niż zwykle i podgrzewać, aż roztopi się jej wina. Tak zrobiłem. I umarła. Udusiła się. Teraz jest tam – w pokoju obok. Ludziom, którzy wiedzą, nakazałem milczenie. Cesarzowa zginęła w wypadku. Matko, matko – czemu muszę to wszystko robić? Maksymian... i Kryspus... i Fausta! Dlaczego, dlaczego?

Helena jęknęła. Właśnie, dlaczego mężczyźni zawsze karzą innych za własne winy i błędy? Fausta przez całe życie była osobą, jaką Konstantyn zobaczył w niej teraz –

tylko on postrzegał ją inaczej – a kiedy w obliczu faktów musiał zmienić zdanie, zabił ją – zabił za to, że była inna, niż sobie wyobrażał. Zabił Faustę za to, że była Faustą. „Świat stał się twardy. Musimy stopić świat w ogniu miłości" – koniec był daleko, poza zasięgiem.

– Straciłem panowanie nad sobą, matko – wiesz, że czasem mi się to zdarza – mogłem zabić nie tylko ją, ale...

– Cicho, synu, cicho...

– ...czasami myślę, że tak naprawdę nie ja to zrobiłem... że ktoś inny robi to we mnie i przeze mnie...

Podniosła głowę i spojrzała mu prosto w oczy.

– Jeśli nie przyjmiesz odpowiedzialności za swoje grzechy, nie możesz przypisywać sobie dobra, jakie czynisz. Ty zrobiłeś to wszystko – i nie możesz tego przekreślić. Nie wiń zmarłych – wiń siebie. Chciałeś, żeby byli tym, czym być nie mogli. Widzisz, dokąd cię to doprowadziło. Teraz możesz zrobić tylko jedno.

Zaczął wreszcie odzyskiwać panowanie nad sobą. Bezwiednie poprawił włosy i ubranie. Widziała lekki rumieniec wstydu wypływający na jego policzki i czuła instynktownie, że był to tylko jeszcze jeden demon, oprócz zranionej dumy, próżności i gniewu. Wiele zbrodni zostało popełnionych ze wstydu.

Wiedziała, że to nie czas na wsłuchiwanie się we własne uczucia – to on przeżywał najgorszą godzinę w swoim życiu i nie mogła go zawieść. Czas, kiedy była jego matką i tylko matką, minął bezpowrotnie. Ten prawie pięćdziesięcioletni mężczyzna był absolutnym władcą całego rzymskiego świata, zwycięzcą bitew przy Moście Mulwijskim, pod Adrianopolem i Chalcedonem.

– Nikt nie obarczy cię odpowiedzialnością za zabójstwo twojej... za zabójstwo cesarzowej, Konstantynie. Jako głowa państwa i ojciec rodziny jesteś poza jurysdykcją innych. Nawet gdybyś nie był – wielu uniewinniłoby cię za to, co zrobiłeś dzisiaj. Ale ty sam nie możesz się uniewinnić – ani cofnąć tego, co zrobiłeś. Dlatego jedyne, co zostaje, to działanie.

– Działanie – powtórzył mechanicznie. – Jakie działanie?

Wstała z wysiłkiem, ściskając laskę.

– Mojemu synowi mam do zaofiarowania tylko miłość – powiedziała. – Cesarzowi mówię: cienie Maksymiana, Kryspusa i Fausty przysłoniły twoje zwycięstwa w oczach historii. Człowiekowi mówię: skrucha bez zadośćuczynienia nie wystarcza w oczach Boga.

Podniósł wzrok.

– Co mogę zrobić, matko?

– Możesz czynić dobro – możesz pracować na chwałę Boga. Nie potrzebujesz starej kobiety, by ci mówiła, jak masz to robić...

Urwała. Jej serce zaczęło mocno bić – nagle i bez widocznego powodu; słyszała je jak donośny gong, wybijający płomienne wezwanie; coraz głośniej i głośniej, aż nie było już nic oprócz tego bicia, wypełniającego pokój i świat.

Sama była tylko tym biciem i prócz niego nie było na świecie nic. Skończyło się, zanim w pełni sobie to uświadomiła – jak rydwan przejeżdżający tak szybko, że ledwo zdążą mignąć grzywy, ogony i koła, nim znikną w chmurze pyłu.

– Matko... matko... co ci się stało? Jesteś chora?

Wzięła głęboki oddech.

– Nie, Konstantynie. Ale nadszedł czas, bym ci wyjawiła swój sekret. Skrywałam go wiernie przez wiele, wiele lat. Wiesz, że przy twoim urodzeniu mój ojciec przewidział dziwne rzeczy, które mają się przydarzyć tobie i mnie. Posiądziesz kraj, po którym jeździsz, powiedział. Będziesz czynił tak, jak twój ojciec, choć z czasem go przewyższysz. Będziesz śmiercią dla swego syna i radością dla swojej matki. Powtórzyłam ci niektóre z nich – nie wszystkie. Ale kiedy umierał, powiedział mi: „Ty i on... razem znajdziecie drzewo życia... tak, samo żywe drzewo...". To były jego ostatnie słowa na ziemi, Konstantynie...

Cesarz patrzył na nią z lękiem; więc Coel Mądry przewidział niemal całe jego życie – nawet śmierć Kryspusa. Ale wzrok matki bardziej niż ta wiedza sprawił, że poczuł się nagle mały i nieważny, jakby to ona stała wyżej od niego.

– Kiedy usłyszałam o twoim zwycięstwie przy Moście Mulwijskim – ciągnęła Helena – pomyślałam, że nawet te słowa mojego ojca się spełniły. Bo drzewo życia, żywe drzewo, to krzyż naszego Zbawiciela. A tamtego dnia uczyniłeś go godłem całej swojej armii i znakiem zwycięstwa.

W milczeniu skinął głową.

– Myliłam się – mówiła dalej. – Dopiero teraz widzę, jak bardzo się myliłam. Myślałam o symbolu, nie o rzeczywistości. A Chrystus to zawsze twarda rzeczywistość. Zapomniałam, co powiedział mi Hilary tuż przed śmiercią: „Powiedziano, że nauka Chrystusa obejmie świat rzymski dopiero wtedy, kiedy krzyż zostanie odnaleziony. Ponieważ zniknął – i nikt nie wie, gdzie jest".

Postąpiła o krok do przodu, jej oczy promieniały.

– Kiedy usłyszałam o twoim zwycięstwie, pomyślałam, że moje zadanie zostało wypełnione – powiedziała. – A tak się nie stało. Muszę odnaleźć krzyż – prawdziwy Krzyż!

Zerwał się z miejsca.

– Matko, on zaginął tuż po Jego śmierci. Jak możesz mieć nadzieję...

Uśmiechnęła się.

– Znajdę go, synu. I chcę, żebyś mi dał nieograniczoną władzę – muszę mieć do dyspozycji statki, ludzi i pieniądze. Czy dasz mi taką władzę, cesarzu Rzymu?

Głęboko wzruszony, schylił głowę.

– Twoja władza pochodzi z wyższego źródła niż ta, którą ja mogę ci ofiarować, matko. Ale cała władza, jaką ja posiadam, jest twoja.

Rozdział trzydziesty

Biskup Makary z Jerozolimy był zrozpaczony. Martwił się, odkąd przyszedł pierwszy list od cesarza, oznajmiający, że cesarzowa matka za kilka tygodni przypłynie do Ziemi Świętej i zatrzyma się w Jerozolimie. Cesarz prosił go – w bardzo grzecznych i pełnych szacunku słowach, ale i tak był to rozkaz – żeby pomógł matce w jej zadaniu – budowie kościoła na Górze Kalwarii i odnalezieniu prawdziwego krzyża Chrystusa.

Kościół na Górze Kalwarii – kiedy ani jeden człowiek w Jerozolimie nie wiedział nawet, gdzie znajdowała się Góra Kalwaria w czasach Błogosławionego Pana. W okolicach Jerozolimy było pełno małych wzgórz i pagórków, każdy z nich mógł być Górą Kalwarią trzysta lat temu.

A co do prawdziwego krzyża, odnalezienie go było zadaniem wprost beznadziejnym. Gdzie zacząć? Kogo pytać?

Miał teraz w swojej diecezji dość dużą wspólnotę, nawróconych pogan, nawróconych Żydów... byli w jego owczarni Syryjczycy, Fenicjanie, Arabowie i Koptowie, Grecy z wysp i z greckiego lądu. Był też, oczywiście, mały rdzeń, od zawsze chrześcijański, a od błogosławionego Edyktu Mediolańskiego mogli otwarcie czcić Chrystusa.

Miał ręce pełne roboty – było dość pracy od wschodu słońca do późnych godzin po jego zachodzie, dzień po dniu, bez dodatkowego obciążenia szukaniem czegoś, co zaginęło trzy wieki temu.

Poza tym teraz wreszcie można było się otwarcie komunikować z braćmi; należało wymieniać doświadczenia i idee najwyższej wagi, interpretować prawdy wiary i przedstawiać tę interpretację biskupowi Rzymu. To prawda, że Sobór Nicejski w zeszłym roku uczynił cuda i ustalono wiele rzeczy, które miały pozostać niewzruszone jak skała do końca czasów. Ale żaden sobór, choćby najbardziej natchniony przez Ducha Świętego, nie mógł rozwiązać wszystkich problemów; korespondencja z innymi biskupami była najważniejsza.

Należało nadzorować prace dla społeczności; niektórzy z pozoru bardzo pobożni ludzie okazywali się samolubni i zepsuci, a wielu młodych kapłanów było zbyt niedoświadczonych, by się na nich poznać. Należało się zająć wielkim problemem spowiedzi – szkoda, że papież Sylwester nie dał w tej sprawie wyraźnych wytycznych. Wielu orędowało za tym, by można było odpuścić grzechy tylko raz w życiu, a popadnięcie znowu w ten sam grzech byłoby niewybaczalne. Oczywiście, że tak nie mogło być! Jeśli trzeba wybaczać bratu nie siedem, lecz siedemdziesiąt siedem razy, czyż nie można oczekiwać przynajmniej równego temu miłosierdzia od samego Miłosierdzia? Biskup musiał mieć trochę czasu na rozważanie spraw takiej wagi, niezależnie od tego, ile praktycznej pracy miał do wykonania.

Dalej, pojawili się ostatnio członkowie wspólnoty, którzy przejawiali oznaki duchowej pychy i wyniosłości; zrozumiałe, być może, po takim długim okresie kryzysu i prześladowań, ale mimo wszystko niewłaściwe, a nawet niebezpieczne. Kiedy człowiek musiał ukrywać swoją wiarę przed światem lub był z jej powodu wyszydzany i poniżany, a potem cesarz nagle ogłosił, że ta wiara jest prawdziwa i staje się prawdziwą wiarą Imperium – cóż, wtedy trzeba być naprawdę bardzo dobrym człowiekiem, żeby taka radykalna zmiana nie uderzyła do głowy!

Gwałtowny wzrost i ekspansja religii z tajnych wspólnot do wielkiej międzynarodowej organizacji, i to w przeciągu zaledwie paru lat, musi mieć tysiąc różnych konsekwencji i powodować tysiąc nowych problemów. Dla biskupa oznaczało to więcej ciężkiej pracy.

W to wszystko wdarła się ta niemożliwa cesarzowa matka ze swoją samozwańczą misją odnalezienia prawdziwego krzyża. Od początku było oczywiste, że będzie uciążliwa. Nikt jednak nie mógł przewidzieć, w jakim stopniu...

W ciągu tygodnia przewróciła Jerozolimę do góry nogami.

Przybyła z sześcioma załadowanymi statkami pełnymi ekspertów, agentów i badaczy, którzy rozproszyli się po całym mieście i zasypywali wszystkich gradem pytań. Rozmawiali z handlarzami oliwą i winem, z chrześcijańskimi kapłanami i żydowskimi rabinami, z właścicielami zajazdów i sklepów, słuchali opowieści wysokich urzędników i żebraków z jednakowym zapałem i uwagą.

Łatwo było przewidzieć, co z tego wyniknie: w najlepszym wypadku usłyszą mętne plotki, ale częściej po prostu stek kłamstw. To było proszenie się o kłopoty. Cóż za okazja dla przebiegłego Syryjczyka, sprytnego Żyda czy żartownisia Greka – dostarczyć drogiej, starej cesarzowej matce wszystkich tych opowieści, w jakie najwyraźniej chciała uwierzyć!

Nie można być biskupem, nie znając dobrze ludzkiej natury. Biskup Makary nie był wyjątkiem – wzdychał za każdym razem, kiedy proszono go przed oblicze cesarskiego gościa, co zdarzało się codziennie.

Miała prawie siedemdziesiąt sześć lat, ale rozpierała ją energia osoby o połowę młodszej, a przy tym nadzwyczaj energicznej. Traktowała go z szacunkiem należnym jego urzędowi – ale nie pozostawiała żadnych wątpliwości, że cel, w jakim przybyła do Jerozolimy, uważa za priorytetowy i nie będzie tolerować żadnej opieszałości w udzielaniu jej pomocy.

Sama przeprowadziła rozmowy z mnóstwem ludzi, bez względu na płeć, pozycję społeczną, narodowość czy wyznanie. Chodziła po mieście w towarzystwie kilku dam dworu i najwyżej jednego lub dwóch strażników. A miała niepokojące upodobanie do mniej szanowanych i dlatego bardziej niebezpiecznych dzielnic, ulic zamieszkiwanych przez biedotę, złodziei, żebraków i prostytutki.

Spędzała długie godziny zupełnie sama na stokach Góry Oliwnej, modląc się lub medytując. Była wiosna, miesiąc maj, i drzewa figowe wypuszczały pąki. Girlandy cyprysów migotały w świeżej zieleni, wieńcząc srebrne gaje oliwne. Monotonne żółcie i brązy Jerozolimy rozkwitły miriadami odcieni. Nawet ruiny miasta – a było ich wiele, zwłaszcza na peryferiach – zdawały się wyglądać mniej surowo i odpychająco. W całym mieście unosił się zapach jaśminu, lawendy i oleandra, mieszając się z zapachem przypraw i dymu z ognisk ze zwierzęcego nawozu.

Było ciepło i długie godziny spędzane na Górze Oliwnej nie szkodziły zdrowiu cesarzowej matki, ale i tak były niebezpieczne. Rzymski prefekt policji, Sulpicjusz, wprost wychodził z siebie. Jego ludzie pracowali po godzinach, obserwując wielu przestępców, śledząc podejrzanych gości jak milczące cienie, równie zmartwieni perspektywą, że starsza dama ich zwymyśla i przepędzi, jak i jej bezpieczeństwem. W ciągu ostatnich dwóch tygodni prefekt Sulpicjusz w narastającej desperacji pięć razy widział się z biskupem Makarym.

– Czy nie możesz czegoś zrobić, by to się skończyło? – jęczał spocony urzędnik. – Osiwieję przez to. Nie mogę spać. Wiesz, co zrobiła wczoraj? Wyszła poza mury miasta do dzielnicy biedoty przy starej bramie wielbłądziej. Z jedną – jedną! – damą dworu i bez żadnej ochrony. Kazałem sześciu ludziom, by jej pilnowali – rozpoznała ich i przegoniła! Jest przekonana, że obecność strażników, nawet bez mundurów sprawia, że ludzie nie są z nią szczerzy. Szczerzy z nią! Poganiacze wielbłądów i kupcy korzenni! Powiedziano jej, że Góra Kalwaria była wszędzie i w każdym kierunku. Nie ma opowieści na tyle głupiej, by nie chciała pójść jej tropem. Nie wiem już, co robić.

– Rozumiem, rozumiem – biskup Makary potrafił okazać współczucie – to dla ciebie ciężka próba, a dla mnie też nie jest łatwa! Dostaję od niej najświeższe wiadomości, kiedy ją odwiedzam po obiedzie, codziennie! Nawet ja nie wiedziałem, że ludzie mogą być tacy pomysłowi. Pewien stary kupiec powiedział jej, że Góra Kalwaria została w tajemniczy sposób podniesiona i przewieziona do Jerycha po zdobyciu Jerozolimy przez Tytusa. Było...

– Świetny pomysł! – ożywił się Sulpicjusz. – Czy nie możesz tego potwierdzić? Albo przynajmniej powiedzieć, że też słyszałeś coś podobnego. Pojedzie do Jerycha i na odmianę da jakieś zajęcie moim kolegom. Albo jeszcze lepiej – czy nie możesz jej przekonać, że ten przedmiot nie ma zostać odnaleziony? W końcu jesteś biskupem – jeżeli ona jest tak dobrą chrześcijanką, powinna ci uwierzyć!

– Właśnie dlatego nie mogę kłamać – odparł Makary, nagle bardzo oficjalny. – Przyjacielu, ja też widzę, że te... hmm... poszukiwania bardzo ograniczają moje codzienne zajęcia, ale to nie znaczy, że będę próbował wyperswadować to cesarzowej matce – ani tym bardziej rozmyślnie wprowadzać ją w błąd.

Prefekt wyglądał na skruszonego.

– Ale musisz przyznać, wielebny biskupie, że cała ta sprawa to jedno wielkie szaleństwo! To jak próba odnalezienia... igły w stogu siana. Zaczęła prace wykopaliskowe przynajmniej na ośmiu różnych wzgórzach! Pracują przy nich setki robotników i setki dochodzą każdego dnia – jeśli to potrwa dłużej, ona przekopie całą okolicę. A nawet jeśli znajdzie właściwe wzgórze, jak zamierza znaleźć krzyż! To przecież beznadziejne i ty wiesz o tym równie dobrze jak ja!

– Nigdy nie wiadomo – odparł Makary i zdziwił się trochę własnymi słowami. Może postawa prefekta policji sprowokowała go do takiego sprzeciwu, ale czuł, że to nie jest jedyny powód. Niezmordowana, niemal szaleńcza energia starej kobiety zdawała się być zaraźliwa. Roześmiał się nagle. – Obawiam się, że nie mogę ci pomóc, Sulpicjuszu. Ona przytłacza mnie tak samo jak ciebie. I przecież istnieje szansa – choć minimalna – że ona ma rację! Nie można też zapominać o tylu robotnikach znajdujących pracę oraz o domu dla sierot, który buduje w dzielnicy południowej i o nowej gospodzie dla biednych podróżnych. Nie, nie, to przedsięwzięcie – mądre czy głupie, szalone czy natchnione – musi trwać. Znieś to jak mężczyzna, Sulpicjuszu. Ja zrobię tak samo.

W rzeczy samej, Makariusz robił więcej, niż tylko to znosił. To on podał Helenie informację, że zgodnie z żydowskim prawem ciała straconych przestępców musiały być grzebane w miejscu egzekucji, razem z jej narzędziami. Z Ewangelii jasno wynikało, że z ciałem Jezusa było inaczej. Ale sam krzyż został prawdopodobnie zakopany na samej Kalwarii. Dlatego, gdyby tylko odnalazła tamto małe wzgórze...

Ale w okolicach Jerozolimy było jedno małe wzgórze przy drugim – to stanowiło największą trudność.

– Dzień dobry, Szymonie – powiedziała Helena, unosząc czarną laskę w przyjaznym pozdrowieniu. Terencja blado się uśmiechnęła.

– Dzień dobry, pani – odpowiedział chłopiec, kłaniając się z powagą. Miał jakieś piętnaście lat. Czarne oczy o migdałowym wykroju w szczupłej twarzy o pięknie rzeźbionych rysach, kręcone czarne włosy. Byłby bardzo przystojnym chłopcem, pomyślała Terencja, gdyby nie porażona prawa ręka zwisająca bezwładnie u jego boku, bardziej zbędny balast niż ludzka kończyna. Zawsze lekko się wzdrygała na ten widok, ale bardzo uważała, by nie zostało to zauważone – pani Helena miała mało zrozumienia dla takich rzeczy. Spotkały chłopca kilka razy podczas wypraw w miejsca za zniszczonymi murami miejskimi. Zawsze stał spokojnie przed małym domkiem, gdzie mieszkał ze swoją matką, kobietą przedwcześnie postarzałą wskutek nieustającej pracy. Pomagał jej, jak mógł, wykonując dodatkowe prace, głównie jako posłaniec. Nie radził sobie dobrze z pracami manualnymi, odkąd piorun uderzył w drzewo, pod którym szukał schronienia siedem lat temu, pozbawiając go przytomności i zostawiając takim, jakim był teraz – kaleką.

Helena polubiła go; był inteligentny i bawiły ją jego dystyngowane maniery. Przedtem dwukrotnie wykorzystała go jako przewodnika i za każdym razem zabierał do domu złotą monetę, którą przyjmował z uprzejmą obojętnością, która trochę irytowała Terencję. Jak gdyby taki wyrostek codziennie oglądał złote monety!

– Dziś spróbujemy w innym kierunku – powiedziała Helena. – Czy możesz nas znów poprowadzić, Szymonie?

– Z przyjemnością, pani – powiedział chłopiec. – Ale byłaś tu już prawie wszędzie. Tam są jeszcze dwa wzgórza, niezbyt daleko. Ale nie sądzę, że ci się spodobają.

Zaczęli iść w tamtą stronę.

– Dlaczego nie? – zapytała Helena.

Chłopiec wzruszył chudymi ramionami.

– Tam nie ma nic do oglądania – powiedział. – Tylko wzgórza.

Wiosna była w pełnym rozkwicie; przez cały czas stąpali po kwiatach, których zapach wypełniał powietrze. Ta dziwna starsza dama szukała wzgórz. Cóż, w okolicach Jerozolimy było ich sporo, ale kiedy stawała na którymś z nich, potrząsała zwykle małą siwą głową i mówiła: „Nie... nie tutaj... nie tutaj", jak gdyby próbowała znaleźć miejsce, w którym była wcześniej. A przecież powiedziała mu, że jest po raz pierwszy w tym kraju. Była bardzo starą damą.

Bez wątpienia była trochę szalona – nie tak, jak garbus Mordechaj, którego musieli wiązać, kiedy miał jeden z tych swoich napadów, ale jak Rachela, która czasem mówiła bezsensowne rzeczy i śpiewała dziwnym głosem. Jednak większość z tego, co mówiła stara dama, miało sens.

Nieraz chciał ją zapytać, czego właściwie szuka, ale nie miał odwagi. Nie była osobą, którą można pytać o takie rzeczy. Nawet wyniosła, elegancko ubrana pani, która jej towarzyszyła, nigdy nie zadawała pytań ani nie odzywała się do niej pierwsza.

Nawet ją lubił. W przeciwieństwie do innych starych kobiet nie patrzyła na niego z litością z powodu jego ręki. W ogóle nie zwracała uwagi na jego rękę. Traktowała go, jak gdyby była to najbardziej naturalna rzecz na świecie, a on sam był dokładnie taki, jak powinien. To pozwalało czuć się swobodnie.

Była też dobrym piechurem i nigdy nie wyglądała na zmęczoną – ta druga, choć młodsza, męczyła się znacznie szybciej.

– Na pewno już tu byliśmy – powiedziała Helena.

Strumień, krzewy oleandrów, trawa o słodkim zapachu, który przypominał jej Brytanię. W oddali pasterz pilnował małego, spokojnie pasącego się stada owiec.

Szymon potrząsnął głową. Nie, tutaj nie byli. Ale wzgórza są do siebie bardzo podobne. Jego łacina była trochę niepewna, ale nie taka zła. Helenę zaciekawiło, jak się jej nauczył. Nauczył się od rabina. Tak jak wielu chłopców. Miał bardzo dobrego rabina. Ale teraz nie ma czasu na naukę, bo mama się starzeje. Tak, chciałby się uczyć dalej – ale po co o tym myśleć, skoro to niemożliwe?

Tu były te dwa małe wzgórza, o których mówił – na jednym rosło mnóstwo trawy i kwiatów, strzeżonych przez samotny cyprys, na drugim stały ruiny. Tak, ruiny świątyni. Zbudowano ją dawno, dawno temu z rozkazu cesarza o imieniu Hadrian. Szymon był trochę dumny ze swojej wiedzy. To była świątynia rzymskiej bogini, tej, której poświęcono gołębie – nazywała się Wenus.

Ale ku swemu zdumieniu stwierdził, że starsza dama go nie słucha.

Stała bez ruchu, patrząc na wzgórze z ruinami. Ciężko oddychała i może dziś jednak się zmęczyła – na jej czoło wystąpiły krople potu. Albo... albo była chora? Miała szeroko otwarte oczy – to nie wyglądało naturalnie. A ta druga patrzyła na nią z niepokojem i nie wiedziała, co robić.

Helena stała i stała; jej serce znów zaczęło wybijać płomienne wezwanie; coraz głośniej i głośniej, aż sama była tylko tym biciem i prócz niego nie było na świecie nic. Potem zaczęła iść, powoli, przez łąkę, w górę, na sam szczyt wzgórza z ruinami świątyni. Nie wiedziała, że idzie – w całym ciele czuła delikatne mrowienie, jak gdyby owiewał ją wiatr. Grały skrzypce, flety i bębny, a muzyka stawała się coraz głośniejsza. Wszystkie kwiaty świata składały pokłon temu wzgórzu; wszystkie drzewa świata składały pokłon temu wzgórzu.

Krok za krokiem, a każdy z nich był jak grzmot dobiegający z wnętrza ziemi. Kłuły ją ciernie, pokrzywy i osty, wąż uciekł, grzechocząc, w krzaki.

Ruiny świątyni, zarośnięte chwastami, zagradzały drogę.

Kiedy Terencja i Szymon weszli na szczyt wzgórza, zastali Helenę stojącą przed nimi. Oczy miała wciąż szeroko otwarte, a w jej twarzy nie było nawet kropli krwi. Wskazała laską na ruiny świątyni. Kiedy przemówiła, jej głos był nienaturalnie spokojny.

– To... zostanie dzisiaj zburzone!

Następnego dnia po południu Szymon wrócił na wzgórze z ruinami. Na drodze, na której wczoraj widzieli tylko samotnego pasterza, roiło się od ludzi. Większość z nich stanowili robotnicy z kilofami i łopatami, a towarzyszyły im ciężkie wozy zaprzężone w woły. Było jednak również wielu urzędników różnej rangi, oddział żołnierzy pod dowództwem setnika i mała grupka chrześcijańskich kapłanów, maszerujących wytrwale przez falujący i kłębiący się tłum ciekawskich.

Szymon zastanawiał się, co też oni przyszli zobaczyć – co ciekawego mogło być do oglądania w uprzątniętych resztkach starej świątyni.

Kiedy starsza dama wydała swoje dziwne polecenie na szczycie wzgórza, naprawdę pomyślał, że jednak jest szalona. Wyglądała na taką – i dlaczego ktoś miałby burzyć stare ruiny tylko dlatego, że ona tak chce?

A jednak nie dalej niż w dwie godziny po ich powrocie pojawili się pierwsi robotnicy i pracowali do zachodu słońca pod nadzorem żołnierzy. I nie zadowolili się zburzeniem ruin świątyni – zaczęli kopać w ziemi. A w nocy żołnierze zostali, trzymając straż na szczycie wzgórza, jak gdyby pilnowali skarbu. A może właśnie tak było! Może naprawdę pilnowali skarbu!

A jeśli tak – jak to możliwe, że starsza dama kierowała tymi wszystkimi robotnikami i nawet żołnierze jej słuchali? To naprawdę go zaintrygowało – dopóki nie dowiedział się prawdy od jednego z robotników. Starsza dama – z czarną laską? Chodząca wszędzie i szukająca wzgórz? Jak to, oczywiście, że to była ona, Helena, cesarzowa matka – nie wiedział o tym? Prowadziła wykopaliska w kilkunastu miejscach w Jerozolimie – to było tylko kolejne z nich.

Cesarzowa matka...

Znów musiał na nią spojrzeć, wiedząc teraz, kim jest. Wiedział, że jest w Jerozolimie – nawet to, że na jej polecenie prowadzono wykopaliska. Ale wyobrażał ją sobie przystrojoną w złoto i purpurę, otoczoną tłumem niewolników i dworzan – nie przygarbioną, starą kobietę, która chodziła o lasce i tak zwyczajnie z nim rozmawiała.

Poszedł za tłumem zmierzającym w stronę wzgórza; ze swoim szczupłym ciałem łatwo przeciskał się tam, gdzie nie mogli inni. Wokół szczytu wzgórza stał kordon żołnierzy – wiedział, że tamtędy nie da rady się prześlizgnąć. Ale teraz widział starą damę – tym razem stało za nią kilka kobiet, a przy jej boku kapłan we wspaniałych szatach.

Ostrożnie torował sobie drogę przez tłum – wszyscy wpatrywali się w miejsce, gdzie do wczoraj były ruiny świątyni. Teraz ruiny znikły, a w ich miejscu widniała wielka, głęboko wykopana w ziemi dziura, w której kłębili się robotnicy. Wyglądało to jak mrowisko.

– Cofnij się, chłopcze – warknął jeden ze strażników.

Ale w tej samej chwili Helena podniosła wzrok i dała znak, by go przepuścili. Podszedł do niej nieśmiało i pokłonił się. Palcami lewej dłoni dotknęła jego głowy.

– To jest Szymon, wielebny biskupie – przyprowadził mnie tu wczoraj.

Biskup Makary skinął głową.

– Może on też zmieni kiedyś swoje imię na Piotr – powiedział uprzejmym głosem. Czuł się dość nieswojo – rano wysłannik cesarzowej matki wezwał go do niej i od tamtej chwili został wciągnięty w wir wydarzeń. Nalegała, by poszedł z nią na wzgórze; jej kobiety nie umiały oczywiście trzymać języka za zębami i teraz zebrało się tutaj pół miasta. A jeśli to wszystko było daremne? Nie byłoby dobre dla autorytetu Imperium, gdyby cesarzowa matka się ośmieszyła. Nie byłoby to też dobre dla młodego autorytetu Kościoła. Nie mówiąc już o staniu tutaj przez bite trzy godziny. Cóż, był mężczyzną i nie przekroczył jeszcze sześćdziesiątki. Jak ona to wytrzymywała, w jej wieku – tego nie umiał sobie wyobrazić. To było naprawdę jak szukanie wiatru w polu. Czy w okolicach Jerozolimy nie zdarzały się małe trzęsienia ziemi? Takie zjawisko zmieniało wzgórza w równinę, a równinę we wzgórza. Nonsensem było stać tutaj i patrzeć, jak robotnicy kopią coraz głębszą dziurę...

Podeszła do niego delegacja trzech młodych księży, a ich rzecznik złożył mu pokłon i wyszeptał coś o listach, które przybyły z Antiochii; jego obecność w mieście była pilnie potrzebna.

– Moje miejsce jest tutaj – odrzekł biskup Makary. – Odejdź, przyjacielu.

I dalej patrzył na dziurę w ziemi.

Oczywiście, że tego nie mogło być. To nie wchodziło w rachubę. Ale nawet najmniejsza, najbardziej mglista szansa...

Tylko jeden jedyny fakt przemawiał do jego racjonalnego umysłu – ten, że cesarz Hadrian kazał zbudować na tym wzgórzu świątynię. Hadrian panował dwieście lat temu i nie był przyjacielem chrześcijan. W rzeczy samej, nienawidził ich tak, jak człowiek o jego dziwacznie pokręconym umyśle potrafi nienawidzić. Hadrian i jego zepsuci przyjaciele – to był człowiek, który mógł wpaść na taki pomysł: zbudować świątynię Wenus na Kalwarii. Bogini rozkoszy budziła wstręt chrześcijan – wybudowanie w tym miejscu jej świątyni gwarantowało, że nie stanie się ono nigdy uświęconym miejscem spotkań znienawidzonej sekty...

To miało sens. Ale tylko to jedno w całej tej sprawie i jeśli... co się dzieje z cesarzową? Cała drży...

Nagle z głębi dziury w ziemi dobiegł przeciągły krzyk... potem następny... i jeszcze jeden...

– Drewno! Drewno! Drewno!

Helena upadła na kolana. Kobiety poszły odruchowo za jej przykładem.

Biskup Makary wpatrywał się w dziurę, a jego oddech stał się cięższy. We wnętrzu było tylu robotników, że nie dało się niczego zobaczyć. A może... jednak?

Tłum ucichł, a cisza zawisła w powietrzu jak żywa istota. Nie było wiatru.

Zdawało się, że nawet ptaki i owady umilkły.

Słychać było tylko sporadyczne stuknięcia żelaznej łopaty.

I wtedy biskup Makary wydał krótki, ochrypły okrzyk i upadł na kolana. W chwilę później klęczeli wszyscy.

Z głębi ziemi wyrosły trzy krzyże.

Wyrastały powoli – chwiejąc się lekko, kiedy robotnicy wynosili je na powierzchnię.

Teraz pokazały się na powierzchni, a za nimi grupa robotników z kilofami i łopatami – jeden niósł coś, co przypominało kawałek pergaminu. Pojawiło się więcej mężczyzn. Stali, wahając się, jak osłupiałe zwierzęta – jak gdyby nie śmieli podejść bliżej do cesarzowej.

Helena próbowała wstać, ale nie mogła. Makary po lewej, a młody Szymon po jej prawej stronie musieli ją podtrzymać. Uginały się pod nią kolana, kiedy szła, potykając się, aż stanęła u stóp trzech krzyży. Łkała teraz, a jej ciało drżało konwulsyjnie.

Mimo wielkiego podekscytowania umysł Makarego pracował z niezwykłą jasnością. Zobaczył pergamin w dłoni robotnika i rozpoznał na nim litery hebrajskie, greckie i łacińskie... obwieszczenie Piłata. Dlatego jeden krzyż był tym prawdziwym. Ale który?

Zanim zdążył doprowadzić myśl do końca, Helena objęła jeden z krzyży, tak jak matka tuli dziecko. Potem niespodziewanym ruchem chwyciła Szymona za ramię i przyciągnęła do siebie. Chłopiec patrzył szeroko otwartymi oczami, jak ściska jego porażoną rękę i dotyka nią trzonu krzyża.

Wydał przeciągły jęk. Miał wrażenie, że w jego ręce rozchodzi się język ognia, nie przestając płonąć. Wyszarpnął ją i... posłuchała jego woli. Patrzył na nią z najwyższym zdumieniem – i po raz pierwszy od siedmiu lat zobaczył, że porusza palcami prawej dłoni. Spróbował jeszcze raz – i znów się poruszyły. Poruszył ręką – najpierw w górę, potem w bok...

Dla patrzących wyglądało to jak znak krzyża.

Wielu obecnych znało Szymona, kalekę – przez tłum gapiów przeszła fala szeptów.

Oczy Heleny i Makarego spotkały się. Biskup pochylił się powoli i ucałował krzyż.

Powrót do Jerozolimy był jedną długą, triumfalną modlitwą.

Większość w tłumie stanowili rozśpiewani chrześcijanie.

Makary sam, z pomocą dwóch kapłanów, niósł krzyż. Helena szła za nimi, podtrzymywana przez młodego Szymona, który kroczył jak we śnie. W połowie drogi stary biskup musiał się poddać, pokonany przez emocje i przez słabość swego ciała, ale gdy zbliżyli się do bramy miejskiej, znów przejął krzyż. Ze łzami spływającymi po twarzy pomyślał, że to przecież mogła być ta sama brama – teraz na wpół zburzona – przez którą krzyż został wyniesiony prawie trzy wieki temu...

Rozdział trzydziesty pierwszy

– Śpi – powiedział cicho Konstantyn. – Opowiedz mi więcej – wszystko.

Terencja spojrzała jeszcze raz w stronę małego tarasu. Cesarzowa spała spokojnie w swoim fotelu – jej twarz skurczyła się do rozmiaru niemal dziecięcej. Słońce zachodzące nad wierzchołkami pinii rzucało na rzymskie wzgórza ostatnie refleksy złota, czerwieni i purpury.

I cesarz, i biskup Ozjusz słuchali bardzo uważnie. Raport biskupa Makarego przypłynął tym samym statkiem, co cesarzowa, a on był bardzo sumiennym człowiekiem. Ale w tej historii znaczenie miał każdy szczegół; sama cesarzowa była zbyt chora i zmęczona, by mówić – a Terencja przebywała z nią przez cały czas.

– Święte gwoździe też odnaleziono – szepnęła Terencja. – I włócznię. Może była to włócznia, którą otworzono bok Naszego Pana – nie wiem. Pani zostawiła duży fragment krzyża biskupowi Makariuszowi: ma zbudować bazylikę pod jego wezwaniem. Został umieszczony w pięknym srebrnym relikwiarzu. Jeden z trzech gwoździ zaginął podczas podróży statkiem. Nigdy się nie dowiedziałyśmy, co się z nim stało. Cesarzowa ma ze sobą dwa pozostałe. Miałyśmy straszną drogę powrotną – szalały sztormy i myślałyśmy już, że statek zatonie. I wtedy nagle morze się uspokoiło...

Biskup Ozjusz kiwnął nieznacznie głową. Po Rzymie krążyła już plotka, że cesarzowa uciszyła sztorm, rzucając do morza jeden ze świętych gwoździ.

– Cesarzowa zachorowała – ciągnęła Terencja – jak tylko postawiłyśmy stopę na suchym lądzie. Nalegała jednak, by jechać dalej do Rzymu. Myślę, że chciała podróżować jeszcze dalej – dziś rano powiedziała coś o Brytanii – ale tak słabym głosem, że dokładnie nie zrozumiałam.

– Jest największą kobietą, jaka kiedykolwiek urodziła się w Brytanii – powiedział Ozjusz.

– Po południu – mówiła dalej Terencja – kazała mi rozpakować złoty kielich, który zawsze nosiła ze sobą – i otworzyć.

– Co w nim było? – zapytał szybko Ozjusz.

– Trochę białej substancji – patrzyła na to przez chwilę i chyba się modliła. Potem wzięła kielich – dość pewnie, a jest ciężki – podniosła go do ust i zjadła zawartość.

Konstantyn patrzył ze zdumieniem na biskupa, który kiwał głową w cichym zrozumieniu. Nagle wszyscy troje spojrzeli w stronę tarasu. Nie usłyszeli żadnego dźwięku, nie dostrzegli poruszenia – i pobiegli do siedzącej w fotelu cesarzowej.

Helena miała szeroko otwarte oczy, ale nikt nie wiedział, na co patrzy. Na jej twarzy malował się wyraz pełnej zachwytu czułości.

Po drugiej stronie tarasu ostatnie promienie zachodzącego słońca muskały wielki krzyż; zdawał się żarzyć, pulsować strumieniem krwi słonecznych promieni, lśniących i mieniących się w wiecznym ruchu.

Spis treści

XVI wiek. Hiszpania w rozkwicie.
Imperium, nad którym nie zachodzi słońce.

Młodzieniec zabrany z chłopskiej chaty.
Wychowywany w domu cesarskiego powiernika.

Kim jest? Chłopem? Szlachcicem?
Arystokratą? Kimś... znacznie więcej?
Czemu wszystko spowija mgła tajemnicy?

Ktoś ma wpływ na jego życie.
Ktoś przeznaczył go do największego starcia.
Czy to ziemski władca? Czy sam... Bóg?

To don Juan de Austria...
wybrany.

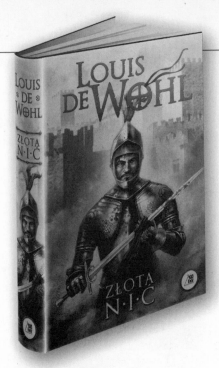

19,5 x 12,5 cm, 440 stron, oprawa miękka

XVI wiek. Nawarra. Chaos wojny
francusko-hiszpańskiej. Oblężenie cytadeli.

Dumny baskijski hidalgo.
Waleczny dowódca obrony
trafiony kulą armatnią w nogę.

Chce być najodważniejszym wojownikiem.
Chce służyć największemu władcy.
Podczas leczenia czyta o całującym trędowatego...

Wie już, kim chce być. Wie, co zmienić.
Zostaje generałem armii... Jezusa Chrystusa.

To Iñigo López de Oñaz y Loyola...
święty.